MW00561327

AUF DEUTSCH!

AUF DEUTSCH!
Kompetenz durch kommunikatives Lernen

HELGA KRAFT
University of Florida

BARBARA KOSTA
University of Arizona

PRENTICE HALL, *Englewood Cliffs, New Jersey* 07632

Library of Congress Cataloging-in-Publication Data

KRAFT, HELGA.
    Auf deutsch! : Kompetenz durch kommunikatives Lernen / Helga
Kraft. Barbara Kosta.
    p. cm.
    ISBN 0-13-516774-4
    1. German language—Grammar—1950. 2. German language—Textbooks
for foreign speakers—English. I. Kosta, Barbara. II. Title.
PF3112.K67 1990
438.2'421—dc20

                    89-29280
                     CIP

Acquisitions editor: Steve Debow
Editorial assistant: María F. García
Editorial/production supervision: Lisa A. Domínguez
Interior design: Kenny Beck
Senior design director: Florence Silverman
Cover design: Ben Kann
Manufacturing buyer: Carol Bystrom

© 1990 by Prentice-Hall, Inc.
A Division of Simon & Schuster
Englewood Cliffs, New Jersey 07632

Printed in the United States of America
10 9 8 7 6 5 4 3 2 1

ISBN 0-13-516774-4

Prentice-Hall International (UK) Limited, *London*
Prentice-Hall of Australia Pty. Limited, *Sydney*
Prentice-Hall Canada Inc., *Toronto*
Prentice-Hall Hispanoamericana, S.A., *Mexico*
Prentice-Hall of India Private Limited, *New Delhi*
Prentice-Hall of Japan, Inc., *Tokyo*
Simon & Schuster Asia Pte. Ltd., *Singapore*
Editora Prentice-Hall do Brasil, Ltda., *Rio de Janeiro*

KAPITEL 1

KAPITEL 2

KAPITEL 3

KAPITEL 4

KAPITEL 5

KAPITEL 6

KAPITEL 7

KAPITEL 8

KAPITEL 9

KAPITEL 10

KAPITEL 11

KAPITEL 12

KAPITEL 13

KAPITEL 14

KAPITEL 15

KAPITEL 16

KAPITEL 17

KAPITEL 18

KAPITEL 19

KAPITEL 20

KAPITEL 21

GRAMMAR FOR GRAMMAR BUFFS

A complete grammar reference section, written in English, appears on the tinted pages at the end of the text.

TO THE INSTRUCTOR

Auf deutsch! is unlike any other foreign language textbook. It combines an organized approach to learning grammar with innovative, flexible techniques for developing communication skills. Due to the wide variety of materials in the textbook, it can be adapted to different teaching approaches. It is designed to be practical and inspiring.

We have tried to deal with foreign language acquisition through a holistic approach. We draw on communicative activities and contextual situations to present language structures. This means that grammar is not isolated from speaking nor speaking from grammar. By joining these two modes, the multi-levels of a students' receptive abilities are activated. In this type of learning process, many of their senses are engaged and language becomes a means of expression motivated by a situation or experience. By offering a variety of learning stimuli, a wide spectrum of acquisitional modes is taken into consideration.

Auf deutsch! was guided by a few essential goals and objectives which have been tested over several years at the University of Florida. The text is developed:

1. to motivate students to adopt a positive attitude toward language learning through the use of materials which generate active interest and participation.
2. to encourage students to take individual initiative and to cultivate their own creativity in using their language skills.
3. to provide students with materials that initiate an effective working knowledge in speaking, reading, writing, and listening comprehension.
4. to enable students to participate from day one in the communication process by facilitating early acquisition of basic language structures.
5. to offer practical vocabulary useful in the student's everyday life.
6. to encourage accuracy through a wealth of exercises.
7. to promote a realistic understanding of German culture.

The text is supported by a fine ancillaries package.

Instructor's Manual

The Instructor's Manual, prepared by the authors, was specifically written for the large numbers of graduate teaching assistants teaching Elementary German in large programs throughout the United States and Canada. It contains an overview of communicative language teaching and includes an array of tips and suggestions organized step by step and keyed to activities in the text and Arbeitsbuch.

Audio-Program and Tapescript

Unique to *Auf deutsch!* is the variety of listening activities available in its fifteen hour audio program. While many lab programs reduce the listening components of language study to chapter opening dialogues and pattern drills, *Auf deutsch!* features an authentic radio-show format. A demonstration cassette comes free with each examination copy of the text.

Arbeitsbuch

The *Arbeitsbuch* provides students with opportunities to listen to German in a variety of contexts. While some exercise and writing activities parallel the presentation of content, structure, and vocabulary in the main text, many chapters contain additional materials to today's university students.

IBM-Computerized Arbeitsbuch

Most workbook activities are provided on diskette to adopting instructors.

Schau ins Land Audiomagazine

Your students will rapidly increase their receptive skills with the appearance each month of a new *Schau Ins Land*, a lively, monthly magazine on audiocassette accompanied by a printed transcription and glossary. Each hour long edition is only three to four weeks old when you receive it, so students get an up to date, panoramic view of contemporary culture that no textbook can match.

In addition, *Auf deutsch!* is designed to facilitate maximum benefits from interaction in the classroom, keeping the individuality of the instructor in mind. The Instructor's Manual offers detailed suggestions allowing even the beginning teaching assistant to teach successfully and with comfortable self-assurance. In cultivating a communicative classroom environment, learning German becomes worthwhile and rewarding for both instructors and students.

TO THE STUDENT

Welcome to *Auf deutsch!* a first-year textbook designed to help you speak German right away. With this book, you will find that learning German is just as easy as learning any other foreign language. In fact, you can acquire basic proficiency within one year.

Many students' input played a major role in the conception of this textbook. Here are a few reactions from those who have learned German using *Auf deutsch!* and the communicative approach.

> *I actually learned to speak the language I spent so much time studying.* (Robert White)

> *I learned more German and spoke it much more fluently in one semester than I did in three years of high school Spanish.* (Noel Schofield)

> *After one semester I could communicate and understand enough German to get around Germany easily and meet a lot of people.* (Jonathan Weiner)

Our instructional principles are based on the latest research in modern second language acquisition. To make learning exciting, we have included a wide variety of materials and exercises for lively interaction. For example, each lesson begins with a **Minidrama**, a script on the possible pleasures and pitfalls in the everyday life of a student in the United States. Four characters—students as well—appear throughout the text and become your link to the new language. The Minidramas contain a wealth of vocabulary presented in dramatic contexts which can easily be acted out. Through the Minidramas you immediately learn practical phrases, idioms, and expressions. Cognates, loan words, familiar contexts, and pictures are included in order to make the Minidramas easily understood. In fact, you will find that you understand a lot of German without needing to translate and once you have practiced and performed the 21 Minidramas, you will be amazed at your own fluency and good pronunciation.

The first half of *Auf deutsch!* introduces most of the basic grammar structures. This way you are provided with the necessary tools for communicating in the shortest possible time. The second half is devoted to reinforcing and fine-tuning these structures. Consequently, you have the chance to practice what you have previously learned and expand the foundation. Rather than presenting lengthy grammar explanations, we designed a grammar page—**Muster und Modelle**—which concisely presents the elements essential to basic proficiency. Icons such as a hand and a spy emphasize the important points. The hand directs you to the main area of concentration on the page. The spy signals beware. These symbols can be particularly helpful for reviewing. The lively cartoons and illustrations provide the context for sentences that contain the particular grammar item referred to on the page. Most of these cartoons are by contemporary artists appearing in many German weekly magazines. For those of you who are grammar buffs, there is a comprehensive section in the appendix on German language structures. It is written in English in a conversational tone with easy step-by-step explanations. In the section titled **Ausprobieren** you have the opportunity to immediately test out your newly acquired knowledge in group work. In **Sprachliche Besonderheiten** you will find particular language usages that tend to cause problems for English speaking people.

Language, of course, is by no means only grammar and words. It expresses emotions, feelings, opinions and what has come to be called the "subjective factor." In the section **Was sagt man da**, a variety of ways to express emotions, such as anger, fear, disappointment and surprise, is presented. In this section you can also learn about formal communication strategies necessary for interacting socially, for example speaking on the telephone or wishing someone well. These communication strategies can then be practiced in the suggested role plays that accompany each model.

The **Deutsches Magazin** is a potpourri of informative topics, ranging from pancakes to politics. The wide selection allows you to choose points within the chapter that particularly interest you. For example, would you like to know about composers or learn a few things about German fairy tales? Are you interested in the environment or politics? There are many authentic texts that are meant to be skimmed only for the gist of meaning. You will be amazed at how much you understand and how quickly you develop a passive knowledge of German. The exercises that accompany these sections are designed for group discussion so that you can develop skills in expressing your opinions on the many light and serious current issues introduced in the text in German. Even though points of cultural interest appear throughout the textbook, the **Blickpunkt** offers a condensed overview or a register of facts pertaining to geographical or cultural aspects of German speaking countries. For instance, there is information on Bavaria, on Vienna, on German cinema, on German politics and the economic system.

Auf deutsch! is accompanied by a workbook and audio tapes. The workbook furnishes contextual exercises for individual study; the audio tapes contain stimulating authentic texts, dramatic readings of the minidramas and a variety of music.

We hope that you enjoy using *Auf deutsch!* and that it arouses your curiosity about a foreign culture and language. However, it is only meant to provide the groundwork—the rest is up to you.

Viel Spaß,

Helga Kraft
Barbara Kosta

ACKNOWLEDGMENTS

Auf deutsch! is the result of an ongoing project on the development of German language instruction. In order to provide our students with a modern communicative approach to language acquisition, we developed the material collected in this text with the help of many colleagues and students who dedicated their time to the Florida Communication Model. This model was established and supported by the Department of Germanic and Slavic Languages and Literatures at the University of Florida. The Dartmouth Intensive Language Model provided the initial impetus for our project and was especially important for the training of the teaching staff in communicative classroom skills.

Over the years many people have contributed to the development of the textbook. We would especially like to thank Dan Lewis, who helped to conceptualize our approach; Diane St. Croix, who was one of the first students in the pioneering class and later participated in designing various chapters; Dan Nevins and Arne Preller, whose artisic pens lent flair and whimsy to the many pages; and Karin Esser and Jens Borgwardt, who tirelessly typed and re-typed. Jens Borgwardt also deserves recognition for his professional patience in producing the audio tapes. Vera Reschenberg assisted with the Instructor's Manual. At the same time it gives us special pleasure to acknowledge our many friends in Germany who left their traces by lending us their names, photos, and voices: Felix Fehlberg for his excellent performance on the audio tapes; Ines Kramer for her generous guidance; Lilli Limonius for her piles of photographs; and Beatrix Borchardt for wielding her red proofreading pen. Hella Roth of Internationales in Bonn graciously responded to our call for help by opening her magical archive of pictures. Also without the generous permission of numerous people to reprint photos, cartoons, and authentic texts, we could not have produced such a multi-faceted text. We thank all those who thought a first year German textbook was worth supporting.

We are indebted to the following instructors who reviewed portions of the manuscript at various stages of development. Each provided invaluable comments which we have tried to incorporate into this final version of the text. The appearance of their names below is a token of our appreciation and does not necessarily imply endorsement of the material or pedagogy.

Harry Zohn
Brandeis University

Lawrence Washington
Southeastern Massachusetts University

Gerhard Strasser
The Pennsylvania State University

Patrick McConeghy
Michigan State University

Barbara Bopp
University of California—Los Angeles

John Austin
Georgia State University

Our deepest appreciation goes to the tutors and graduate teaching assistants who brought the materials to life in their classes and who offered many valuable suggestions for improvements and revisions.

A word for Prentice Hall. A pioneering language program of this nature could never have gone public without the unqualified support of our publisher Prentice Hall. Countless people invested time and energy in the initial stages of our manuscript's development. We owe special thanks to Barbara Christenberry, Ann Marie McCarthy, Jennifer Plane, Connie Higgins, Martha Masterson, Barbara Reilly, Ann Knitel, John Isley, Brenda White, Robin Balizewski, Marilyn Coco, and Kathy Hursh.

Our production editor, Lisa Domínguez, has been by our side throughout the project. Lisa has kept things moving, has never lost her composure, has held our demands in check with integrity, and has exercised skilled judgment in doing what was right for the book. Eva Jaunzems, Traute Marshall, and Hildegunde Kaurisch were marvelous in their attention to details. We acknowledge too, the extraordinary skill and speed of the staff at Ligature, and at A Good Thing, Inc.

While we believe one should never judge a book by its cover, we searched long and hard for artwork that would capture the feel of the book. Only Natascha Ungeheuer could paint so eye-opening an account of modern German culture. Florence Silverman and Ben Kann combined their talents for the outstanding cover design.

Finally the book never would have been finished if it were not for our editor, Steve Debow, and his assistant, María García, who put in many hours on the book and its ancillary package. Steve makes things happen as they should, and faster than they otherwise would. His persistence and attention to detail helped see this project through to its conclusion. He deserves share of the credit if this book is successful in inspiring communicative classrooms in the nineties.

AUSSPRACHEKLINIK: TONGUE AND CHEEK EXERCISES

German pronunciation is easier then you think. After you have gone through the "Tongue and Cheek" exercises a few times and have applied them to an easy text, you'll notice that even early attempts at communication will give you satisfactory results.

I. How to Say the German Alphabet

This is an approximation. Try not to pronounce the vowels as diphthongs!

a	—	f⟨a⟩ther	n —	⟨en⟩d
b	—	⟨Be⟩ethoven	o —	⟨oh⟩!
c	—	⟨t + say⟩	p —	⟨pa⟩y
d	—	⟨day⟩	q —	⟨coo⟩l
e	—	f⟨a⟩vor	r —	⟨heir⟩
f	—	l⟨ef⟩t	s —	b⟨es⟩t
g	—	⟨gay⟩	t —	⟨ta⟩ble
h	—	⟨ha⟩!	u —	m⟨oo⟩d
i	—	bel⟨ie⟩ve	v —	⟨fou⟩l
j	—	⟨yu⟩ppie + ⟨tt⟩	w —	⟨ve⟩ry
k	—	ma⟨ca⟩bre	x —	m⟨ix⟩
l	—	⟨El⟩len	y —	⟨Ypsilan⟩ti
m	—	⟨Em⟩ma	z —	⟨tset⟩se
			ß =	b⟨es⟩t + ⟨tset⟩

A fun exercise is to attempt to speak English sounding like a German. (It alerts you to the special sounds).

> Nur Äktschen bringt Sätisfäktschen

II. Sounds and Letters You May Not Be Used to

This is not a complete list of the German sound system. It presents a few sounds that may give you trouble:

1. Pure Vowels vs. Diphthongs

First of all note that the German vowels "a, e, i, o, u" are pure vowels. Most of the time they are pronounced just as they appear in the alphabet (Amerikanerin). They never sound like diphthongs as many vowels in English do.

Example: u = y + u, cute;
          o = o + u, bone.

The umlauted vowels in German are not diphthongs:

ä — p⟨e⟩p   Äpfel

ö — say "ay" in English and form your lips as if
       you were saying "o":   Möwe

ü — say "e" in English and form your lips as if
       you were saying "u":   müde

y — except in spelling, "y" is
       pronounced like the letter "u":   Lyrik

You can easily recognize diphthongs in German. They are written with two vowels. There is only one troublesome exception:

ie — a long, pure vowel
        pronounced like the English long "e": ⟨e⟩vil   Liebe

These are the German diphthongs:

ei — pronounced like the long "i" in English:
        l⟨i⟩ne   Leine

> Hint: Since "ie" and "ei" are easily
>   confused memorize:
>   ie = rel*ie*ve; ei = *Einstein*

au — l⟨ou⟩d   laut

äu — b⟨oi⟩l   Häuser
eu   Leute

2. "Sound" Advice for Avoiding Further Pitfalls: Consonants

j — pronounced like the English "y" (young)   jung

l — An "l" sounds quite differently in German.
       Keep your tongue straight against the upper
       palate, the tip just between upper teeth and
       gum, — and the strong American sound will
       disappear.   hell, Licht

r — The hardest letter is "r." It is formed in the
       throat (a little bit like gargling). Until you
       learn how to pronounce "r" try the following:
       At the beginning and in the middle of a word   rot = (ch)ot
       use the German "ch" (Buch) (see below) and   Brot = B(ch)ot
       add a little gargling sound.

		If "r" appears at the end of a word, just say an "a". (Never curl your tongue.) 70% of your American accent will vanish!!	Mutte(r) ode(r) diese(r)
v	—	most of the time pronounced like the English "f" (father) sometimes pronounced like the English "v" (very)	viel Vater Venedig
w	—	pronounced like the English "v"	wie, Wasser
z	—	pronounced like the English "ts" (tsetse)	Zeit, zur

A Few Unfamiliar Consonant Clusters

ch	—	*before "a + u"* pronounced like the "ch" in the name Johann Sebastian Ba(ch) (like clearing your throat) or: *before "e + i"* "ch" sounds slightly but distantly different from "sch." pronounced like English "⟨H⟩ugh"	Buch machen ich, sprechen
kn pf ps	—	each letter must be pronounced separately (k + n, p + f, p + s)	Knie Pfeffer Psychologie
qu	—	pronounced like the English "k + v"	Qualität
sch	—	pronounced like the English "sh" (shoe)	Schule
sp st	—	most often pronounced like the English "sh + p", "sh + t"	spielen stehen

GRAMMATISCHE AUSDRÜCKE

DEUTSCH-ENGLISH

Adjektiv	adjective
Adjektivendungen	adjective endings
Adverb	adverb
Akkusativ	accusative case (direct object)
Artikel	article
Besonderes Passiv	passive I
Bestimmte Artikel	definite article
Dativ	dative case (indirect object)
Demonstrativpronomen	demonstrative pronouns
der-Wörter	der-words
ein-Wörter	possessives
Fall	case
Fragewörter	interrogative
Futur	future tense
Genitiv	genitive case
Hauptsatz	independent clause
Hilfswörter	auxiliary verbs
Imperativ	imperative
Imperfekt	simple past
Indikativ	indicative
Indirekte Rede (Konjunktiv I)	indirect discourse (subj. I)
Infinitiv	infinitive
Interrogativpronomen	interrogative pronouns
Komparativ	comparative
Konditionalsatz	conditional
konjugieren	conjugate
Konjunktiv	subjunctive
Kontraktion	contraction
Koordinierende Konjunktion	coordinating conjunction
Modalverb	modal
Nebensatz	dependent clause
Nominativ	nominative case (subject)
Objekt	object
Ordinalzahlen	ordinal numbers
Partizip	participle
Passiv	passive voice
Personalpronomen	personal pronouns
Plusquamperfekt	past perfect tense
Präfix	prefix
Präsens	present tense
Pronominaladjektiv	pronominal adjective
Reflexivpronomen	reflexive pronouns
Relativpronomen	relative pronoun
Relativsätze	relative clause
schwache Substantive	weak nouns
schwache (RegelmäBige) Verben	regular verbs
starke (UnregelmäBige) Verben	irregular verbs
Substantiv	noun
trennbare Präfixe	separable prefixes
untrennbare Präfixe	inseparable prefixes
Wortfolge	word order
Zeit, Art & Weise, Ort	time, manner, place
Zeitausdrücke	time expressions

AUF
DEUTSCH!

MINIDRAMA 1
Der doppelte Georg

Die drei Freunde Susi, Brigitte
und Jack ziehen ins Studentenheim. Jack hat eine Kiste, eine
Gitarre, Bücher und seine
Katze Georg im Arm. Willi
kommt und sieht Jack.

Willi: Wie geht es dir, Jack?
Jack: Oh, mir geht es
   schlecht. (*Er läuft gegen
   Georg Breitmoser. Alles fällt
   runter.*) Entschuldigung.
Breitmoser: Bitte.
Jack: (*Die Katze läuft weg.*)
   Georg, Georg!

Breitmoser: (*böse*) Wie sprechen Sie mit mir? Wie heißen Sie denn?

Jack: Wie bitte? Ich verstehe die Frage nicht.

Breitmoser: Wie ist Ihr Name?

Jack: Ach so. Ich heiße Jack White. (*läuft weg*) Georg, Georg!

Willi: (*zu Breitmoser*) Und wer sind Sie?

Breitmoser: Ich heiße *Georg* Breitmoser. Ich bin der neue Deutschprofessor.

Alle: Oh! Guten Tag, Herr Professor. Wie geht es Ihnen?

Breitmoser: Danke, gut. Und was machen Sie an der Uni?

Susi: Ich bin Studentin.

Brigitte: Willi und ich sind Tutoren. Jack ist auch Student.

Breitmoser: Und was studieren Sie?

Alle: Wir lernen natürlich Deutsch!

Katze: (*kommt*) Miau!

Jack: (*kommt auch*) Oh, dieser Georg!

Breitmoser: Georg!

Brigitte: Pst, Jack! Breitmoser heißt auch Georg.

Jack: O weh! Ein furchtbarer Tag!

Brigitte: Welcher Tag ist denn heute?

Jack: (*böse*) Ich weiß es nicht auf deutsch.

Susi: Heute muß Freitag sein.

Jack: Professor Breitmoser, meine Katze heißt auch Georg.

Breitmoser: Ach so! Ich verstehe. Ich fahre zur Universität. Auf Wiedersehen.

Alle: Auf Wiedersehen, Herr Professor.

Willi: Georg Breitmoser ist langweilig.

WÖRTER zur KOMMUNIKATION

Substantive

der Arm, -e
das Buch, ̈-er
das Deutsch
die Frage, -n
der Freitag, -e
der Freund, -e
die Freundin, -nen
die Gitarre, -n
die Hilfe, -n
die Katze, -n

die Kiste, -n
der Name, -n
der Student, -en
die Studentin, -nen
das Studentenheim, -e
der Tag, -e
der Tutor, -en
die Tutorin, -nen
die Universität, -en; (die Uni)
das Wiedersehen

Verben

fahren (fährt)
fallen (fällt)
haben (hat)
kommen
laufen (läuft)
lernen
machen
müssen (muß)

sehen (sieht)
sein (ist)
sprechen (spricht)
studieren
verstehen
wissen (weiß)
ziehen

Andere Wörter

alles
auch
böse
denn
furchtbar
gegen
gut
langweilig
natürlich
neu

nicht
noch
runter
schlecht
und
was
welcher
wer
wie

Ausdrücke

Wie geht es dir (Ihnen)?
Es geht mir schlecht (gut).
Entschuldigung.
Bitte.
böse sein
Ach so!

Guten Tag.
Danke.
an der Uni
O weh!
auf deutsch

Auf deutsch!

MUSTER I

NOMINATIV

Subjekt
↓

Willi sitzt im Bus.

Hier ist der Universitätsbus!

Lernen Sie Deutsch?

Subjekt = Nominativ

Beispiele

- *m* Der Mann lebt in Bonn.
- *s* Das Kind lernt Deutsch.
- *w* Die Frau heißt Susi.
- *pl* Die Freunde gehen zur Uni.

Artikel

	bestimmt	unbestimmt
m	der	ein
s	das	ein
w	die	eine
pl	die	—

Nominativ

STRENG GEHEIM!

mein: Endungen wie „ein"

m	ein	mein
s	ein	mein
w	eine	meine
pl	—	meine

Beispiel

Ein Bus fährt in fünf Minuten.
Mein Bus fährt in fünf Minuten.

Ach, Sie sind der neue Deutschprofessor? ►

Ja! Und ich bin nicht langweilig! ►

Singular

weiblich (w)

die/eine

die Frau

die Gitarre

sächlich (s)

das/ein

das Buch

das Kind

männlich (m)

der/ein

der Mann

der Kaffee

Plural

die

die Freundinnen

MUSTER II

NOMINATIV

Pronomen

ich	wir
du	ihr
er, es, sie	Sie, sie

Beispiel

Brigitte versteht die Frage.
↓
Ja, **sie** versteht die Frage.

Noch mehr Beispiele

1. Die Studentin lernt Deutsch.
   Sie lernt Deutsch.
2. Das Buch ist langweilig.
   Es ist langweilig.
3. Der Professor kommt heute.
   Er kommt heute.
4. Jack und Susi sind meine Freunde.
   Sie sind meine Freunde.

> *„In Ordnung, Erna,*
> *ich notiere die Nummer.“*

„du“ (*Singular*)
„ihr“ (*Plural*)

„Sie“ (*Singular + Plural*)

nicht formell

Franziska Becker

für Freunde/Familie/Kinder

formell

Franziska Becker

für andere

Beispiele

du

,,Willi, du verstehst den Lehrer.''
,,Mutti, gehst du zur Universität?''

ihr

,,Ihr lernt Deutsch, Susi und Jack.''
,,Seht ihr die Freunde im Bus?''

Sie

,,Sie sind ein guter Präsident, Herr Lincoln.''
,,Wie heißen Sie, Herr Professor?''
,,Fahren Sie zur Universität, Herr und Frau Breitmoser?''

MUSTER III

VERBFORMEN IM PRÄSENS

studieren (Infinitiv)

ich studiere	wir studieren
du studierst	ihr studiert
er	
es studiert	sie studieren
sie	Sie

Endungen: Präsens

ich	-e	wir	-en
du	-st	ihr	-t
er		sie	
es	-t	Sie	-en
sie			

Ach so, ihr studiert Deutsch!

Er kommt aus Bayern.

Fahren Sie nach Deutschland?

Ich spreche phantastisch Deutsch.

Ich verstehe dich nicht.

Du bist furchtbar.

Das ist langweilig.

MUSTER IV

VERBFORMEN IM PRÄSENS

Präsens: Irregulär _____

Pst! Paß auf bei diesen Verben!!

sein _____

ich bin	wir sind
du bist	ihr seid
er	sie
es ist	Sie sind
sie	

haben _____

ich habe	wir haben
du hast	ihr habt
er	sie
es hat	Sie haben
sie	

wissen _____

ich weiß	wir wissen
du weißt	ihr wißt
er	sie
es weiß	Sie wissen
sie	

,,Hallo, Klaus-Dieter, bist du da?''

Vokaländerung _____

Verbstamm+				Beispiele			
ich	-e	wir	-en	fahren	-ä-	du	fährst
du	-st	ihr	-t	laufen	-äu-	er	läuft
er		sie		sehen	-ie-	es	sieht
es	-t	Sie	-en	sprechen	-i-	sie	spricht
sie							

Er spricht nicht.
Er fährt nicht zur
Uni.

Er weiß nicht, was er
macht.
Er hat einen Kater.

Siehst du was?

fahren _____

ich fahre	wir fahren
du fährst	ihr fahrt
er	sie
es fährt	Sie fahren
sie	

sehen _____

ich sehe	wir sehen
du siehst	ihr seht
er	sie
es sieht	Sie sehen
sie	

sprechen _____

ich spreche	wir sprechen
du sprichst	ihr sprecht
er	sie
es spricht	Sie sprechen
sie	

AUSPROBIEREN!

Muster I: Nominativ—Artikel und Substantiv

> **Beispiel:** 11. Studenten   a. _____ lernen Deutsch.
> *Die* Studenten lernen Deutsch.

1. Freitag	a. _____ lernen Deutsch. (*Pl.*)
2. Kisten	b. _____ ist Herr Breitmoser. (*Sing.*)
3. Tutorin	c. _____ sind interessant (*Pl.*)
4. Bücher	d. _____ versteht alles (*Sing.*)
5. Studentenheim	e. _____ ist nicht langweilig (*Sing.*)
6. Amerikaner	f. _____ fallen, o weh! (*Pl.*)
7. Film	g. _____ läuft gegen die Kiste. (*Sing.*)
8. Gitarren	h. Heute ist _____ . (*Sing.*)
9. Katze	i. Brigitte ist _____ . (*Sing.*)
10. Professor	j. _____ sind nicht gut. (*Pl.*)
11. Studenten	k. _____ ist neu. (*Sing.*)

Muster II: Nominativ—Pronomen

> **Beispiel:** **Brigitte läuft gegen Professor Breitmoser.**
> **Sie läuft gegen Professor Breitmoser.**

1. Der Professor geht zur Uni.
2. Die Tutoren sind phantastisch.
3. Das Buch ist neu.
4. Die Kiste ist hier.
5. Der Tutor heißt Willi.
6. Die Studenten lernen Deutsch.
7. Die Frage ist nicht neu.
8. Die Bücher fallen.
9. Die Freunde ziehen ins Studentenheim.
10. Das Studentenheim ist gut.
11. Susi ist natürlich Studentin.
12. Der Student ist böse.
13. Die Katze läuft gegen die kiste.
14. Die Gitarre ist phantastisch.
15. Der Name ist natürlich deutsch.

Muster III und IV: Verbformen—Präsens

A. Macht eine Liste mit Verben von ,,Wörter zur Kommunikation.''
B. Situation: *An der Universität.*

> **Beispiel:** **Was machst du?**   Ich lerne Deutsch.

1. Was machst du? — Ich _____ .
2. Was macht Brigitte? — Sie _____ .
3. Was macht das Mädchen? — Es _____ .
4. Was macht Jack? — Er _____ .
5. Was machen wir? — Wir _____ .
6. Was machen Brigitte und ich? — Ihr _____ .
7. Was macht ihr? — Wir _____ .
8. Was machen Willi und Susi? — Sie _____ .
9. Was machen Sie, Herr Breitmoser? — Ich _____ .
10. Was machen Sie, Herr und Frau Breitmoser? — Wir _____ .

Muster II, III und IV: Pronomen und Verben

Situation: *Im Studentenheim.*

> **Beispiel:** **Ich gehe zur Uni. Du gehst _____ . usw**

1. Deutsch / lernen
2. langweilig / sein
3. die Frage / verstehen
4. noch / leben
5. phantastisch / sein
6. die Katze / haben

ich	wir
du	ihr
er/es/sie	sie/Sie

SPRACHLICHE BESONDERHEITEN

Großschreibung

Substantive

der Professor	Brigitte
der Tag	das Wiedersehen

Pronomen

Sie (*formell: Singular + Plural*)

Präpositionen

aus

oft   **für Kontinente (Nordamerika, Europa, Afrika)**
         für Länder (die USA, Florida, Deutschland, Bayern)
         für Städte (München, Los Angeles, Miami, Berlin)

Ich komme aus Miami.

nach

oft   **für Kontinente, Länder und Städte (Europa, Italien, New Mexico, Bonn)**

Wir fahren nach Paris.
Wir gehen nach Hause.

zu Hause

Sie geht nach Hause.

Sie ist zu Hause.

Begrüßung und Antwort darauf

Guten Tag.

Guten Morgen.

Morgen.

Guten Abend (n' Abend).

Grüß Gott.

Grüß dich.

Servus.

Wie geht's?

Wie geht es dir (Ihnen, euch)?

Danke, gut (sehr gut).

Danke, und dir (und Ihnen, und euch)?

Rollenspiel 1

Studenten in Gruppen von 5 spielen:

Präsident/in	Freund
kleines Kind	Freundin
Vater	Chef
Mutter	

Sie grüßen alle in der Gruppe.

Abschied nehmen

Auf Wiedersehen.

Wiedersehen.

Mach's gut (macht's gut).

Tschüs.

Servus.

Bis später.

Bis morgen.

Gute Nacht.

Rollenspiel 2

Das Ende einer Party.

DEUTSCHES MAGAZIN

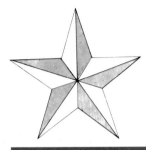

BEKANNTE, FREUNDE UND VERWANDTE

"Du" ist informell, "Sie" ist formell. Die Deutschen sagen "du" zu Freunden, Verwandten und Kindern aber "Sie" zu anderen Leuten. Was sagen Studenten?

Blickpunkt: Deutsche Sprache

Wörter ohne Wörterbuch

die Adresse, -n
der Appetit
braun
der Bus, -se
der Dialekt, -e
englisch
falsch
phantastisch
der Freund, -e
die Freundin, -nen
grau
gut
das Instrument, -e
joggen
jung
der Kalender, -
Kontakt, -e
der Mann, ¨er
die Mutter, ¨
der Name, -n
die Natur
der Park, -s
die Party, -s
der Partner, -
die Partnerin, -nen

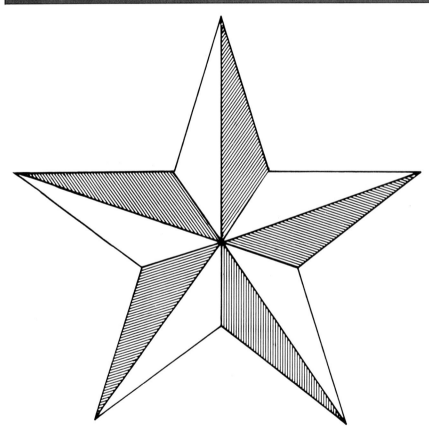

Wörter ohne Wörterbuch

der Patient, -en
die Patientin, -nen
der Präsident, -en
die Präsidentin, -nen
der Professor, -en
die Professorin, -nen
reiten
das Restaurant, -s
der Star, -s
der Student, -en
die Studentin, -nen
die Telefonnummer, -n
der Tourist, -en
die Touristin, -nen
die Universität, -en
das Willkommen
der Zoo, -s

Was sagen die Leute?

Servus!
Grüß dich!
Guten Morgen!
Herzlich willkommen!
Bis morgen!
Mach's gut!
Danke gleichfalls!

*Brigitte, grüß Gott!
Wie geht es Ihnen?*

Willi, wie geht's?

*Danke, Frau Breitmoser,
mir geht es gut.
Und Ihnen?*

*Schlecht, Jack.
Ich muß jetzt gehen.
Tschüs.*

Tag, Herr Professor Breitmoser!

Bis später! Tschüs!

Prost!

Guten Abend, Susi!

Guten Appetit!

Was sagt man: „Du" oder „Sie"?

Wir sagen „Sie" zu unserem Professor.

Mein Vorname ist Kristi.

Mein Nachname ist Schmidt, aber meine Freunde sagen Carla.

Alle Studenten sagen „du" zu anderen Studenten.

Formell

Sie

Herr _____

Frau _____

1. zum Doktor _____
2. zur Patientin _____
3. Ehefrau zu ihrem Mann _____
4. Kind zur Mutter _____
5. Die Leute zum Präsidenten _____
6. Professoren zu Studenten _____
7. der junge Mann zu seiner Großmutter _____

Eierköpfe

ICH KANN MEINE SCHNAUZE NICHT HALTEN!!

TETSCHE

Eierkopf grüßt Rudolf Klappe!

Willis Familie

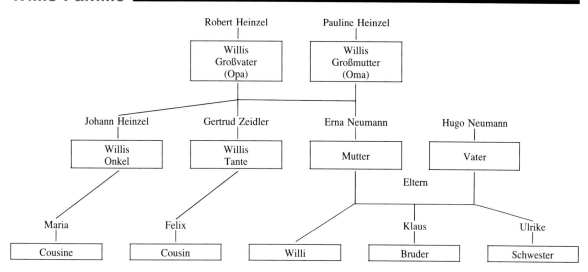

Ich sage zu allen ,,du."

Kleine Vokabularübung

1. Wie heißen Willis Eltern?

   _____

2. Hat Willi eine Cousine?

   _____

3. Was kann Willi zu seiner Großmutter sagen?

   _____

4. Hat Gertrud Zeidler eine Schwester?

   _____

5. Hat die Mutter von Felix einen Bruder?

   _____

6. Wie heißt Willis Schwester?

   _____

Sprechübung (zu zweit)

Interview: Fragen über deine Familie

Beispiel   A: Wie heißt dein Großvater?
                B: Er heißt _____ .

                A: Wie heißt deine Mutter?
                B: Sie heißt _____ .

Kleine Leseübung

keiner
sonst
außer
niemand
es regnet
grün

	Richtig	Falsch
1. Das Mädchen hat keine Freunde.		
2. Es regnet.		
3. Die Kuh steht auf dem Weg.		
4. Die Wiese ist braun.		
5. Niemand hat das Mädchen lieb.		
6. Die Mutter liebt sie.		
7. Keiner versteht das Mädchen.		

Kleine Leseübung

Freundschaft

Leute, die sich oft und gern sehen.

„Sie ist nett."
„Ich habe sie gern."
„Sie ist meine Freundin."

Bekanntschaft

Nachbar und Nachbarin
Kollege und Kollegin
Leute, mit denen man nicht so
oft Kontakt hat

„Er gefällt mir."
„Er ist in Ordnung."
„Er ist ein Bekannter von mir."

Liebe

Eltern	**Geliebte**
Kinder	**Frau, Mann**
Verwandte	**Freund**
	Freundin

„Ich liebe sie."
„Ich liebe ihn auch."
„Sie ist meine Freundin."

ACHTUNG!

Dinge: ~~lieben~~
gern haben!

Kleine Sprechübung: Ruf mal an!

Was ist die Telefonnummer von Freddy Schulz?
Friedrich Wilhelm Schulz?
Gerda Schulz?
Was ist deine Telefonnummer?
Was ist deine Hausnummer?

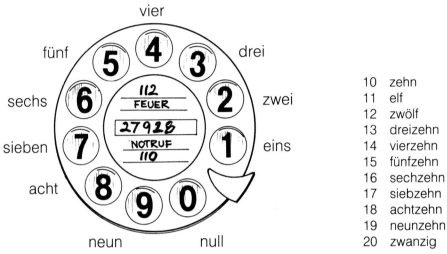

10	zehn
11	elf
12	zwölf
13	dreizehn
14	vierzehn
15	fünfzehn
16	sechzehn
17	siebzehn
18	achtzehn
19	neunzehn
20	zwanzig

Schulz Franz 27 Conrad-6	4 32 74 68	Schulz Friedrich	3 95 34 14	Schulz Georg	6 03 55 28
—Franz 42 Dardanellenweg 46	7 03 15 19	21 Wilhelmshavener-17		47 JohannisthalerChaussee 282	
—Franz 27 Ernst-92a	4 32 29 76	—Friedrich 12 Windscheid-5	3 23 47 78	—Georg 10 KaiserinAugustaAl. 48	3 44 97 48
—Franz 37 EschershauserWeg 15e	8 13 26 33	—Friedrich 51 Zobeltitz-99	4 13 59 06	—Georg Zigarren 10 Kamminer-6	3 44 39 70
—Franz Rentner 10 Gierkepl. 5	3 42 31 68	—Friedrich W. 62 Innsbrucker-6	8 54 64 57	—Georg 30 Kulmer-29	2 16 34 94
—Franz 44 Mahlower-32	8 21 67 70	42 Bacharacher-38	6 26 29 91	—Georg 47 Lenzelpfad 19	6 03 16 83
—Franz 61 Moritz-9	6 14 43 79	—Friedrich-August	3 31 18 98	—Georg 45 LermooserWeg 4	7 11 52 11
—Franz 42 Rothariweg 26	7 53 71 05	20 Wilhelmshavener-7a		—Georg 51 Lienemann-9	4 13 54 57
—Franz 13 Saatwinkler Damm 98	3 82 24 03	—Friedrich-Wilhelm	3 95 57 72	—Georg 37 Machnower-37	8 02 67 05
—Franz 46 Wedell-23	7 74 82 49	20 Chamisso-74		—Georg 47 Petunienweg 130	66 75 82
—Franz-Georg 46 Hendon-11	7 45 86 77	—Fritz 37 AmBirkenknick 6	8 15 36 82	—Georg 42 Reinhardt-3b	7 51 64 55
—Franziska Maßschneiderei	3 41 73 60	—Fritz 29 AmFostacker 29	3 95 75 59	—Georg 19 Schloß-61	3 41 89 79
10 Brauhof-7		—Fritz SchneiderMstr.	4 31 48 22	—Georg 19 SensburgerAl. 13	3 04 42 66
—Franziska 47 BritzerDamm 43a	6 25 25 53	27 AmKrähenberg 24		—Georg 26 TramperWeg 3	4 15 78 06
—Franziska 51 GeneralBarby-36	4 13 29 63	—Fritz 39 AmSandwerder 44	8 03 12 37	—Georg u. Elfriede	7 11 77 02
—Fred 48 AndenKlostergärten 45	7 21 87 82	—Fritz 20 Baumertweg 11	3 61 41 10	48 Waldsassener-43	
—Fred 65 Brüsseler-26	4 53 61 25	—Fritz 44 Böhmische-28a	6 81 17 79	—Gerald 61 Duden-28	7 85 61 24
—Fred 13 Halemweg 27	3 82 96 44	—Fritz 20 Brüder-5	3 32 35 81	—Gerald 61 Duden-36	7 85 78 04
—Fred 47 Holzmindener-27a	6 06 61 58	—Fritz 41 Buhrow-26	7 95 63 53	—Gerald 62 Katzler-5	2 16 15 68
—Fred 22 KrampnitzerWeg 111	3 85 17 84	—Fritz 12 Dahlmann-6	3 23 29 20	—Gerald 20 Rauch-59	3 35 48 72
—Fred 30 Landshuter-33a	2 13 86 87	—Fritz 26 DannenwalderWeg 110	4 15 62 19	—Gerald 44 Sander-31	6 91 88 58
—Fred 44 Leyke-10a	62 29 80	—Fritz Werkmeister	7 03 37 18	—Gerd 20 AmHeideberg 8	3 66 14 23
—Fred 12 Pestalozzi-73	3 12 42 81	42 Dirschelweg 13a		—Gerd 31 Berliner-51	87 75 00
	(3 24 46 81)	—Fritz 37 Eilert-5	8 15 63 05	—Gerd 45 Bremer-4	8 33 73 71
—Fred 65 Utrechter-42	4 61 54 76	—Fritz 33 Englera. 26	8 23 39 01	—Gerd 45 Drake-56	8 33 77 51
—Fred 46 Wedell-56	7 75 77 03	—Fritz 20 FalkenseerCh. 205	3 73 23 59	—Gerd 37 ErnstLemmerRing 128	8 02 99 02
—Freddy 65 See-116	4 51 46 90	—Fritz 47 Flurweg 38a	66 66 85	—Gerd Masseur	7 51 70 95
—Fredi 47 Kol.AmWiesenweg	6 01 55 70	—Fritz 42 Gerdsmeyerweg 4b	7 53 39 61	42 FriedrichWilhelm-85	7 52 82 82
Himbeerweg 78		—Fritz 20 Graetschelsteig 26	3 82 56 32	—Gerd 12 Goethe-48	3 13 48 19
—Fredi techn.Ang. 20 Teltower-4b	3 31 84 59	—Fritz 23 Greven-24	3 23 89 64	—Gerd 48 Greulich-9	7 21 75 03
—Fredi 10 Zille-100	3 41 35 15	—Fritz 26 Hermsdorfer-1	4 14 13 67	—Gerd 28 Hainbuchen-22	4 01 25 53
—Fred-Rainer 44 Pflüger-4	6 93 99 72	—Fritz 33 HohenzollerndammⓄ6a	8 23 33 38	—Gerd 37 HansBöhmZeile 12	8 15 26 80
—Fredy M. 44 Neckar-10	Ⓞ 6 81 49 46	—Fritz 46 Hünefeldzeile 10	7 74 72 83	—Gerd 42 KlausenpaB 7	7 41 19 17
—Frida 28 Diana-32	4 14 22 65	—Fritz 47 Jahn-57	6 25 12 50	—Gerd 47 MartinWagnerRing 6c	6 02 11 84
—Frida 47 Dürer-47	8 34 64 37	—Fritz 23 JohannisthalerCh. 296	6 03 76 84	—Gerd 62 Monumenten-7	7 84 12 77
—Frida 44 Emser-25	6 25 41 94	—Fritz 46 KaiserWilhelm-126	7 74 48 12	—Gerd 65 Müller-101	4 51 42 74
—Frida 44 Flughafen-66	6 22 15 53	—Fritz 65 Kolonie-67	4 91 39 82	—Gerd 41 Munsterdamm 3	7 96 39 15
—Frida 61 Graefe-36	6 93 24 61	—Fritz 28 Kurfürsten-58	4 04 47 06	—Gerd 47 Ortolanweg 24	6 01 42 94
—Frida 28 HermsdorferDamm 106	4 04 85 97	Schulz Fritz u. Planert Maria	6 14 48 69	—Gerd 26 SenftenbergerRing 36a	4 15 23 96
—Frida 44 Herrfurth-3	6 21 65 97	61 Lobeck-6		—Gerda 33 Ahrweiler-19a	8 21 53 51
—Frida 49 Küstriner-9	7 45 24 86	—Fritz 10 Lüdtgeweg 10	3 42 41 55		

der See

mein Nachbar Josef

mein Professor

mein Kollege Klaus

Ich fahre mit dem Motorrad

Vokabularübung

gefällt	hat ... gern	Freundin
liebe	Bekannter	ist ... nett

Seesen, den 25.6.

Liebe Mutti,
Wir waren am See. Mein Professor _____ mir gut. Er ist
ein guter _____. Ich fahre oft mit dem Motorrad. Franz
will auch fahren. Ich _____ ihn, ich gebe ihm mein
Motorrad oft. Josef _____ sehr _____. Er _____
Motorräder _____. Sybille lacht viel. Sie ist nicht nur
Kollegin. Jetzt ist sie meine _____.

Viele Grüße,

Deine Ursula

DEUTSCHE SPRACHE

- Deutsch ist eine germanische Sprache.
- 100 Millionen Leute sprechen Deutsch.
- Man spricht Deutsch in:
    Deutschland (BRD und DDR)
    Österreich
    Schweiz
    Liechtenstein
- Deutsch hat viele Dialekte.
- An der Universität lernen wir ,,Hochdeutsch'' (keinen Dialekt).
- 135 000 amerikanische Studenten studieren Deutsch.
- Der Mythos ,,Deutsch ist eine schwere Sprache'' ist falsch.
- Englisch hat natürlich germanische Wörter (butter—die Butter).
- 28% der Amerikaner haben deutsche Ahnen.
- 57% der Deutschen können Dialekt sprechen.

Kleine Leseübung

	Richtig	Falsch
Hochdeutsch ist ein Dialekt.		
Deutsch ist die offizielle Sprache in Kanada.		
100 Millionen Leute sprechen Deutsch.		
Amerikaner haben deutsche Ahnen.		
135 000 Studenten lernen Deutsch.		

Bundesrepublik Deutschland

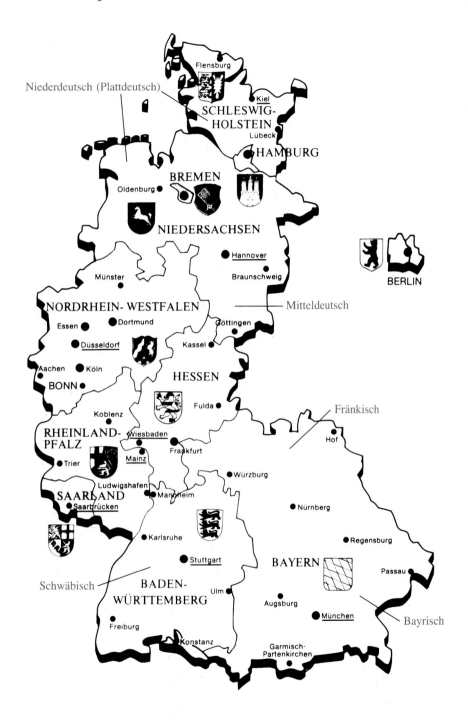

MINIDRAMA 2
Aller Anfang ist schwer

Susi und Jack sitzen nebeneinander und unterhalten sich. Man sieht Professor Breitmoser durch die offene Tür.

Jack: Wo bleibt Willi?
Susi: Er kommt zu spät, wie immer.
Brigitte: (*macht das Fenster auf*) Willi, los! Professor Breitmoser kommt gleich.
Willi: (*kommt herein, außer Atem*) Da bin ich schon.
Brigitte: Hast du keine Bücher?
Willi: Bücher?
Jack: Na, das Deutschbuch!

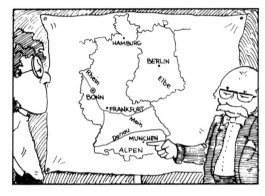

Tutoren haben doch
Deutschbücher!

Susi: Er vergißt alles!
(*zu Willi*) Hast du Bleistift,
Kugelschreiber, Papier und
Schreibheft?

Willi: Nein, leider nicht.
Aber ich habe hier eine
Landkarte von Deutschland.
Prima, nicht?

(*Georg Breitmoser kommt
herein*)

Alle: Guten Morgen, Herr
Professor.

Breitmoser: Guten Morgen.
Ah, eine Landkarte. Können
wir sie an die Tafel hängen?

Willi: Gerne.

Breitmoser: Sehen Sie, hier
ist München.

Susi: Sie sind in München
geboren, nicht wahr?

Breitmoser: Ja, ich bin aus
Süddeutschland. Und woher
sind Sie?

Brigitte: Ich bin auch
Deutsche. Hier, aus Berlin.
Aber Susi ist Amerikanerin.

Susi: Ja, ich bin in New York
geboren. Leider spreche ich
nur ein bißchen Deutsch.

Jack: Ich bin auch
Amerikaner. Und du, Willi?

Willi: Aus Frankfurt am
Main, der Stadt Goethes.

Susi: Oh, der berühmte Willi!

Breitmoser: (*schließt die
Tür*) Also bitte, öffnen Sie
jetzt die Bücher. Wir
beginnen mit der ersten
Lektion.

Willi: Ach, ein Königreich
für ein Buch!

WÖRTER zur KOMMUNIKATION

Substantive

der Amerikaner, -
die Amerikanerin, -nen
der Atem
der Bleistift, -e
das Deutschbuch, ⸚er
die Deutsche, -n
der Deutsche, -n
    Deutschland
das Fenster, -
das Königreich, -e

der Kugelschreiber, -
die Landkarte, -n
die Lektion, -en
der Morgen, -
das Papier, -e
das Schreibheft, -e
die Stadt, ⸚e
    Süddeutschland
die Tafel, -n
die Tür, -en

Verben

beginnen
bleiben
hängen
kommen
können (kann)
öffnen

schließen
sehen (sieht)
sitzen
sprechen (spricht)
unterhalten (unterhält)
vergessen (vergißt)

Andere Wörter

aber
alles
also
an
außer
berühmt
bitte
doch
durch
erste
für
gerne
gleich
gut
herein
hier

immer
jetzt
leider
mit
nebeneinander
nur
offen
prima
schon
sich
spät
von
wo
woher
zu

Ausdrücke

nebeneinander sitzen
Guten Morgen!
Nicht wahr?
Bitte.

Aber bitte!
Ich bin _____ geboren.
ein bißchen
prima

MUSTER I

AKKUSATIV

Er bringt den Freund.
↓ ↙ ↓

| Subjekt: | | Direktes Objekt: |
| Nominativ | Verb | Akkusativ |

Artikel

m	**den**	**einen**
s	**das**	**ein**
w	**die**	**eine**
pl	**die**	**—**

Akkusativ

Direktes Objekt = Akkusativ

Wen bringt er?

Den Freund!

Beispiele

Jack hat **den Kugelschreiber**.
Lernen Sie auch **Deutsch**?
Die Frage verstehe ich nicht.
Wir haben **die Bücher**.

Noch mehr Beispiele

- *m*   Der Fußballspieler sieht **den Trainer.**
- *s*   Die Fans sehen **das Spiel.**
- *w*   Der Trainer raucht **die Zigarre.**
- *pl*   Wir sehen **die vier Fußballspieler.**

MUSTER II

PRÄPOSITIONEN UND PRONOMEN IM AKKUSATIV

**Die Freundinnen laufen
<u>durch</u> das Gras.**

Präpositionen + Akkusativ

durch	ohne
für	um
gegen	

**Sie hat eine Banane
f<u>ür</u> das Kind.**

Pronomen

Nominativ	Akkusativ
ich	mich
du	dich
er	ihn
es	es
sie	sie
wir	uns
ihr	euch
Sie	Sie
sie	sie

Beispiele   Akkusativ
↓

,,Machst du das für **mich**?''

,,Die Freundin sieht **ihn**.''

,,Ich sehe **dich** in der Klasse.''

,,Wir gehen nicht ohne **euch**.''

**Der Ball fliegt
<u>gegen</u> den Kopf.**

↑
Akkusativ

**Die Bienen fliegen <u>um</u>
die Frau <u>herum</u>.**

**Sie machen Picknick
<u>ohne</u> die Ameisen.**

MUSTER III

FRAGEN

Fragewörter

Wer?	Wann?
Wie?	Wo?
Was?	Warum?

<u>Wo</u> bist du?

<u>Bist du</u> auf der Wolke?

„Wer ist das denn?"

Frage	Antwort
Wer ist das?	Das ist ein Mann.
Wie heißt er?	Er heißt St. Christoph.
Was macht er?	Er fährt nach Hause.
Wann kommt St. Christoph an?	St. Christoph kommt heute an.
Wo sitzt er?	Er sitzt auf der Wolke.
Warum sitzt er auf der Wolke?	Er hat keinen Ballon.

Person:
(Nominativ) Wer ist das?
Ding:
(Nominativ) Was ist das?

Wo steht das Verb?

Ohne Fragewort	**Mit Fragewort**
Position 1!	Position 2!
↓	↓
Lernen Sie Deutsch?	**Wo ist München?**
Sind Sie Deutscher?	**Warum kommt der Lehrer nicht?**
Scheint die Sonne?	**Was weißt du?**

AUSPROBIEREN!

Muster I: Akkusativ (plus Verbformen)

**Substantive von ,,Wörtern zur Kommunikation 1 + 2"
Formt Sätze mit Akkusativobjekten.**

Beispiele:	**Hast du einen Freund? Eine Freundin?**
	Was hat er? Was hat sie?
	Was macht er? Was macht sie?
	Meine Freundin sieht die Katze.
	Mein Freund hat ein Auto.

1. haben
2. sehen
3. sprechen
4. beginnen

5. machen
6. vergessen
7. öffnen

Muster II: Präpositionen und Pronomen im Akkusativ

1. AkkusativPronomen:

mich	uns
dich	euch
ihn/es/sie	Sie/sie

> **Beispiel:** Wen sieht die Amerikanerin?
>
> Die Amerikanerin sieht <u>mich</u>.
> Die Amerikanerin sieht <u>dich</u>.
> (sie, es, ihn, *usw.*)

1. Wen sieht der Professor?
2. Wen versteht die Tutorin?
3. Was vergißt mein Freund?

> **Beispiel:** Für wen hast du eine Million Dollar?
> Wir haben eine Million Dollar für   <u>mich</u>   .

1. Für wen hast du ein Auto?
   Ich habe ein Auto für _____ .
2. Ohne wen singst du nicht?
   Ich singe nicht ohne _____ .
3. Gegen wen bist du?
   Ich bin gegen _____ .

2. AkkusativPräpositionen

      durch   für   gegen   ohne   um

1. Die Präsidentin öffnet die Tür _____ den Konsul.
2. Die Politiker sprechen _____ die Professoren.
3. Die Königin ist _____ ein Königreich.
4. Ich spreche _____ die Politik.
5. Die Debatte schließt _____ ein Wort.
6. Der Senator geht _____ die Stadt Bonn.
7. Der Millionär fährt _____ das Weiße Haus.

3. Was machen wir?

durch   für   gegen   ohne   um

> **Beispiel:** Wir lernen ohne <u>den Professor</u>.

1. Ich singe für _____ .
2. Du läufst gegen _____ .
3. Er geht durch _____ .
4. Sie fliegt um _____ .
5. Ihr lernt ohne _____ .

das Buch
die Freundinnen
das Hotel
die Wand
die Welt
usw.

1. Sie studieren _____ _____ .   das Examen
2. Du bleibst _____ _____ .   das Haus
3. Sie geht _____ _____ .   der Freund
4. Das Flugzeug fliegt _____ _____ .   das Fenster
5. Sie fallen _____ _____ .   die Städte

Muster III: Fragen

Wer weiß was?

Wann?   Wie?   Warum?
Wer?   Was?
Wo?   Wen?

Fragt und antwortet! *Minidrama 1 und 2.*

Beispiele: Wer ist Professor Breitmoser? **Professor Breitmoser ist der neue Deutschprofessor.** **Wann ist Donnerstag?** **Heute ist Donnerstag.**

Fragen ohne Fragewörter und Übung von Verbformen.

Beispiel: Deutsch lernen   ,,Lernst du Deutsch?'' **,,Ja, ich lerne Deutsch.''**

1. zur Universität gehen
2. das Fenster öffnen
3. gegen Herrn Breitmoser laufen
4. noch leben
5. die Frage verstehen
6. ein Schreibheft haben
7. Tutorin sein
8. die Lektion studieren
9. ein Königreich haben
10. die Bücher öffnen
11.–15. (*andere Sätze*)

kein / nicht

„kein" bei Substantiven:

Ich habe **einen** Bleistift.
Ich habe **keinen** Bleistift.

Wir haben heute Unterricht.
Wir haben heute **keinen** Unterricht.

ein → kein

„nicht" bei Verben, *usw*.:

Er bringt das Buch.
Er bringt das Buch **nicht**.

Der Unterricht beginnt.
Der Unterricht beginnt **nicht**.

Georg ist langweilig.
Georg ist **nicht** langweilig.

-Kein-

Nominativ

m	ein	kein
s	ein	kein
w	eine	keine

Akkusativ

m	einen	keinen
s	ein	kein
w	eine	keine

Plural (*N/A*)

keine

Schwache Substantive

Nominativ

der Student
der Herr
der Junge
der Mensch   im Akkusativ, *usw*. + -n / -en
der Nachbar
der Pilot
der Tourist

Beispiele   **Der Student** kommt.
Georg sieht **den Studenten**.

Der Herr versteht uns.
Wir verstehen **den Herrn**.

es gibt

Es gibt **keine Tutoren** im Klassenzimmer.

↑

Akkusativ

einen Stuhl
eine Tür
zwei Fenster

 # WAS SAGT MAN DA?

Nichtverstehen

Bitte

Wie bitte?

Ich habe Sie nicht verstanden
(-verstehen).

Sie sprechen zu schnell (leise).

Bitte langsam!

Bitte etwas langsamer!

Nicht so schnell!

Ich höre Sie nicht (gut).

Ich kann Sie nicht (gut) verstehen.

Ich verstehe Sie nicht gut.

Ich verstehe Sie schlecht.

Rollenspiel

Drei Studenten unterhalten sich über sich, die Uni und die Deutschklasse.

1. Ein Student/eine Studentin spricht.
2. Ein Student/eine Studentin signalisiert oft Nichtverstehen.
3. Der dritte Student/die dritte Studentin wiederholt.

Um Wiederholung bitten/buchstabieren

Entschuldigung.

Entschuldigung, was haben Sie gesagt (gefragt)?

Entschuldigen Sie, wo ist das?

Verzeihung, ich habe nicht zugehört.

Wie war Ihr Name?

Können Sie [den Namen] buchstabieren?

Wie schreibt man das?

Können Sie das bitte nochmal sagen?

Könnten Sie das bitte wiederholen?

Rollenspiel

Zwei Studenten unterhalten sich über Städte.

1. Student/in A sagt den Namen einer Stadt.
2. Student/in B versteht nicht.
3. Student/in A buchstabiert.

Fragen stellen

Hast du einen Kugelschreiber?

Kommt der Lehrer oder die Lehrerin?

Wer fährt zur Uni?

Wo ist die Uni?

Was liest du?

Wen siehst du?

Warum gehst du zur Uni?

Wie heißt du?

Für wen arbeitest du?

Ich habe eine Frage.

Darf ich etwas fragen?

Sagen Sie, ...

Rollenspiel

Zwei Studenten stellen persönliche Fragen. Jeder Student / jede Studentin sagt der Klasse, was er/sie von dem Nachbarin/der weiß.

DEUTSCHES MAGAZIN

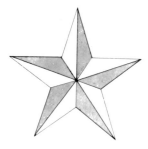

KÖRPER—KLEIDER—KLIMA

Jedes Jahr ändert sich die Mode. Doch im Frühling, Sommer, Herbst und Winter ist praktische Kleidung immer in Saison.

Blickpunkt: Schleswig-Holstein, Bremen, Hamburg

Wörter ohne Wörterbuch

der Arm, -e
braun
das Bier, -e
der Clown, -s
das Glas, ¨er
elegant
die Hand, ¨e
hier
der Kaktus, die
    Kakteen
das Knie, -e
kühl
das Musical, -s
die Natur
praktisch
die Orange, -n
die Saison, -s
die Sandale, -n
scheinen
die Socke, -n
das Sofa, -s
der Sommer, -
die Sonne, -n
die Temperatur, -en
warm
das Wetter
der Wind, -e
der Winter, -

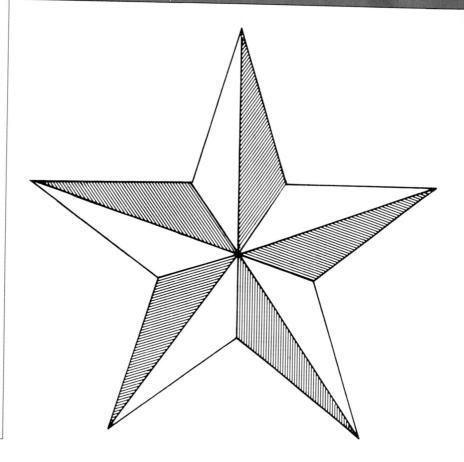

Vokabularübung

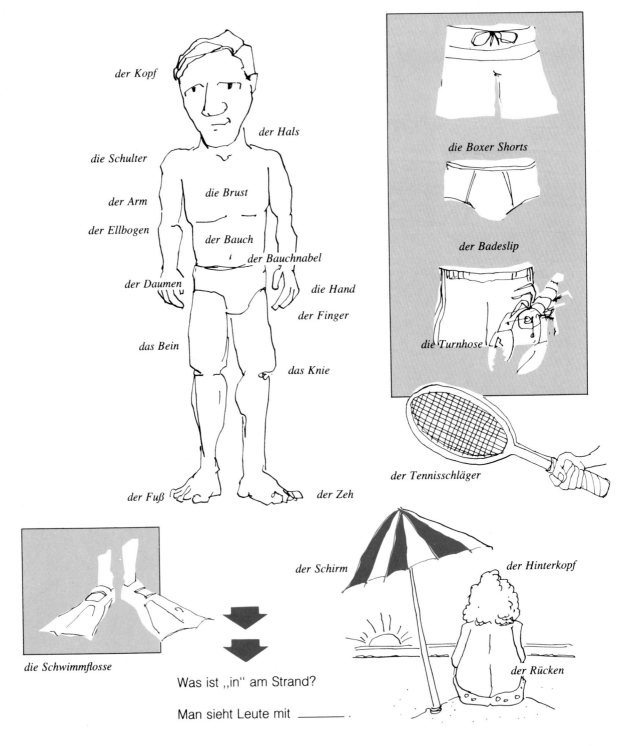

der Kopf

der Hals

die Schulter

der Arm

der Ellbogen

die Brust

der Bauch

der Bauchnabel

der Daumen

die Hand

der Finger

das Bein

das Knie

der Fuß

der Zeh

die Boxer Shorts

der Badeslip

die Turnhose

der Tennisschläger

die Schwimmflosse

der Schirm

der Hinterkopf

der Rücken

Was ist „in" am Strand?

Man sieht Leute mit _____ .

Kleine Vokabularübung

Was trägst du beim Schwimmen?   im Restaurant?
im Winter?   beim Autowaschen?
im Sommer?   beim Skifahren?
an der Uni?   in der Disco?

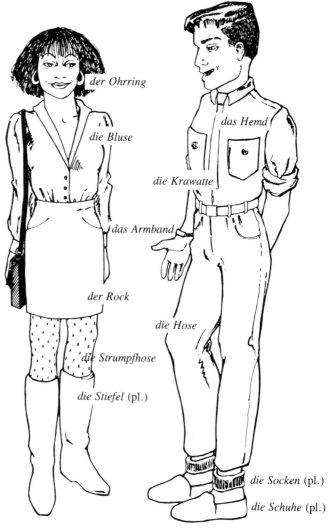

der Ohrring

die Bluse

das Hemd

die Krawatte

das Armband

der Rock

die Hose

die Strumpfhose

die Stiefel (pl.)

die Socken (pl.)

die Schuhe (pl.)

der Kopf

das Haar

die Augenbrauen (pl.)

die Stirn

das Auge

die Nase

das Ohr

der Mund

der Zahn

e Wange

das Gesicht

das Kinn

Plural

die Augen   Lippen
  Augenbrauen   Ohren
  Gesichter   Wangen
  Haare   Zähne

Kleine Schreibübung

1. Er hat einen _____ . 5. Er hat eine _____ .

2. Er hat eine _____ . 6. Er hat _____ . (*pl.*)

3. Er hat ein _____ . 7. Er hat _____ . (*pl.*)

4. Er hat eine _____ . 8. Er hat _____ . (*pl.*)

Die Farben

rot	**grün**	**weiß**	**grau**
orange	**blau**	**braun**	
gelb	**violett (lila)**	**schwarz**	

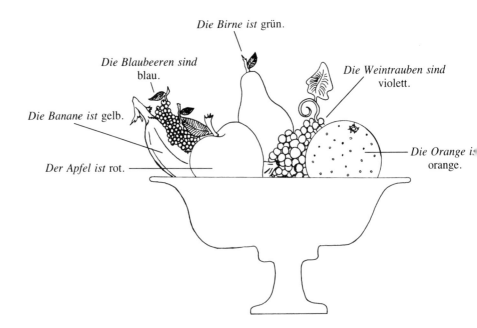

Die Birne ist grün.

Die Blaubeeren sind blau.

Die Weintrauben sind violett.

Die Banane ist gelb.

Die Orange i orange.

Der Apfel ist rot.

Kleine Vokabularübung

Welche Farbe hat

ein Apfel? _____

eine Banane? _____

eine Wassermelone? _____

eine Orange? _____

eine Avocado? _____

Spinat? _____

eine Weintraube? _____

die Blaubeeren? _____

Kaffee ohne Milch? _____

Milch? _____

Schokolade? _____

eine Aubergine _____

Wie ist das Wetter? ━━━━━━━━━━━

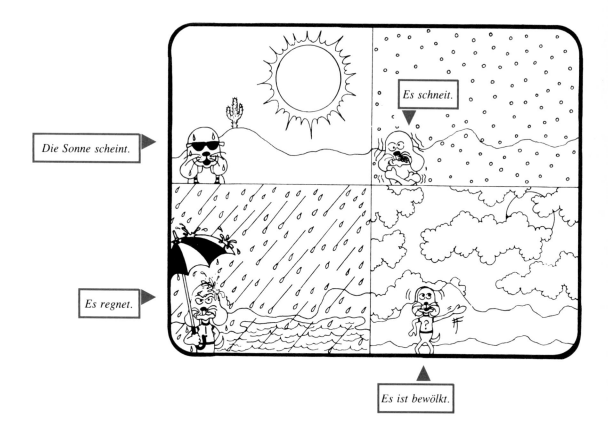

Franziska Becker

Franziska Becker

Kleine Sprechübung

Wie ist das Wetter heute?
Wie war das Wetter Sonntag?
Wie ist das Wetter am Nordpol?
Wie ist das Wetter in der Sahara?
Welches Wetter magst du?

Wie ist das Wetter im Sommer?
im Winter?
im Herbst?
im Frühling?

Klima

Guten Morgen, liebe Hörer!
Sie hören den Wetterbericht für
Montag und Dienstag: Heute wird
das Wetter sonnig und warm, mit etwas Wind
vom Süden. Höchsttemperaturen um 25 Grad Celsius.
Morgen wird das Wetter kalt. Wolken und Regen
werden erwartet. Höchsttemperaturen um 10 Grad.
Aber heute ist das Wetter schön. Es regnet nicht.
Die Sonne scheint.
Das war der Wetterbericht.
Auf Wiederhören.

Vokabularübung

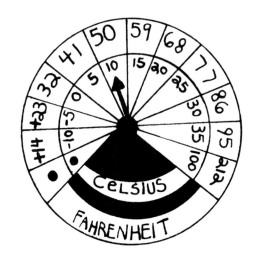

Wie ist das Wetter? Was ziehen wir an?

1. Hier ist dein Pelzmantel.
2. Wo ist mein Sommerkleid?
3. Hast du deinen Skianzug?
4. Ich ziehe Tennishose, Polohemd und Tennisschuhe an.
5. Er nimmt einen Regenschirm.
6. Wir brauchen eine Jacke.
7. Ich nehme meinen Mantel.
8. Habt ihr den Badeanzug?
9. Sie haben Gummistiefel an.
10. Sie tragen Sandalen.
11. Sie hat ein Kostüm.

a. Die Sonne scheint.
b. Es regnet.
c. Es ist kalt.
d. Es ist kühl.
e. Es ist bewölkt.
f. Es ist 2 Grad Celsius.
g. Es ist heiß.
h. Es donnert und blitzt.
i. Es schneit.
j. Es gibt ein Gewitter.
k. Es ist 35 Grad Celsius.

SCHLESWIG-HOLSTEIN, NIEDERSACHSEN, BREMEN, HAMBURG

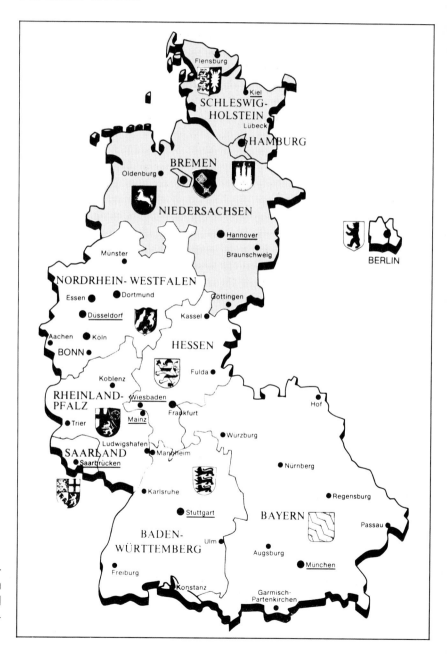

Das nördlichste Bundesland liegt zwischen Nord- und Ostsee und grenzt im Norden an Dänemark.

Hamburger Hafen

Schleswig-Holstein

Fläche: 15 720 km²
Einwohner: 2,6 Mill.
Einwohner je km²: 167
Hauptstadt: Kiel

Bremen

Fläche: 404 km²
Einwohner: 685 000
Einwohner je km²: 1704
Hauptstadt: Bremen

Niedersachsen

Fläche: 47 431 km²
Einwohner: 7,3 Mill.
Einwohner je km²: 153
Hauptstadt: Hannover

Hamburg

Fläche: 755 km²
Einwohner: 1,63 Mill.
Einwohner je km²: 2160

Gruppengespräch

1. Hast du Familie in Norddeutschland?
2. Kennst du eine Stadt in Norddeutschland?
3. Welcher Fluß fließt durch Hamburg?
4. Wie viele Einwohner gibt es in Norddeutschland?
5. Wie heißt die See bei Kiel?
6. Wie heißt die See bei Bremen?

Hamburger grüßen sich auch mit: ,,Hummel, Hummel!''

MINIDRAMA 3
Kalter Kaffee

Willi trifft Jack auf der Straße.

Jack: Guten Tag, Willi,
 wohin gehst du?
Willi: Tag, Jack. Ich gehe
 zur Mensa. Ich habe Durst.
 Kommst du mit?
Jack: Gern. Ich habe jetzt
 Zeit. Ich habe auch Durst.
(*In der Mensa*)
Willi: Ich hole uns zwei
 Tassen Kaffee. Trinkst du
 Kaffee mit oder ohne Milch?
Jack: Ohne Milch. Nur etwas
 Zucker, bitte.
(*Willi kommt mit den zwei
 Kaffeetassen wieder.*)
Willi: Siehe da. Da kommt ja

Julie. (*zu Julie*) Guten Tag, Julie. Ich möchte dir meinen Freund Jack Whitehead vorstellen. Jack, das ist Julie Harper, eine gute Bekannte von mir.

Jack: Guten Tag. Es freut mich, Sie kennenzulernen.

Willi: Jack, hier an der Uni sagen alle „du".

Jack: Ach so. Es freut mich, dich kennenzulernen, Julie. (*Sie setzt sich.*)

Julie: Es freut mich auch, Jack. (*zu Willi*) Willi, sag mal, heißt es: „Wir sitzen am Tisch," oder sagt man: „Wir sitzen an dem Tisch?"

Erklärst du mir das?

Willi: Beide Sätze sind richtig. Man findet häufig Kontraktionen mit Präpositionen. Zum Beispiel: am, beim, durchs, fürs, ins, zur, zum.

Jack: Ich muß die Präpositionen lernen.

Julie: Ich auch. Ach Willi, ist der Kaffee für mich?

Willi: Nein, er ist nicht für. . . .

Julie: Danke! (*trinkt den Kaffee aus*) Leider kalt! Oh, es ist schon spät. Ich muß jetzt gehen. Bis nachher.

Willi: (*zu Jack*) Ich hole noch

eine Tasse Kaffee.

Julie: Du trinkst zu viel Kaffee, Willi. Auf Wiedersehen.

Jack und Willi: Auf Wiedersehen.

(*Willi und Jack bleiben in der Mensa. Sie trinken Kaffee und unterhalten sich über Präpositionen und über Julie.*)

WÖRTER zur KOMMUNIKATION

Substantive

die Bekannte, -n
das Beispiel, -e
der Durst
der Kaffee
die Kontraktion, -en
die Mensa
die Milch
die Präposition, -en

der Satz, ⁻e
die Straße, -n
der Tag, -e
die Tasse, -n
der Tisch, -e
die Uni, -s (Universität)
die Zeit, -en
der Zucker

Verben

erklären
finden
freuen
gehen
holen
kennen·lernen
mit·kommen

mögen (möchte)
müssen (muß)
sagen
(sich) setzen
treffen (trifft)
trinken
vor·stellen

Andere Wörter

auch
beide
bis
danke
etwas
häufig
mal (einmal)

nachher
ohne
richtig
viel
wenig
wieder
wohin

Ausdrücke

Wohin gehst du?
Ich habe Durst.
Kommst du mit?
Ich möchte dir __(Name)__ vorstellen.
Es freut mich, dich/Sie kennenzuler-
nen.

Na gut.
Sag mal, ...
Danke.
Bis nachher.

DATIV

Artikel

m	dem	einem
s	dem	einem
w	der	einer
pl	den	(keinen)

Dativ

> Indirektes Objekt = Dativ

oft: **Person oder Tier: Nilpferd, Hund,** *usw.*

Mordillo

Subjekt: Nominativ	Verb	Indirektes Objekt: Dativ	Direktes Objekt: Akkusativ
↓	↓	↓	↓
Sie	gibt	dem Nilpferd	die Milch.

Beispiele

m   Wie erklären wir **dem Milchmann** das Bild?

s   Mordillo zeigt **dem Kind** das Nilpferd.

w   Die Frau gibt **der Katze** die Magermilch.

pl   Sie bringt **den Nilpferden** die Buttermilch.

Wem **gibt sie die Milch?**   *Dem* **Nilpferd!**

DATIV

Pronomen

Nominativ	Akkusativ	Dativ
ich	mich	mir
du	dich	dir
er	ihn	ihm
es	es	ihm
sie	sie	ihr
wir	uns	uns
ihr	euch	euch
sie	sie	ihnen
Sie	Sie	Ihnen

Dativ—Plural

oft + -n den Freunden

den Kindern

Ich bringe den Freunden den Kaffee.

Präpositionen + Dativ

aus	mit	von
außer	nach	zu
bei	seit	

Ja, bitte senden Sie mir kostenlos
das neue Sommerjournal
„Oberösterreich – Erlebnisreich"

Photo—David Hume Kennerly

MUSTER III

WORTFOLGE

Wortfolge von Subjekt und Verb

Subjekt-Verb

Einfacher Satz: Der Mann gibt ihr die Blumen.

Verb-Subjekt

Frage: Gibt der Mann ihr die Blumen?
Wort(-gruppe) zu Beginn: *Heute* gibt der Mann ihr die Blumen.
Im Bett gibt der Mann ihr die Blumen.

PST!

Das Verb steht in Position 2 im nor malen Satz!

Wortfolge von Substantivobjekten ━━━━━

Akkusativ-Dativ

Der Mann schenkt **die Blumen.**
Der Mann schenkt der Frau **die Blumen.**

	Nominativ	Akkusativ	Dativ
m	der	den	dem
s	das	das	dem
w	die	die	der
pl	die	die	den (+ -n)

	Nominativ	Akkusativ	Dativ
m	ein	einen	einem
s	ein	ein	einem
w	eine	eine	einer
pl	(keine)	(keine)	(keinen) (+ -n)

Wortfolge bei *nicht* ━━━━━

NICHT steht <u>nach</u> Verben, direkten und indirekten Objekten und Zeitausdrücken.

Sie **sprechen** nicht.

oft   Sie nimmt **die Blumen** nicht.

Er gibt **ihr die Blumen** nicht.

Er geht **heute** nicht in den Blumenladen.

NICHT steht <u>vor</u> Adverben und Präpositionen.

oft   Die Blumen sind nicht **frisch.**

Sie stellt die Blumen nicht **in** die Vase.

MUSTER IV

GENITIV

Artikel

m	des	eines
s	des	eines
w	der	einer
pl	der	—

Präpositionen + Genitiv

trotz

während

wegen

Genitiv-Possessiv

Nominativ	Genitiv
Dativ	Wer oder was hat etwas?
Die Pfeife	**des Mannes** ist aus England.

↑
Genitiv

Beispiele

pl Der Mann findet die Flaggen der Frauen toll.
w Die Augen der Frau sind groß.
s Sie haben die Wärme des Feuers gern.
m Trotz des Durstes trinkt er keinen Tee.

PST!

Kein Apostroph bei Namen!
Herr Finckensteins Pfeife geht aus.
Frau Wimpers Tee wird kalt.
Waldis Augen sind auch groß.

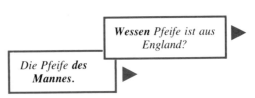

Wessen Pfeife ist aus England?

Die Pfeife des Mannes.

Substantive (männlich und sächlich)

1 Silbe + **-es**	2, 3, . . . Silben + **-s**
der Mann	das Feuer
die Pfeife **des Mannes**	die Wärme **des Feuers**

AUSPROBIEREN!

Muster I und II: Dativ

1. Was machen wir für unsere Freunde? Jetzt formt Sätze mit Dativ- und Akkusativobjeklen.

geben	kaufen
zeigen	schreiben
schenken	erklären

> **Beispiel:** Ich gebe der Frau die Bücher.

2. Alles über uns. Findet das richtige Wort.

die Mensa	die Klasse
die Freunde	der Morgen
der Student	das Mädchen
eine Tutorin	

> **Beispiel:** Wir kommen aus der Klasse.

1. Wir kommen aus _____ .
2. Wir wohnen bei _____ .
3. Wir gehen mit _____ .
4. Wir unterhalten uns nach _____ .
5. Wir sprechen seit _____ .
6. Wir haben das Schreibheft von _____ .
7. Nach der Lektion gehen wir zu _____ .

3. Autos, Autos, Autos—Welche Präposition?

aus	nach
außer	seit
bei	von
mit	zu

1. Alle Freunde haben ein Auto _____ Willi, der hat keins.
2. Brigitte fährt _____ einem Mercedes.
3. _____ Montag gehe ich in die Fahrschule.
4. Mein neues Auto kommt _____ Jugoslawien.
5. Das Auto ist _____ meiner Freundin in der Garage.
6. _____ der Klasse fahren wir _____ München.
7. Im September fahre ich auch _____ Oktoberfest (s).
8. Ich habe das Auto _____ meiner Großmutter.

Muster III: Wortfolge

1. Alles falsch!—Negiert bitte die Sätze.

> **Beispiel: Wir studieren.   Wir studieren nicht.**

1. Sie schreibt.
2. Sie schreibt den Brief.
3. Sie schreibt langsam.
4. Der Brief ist langweilig.
5. Sie bringt den Brief zur Post.

2. Formt bitte Sätze im Negativ.

schenken, kaufen (Verb)
heute, gut, viel, wenig (Adverb)
die Blume, den Apfel (Akkusativobjekt)
in dem Blumenladen, auf dem Markt (Präpositionalobjekt)
dem Vater, ihr, die Kinder (Dativobjekt)

3. Wer bist du? Interview mit negativen und positiven sätzen

> **Beispiel: Gehst du oft ins Theater?   Nein, ich gehe nicht oft ins Theater.**

Kommst du aus Chicago?
Hast du ein Auto?
Kennst du Goethe?
+5 persönliche Fragen

Hast du ein Hobby?
Sprichst du Spanisch?
Hast du Freunde?

Jetzt erzählt der Klasse, was ihr voneinander wißt.

4. Was erklären/geben/zeigen/schenken wir? Formt viele Sätze.

> **Beispiel: Wir schenken dem Cousin ein Frisbee.**

Verben	Direkte Objekte (wen *oder* was)	Indirekte Objekte (wem)
erklären	die Milch	die Katze
geben	die Adresse	die Amerikanerin
zeigen	das Buch	der Freund
schenken	die Landkarte	der Professor
	der Computer	die Nachbarn
	die Post	die Pilotin
	das Frisbee	die Frau
	die Kisten	der Cousin
	die Postkarten	das Kind
	der Hammer	der Filmstar
	der Film	das Mädchen

Muster IV: Genitiv

1. Was haben wir? Macht eine Liste.

1. Was hat die Nachbarin?   Sie hat eine Katze, einen Hund, *usw.*
2. Was hat ein Pilot?   Er hat ein Radio, *usw.*
3. Was haben Studenten?   Sie haben Bücher, *usw.*
4. Was hat Susi?   Sie hat ein Auto, *usw.*

2. Jetzt formt Sätze mit Genitiv + diesen Adjektiven.

> **Beispiele:** **Die Katze der Nachbarin ist klein.**
> **Susis Auto ist phantastisch.**

neu	gut	kalt
alt	schlecht	warm
groß	böse	offen
klein	hungrig	berühmt
phantastisch	durstig	prima

3. Wegen—während—trotz?

1. _____ der lauten Musik studieren wir.
2. _____ des Morgens sind wir in der Klasse.
3. _____ der Party bei Susi gehe ich nicht zur Uni.

4. Schreibt den Satz zu Ende.

der Tag
die Kalorien (*pl.*)
der Kaffee

1. Wir essen Wiener Schnitzel trotz _____ .
2. Ich bin nervös wegen _____ .
3. Du trinkst nie während _____ .

Kontraktionen mit Präpositionen

Akkusativ

durch + das = durchs
für + das = fürs
um + das = ums

Dativ

bei + dem = beim
von + dem = vom
zu + dem = zum
zu + der = zur

Beispiele

Die Katze läuft durchs Klassenzimmer.
Sie springt vom Tisch.
Sie geht zur Tür.

Verben im Dativ

Diese Verben immer + Dativ:

antworten
danken
gefallen
gehören
glauben
helfen

Beispiele

Die Mensa gefällt mir nicht.
Gehört dir der Kaffee?
Wir danken dem Studenten für den Zucker.

Mann/man

man = singular

— Franziska Becker

Man sieht die Sterne.

Ist „man" = der Mann?
NEIN!

„man" = er, es, sie

Der Mann sieht die Sterne.

Kleine Übung

1. In der Mensa bekommt man

    _____ Essen
    _____ Kleider
    _____ einen Hammer
    _____ Bleistifte
    _____ Schallplatten

2. Wenn man Hunger hat,

    _____ schreibt man einen Brief.
    _____ lernt man Deutsch.
    _____ fährt man mit dem Bus.
    _____ ißt man ein Schnitzel.

3. Mit Kaffee trinkt man

    _____ Bier
    _____ Mineralwasser
    _____ Milch
    _____ Waschpulver
    _____ Salz

4. Wenn man einen Film sehen will, geht man

    _____ zur Universität
    _____ ins Kino
    _____ in die Mensa
    _____ zum Biergarten
    _____ zum Supermarkt

5. Wenn man durstig ist,

    _____ liest man ein Buch
    _____ holt man ein Glas Wasser
    _____ telefoniert man
    _____ hört man Radio

WAS SAGT MAN DA?

Jemanden vorstellen

Ich möchte Ihnen meine Freundin vorstellen.

Darf ich vorstellen: Hans.

Darf ich bekanntmachen: Martha.

Das (hier) ist: Herr Schmidt.
Frau Klein
Claudia Busch
Alexander

Darauf reagieren

(Es) freut mich, Sie kennenzulernen.

Angenehm.

Freut mich.

Rollenspiel

In Gruppen zu fünft.

A. ein Kind
B. ein Großvater
C. der Präsident der USA
D. eine Nachbarin
E. eine Freundin

Sie stellen alle in der Gruppe vor.

DEUTSCHES
M A G A Z I N

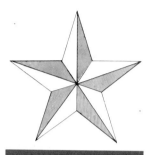

Wörter ohne Wörterbuch

das Automobil, -e
die Elektronik
die Glasindustrie, -n
das Hobby, -s
die Industriezone, -n
die Kamera, -s
klassisch
modern
der Motor, -en
die Oper, -n
das Parfüm, -s
das Problem, -e
das Produkt, -e
die Radiostation, -en
das Sportprogramm,
 -e
die Symphonie, -n
das Telephon, -e
die Textilie, -n
das Theater, -
der Wein, -e

DIE UNTERHALTUNGSINDUSTRIE

In Deutschland kann man überall klassische Dramen, Opern, und Symphonien sehen bzw. hören. Aber auch moderne Rockmusik und Filme „made in USA" laufen jeden Tag in Kinos und im Radio. Viele Leute kaufen Bücher, Zeitungen und Zeitschriften. Es gibt Triviales neben hoher Kultur. Jeder hat die Wahl: „Hamlet" oder „Dallas" auf deutsch!

Blickpunkt: Nordrhein-Westfalen, Rheinland-Pfalz, Saarland

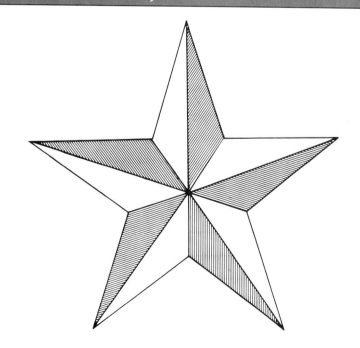

Filme in Berlin

Schreibübung

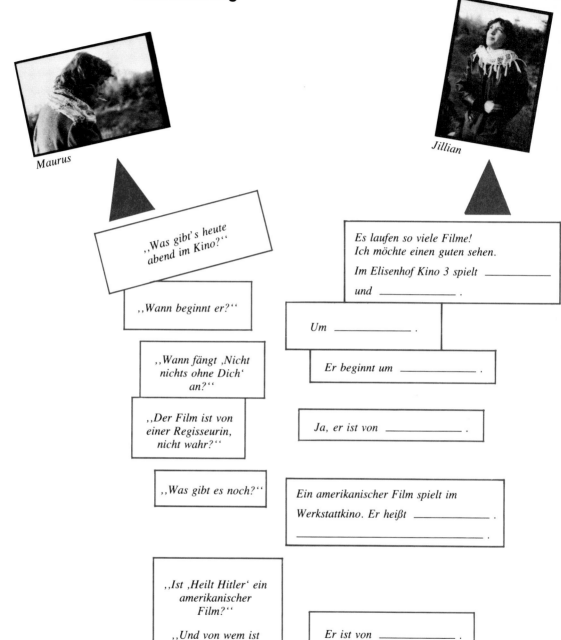

Maurus

Jillian

,,Was gibt's heute abend im Kino?''

,,Wann beginnt er?''

,,Wann fängt ‚Nicht nichts ohne Dich‘ an?''

,,Der Film ist von einer Regisseurin, nicht wahr?''

,,Was gibt es noch?''

,,Ist ‚Heilt Hitler‘ ein amerikanischer Film?''

,,Und von wem ist dieser Film?''

Es laufen so viele Filme! Ich möchte einen guten sehen.

Im Elisenhof Kino 3 spielt _____ und _____ .

Um _____ .

Er beginnt um _____ .

Ja, er ist von _____ .

Ein amerikanischer Film spielt im Werkstattkino. Er heißt _____ . _____ .

Er ist von _____ .

Theater in München

Gehen wir ins
Theater!

Was machen wir heute
abend?

Theater

Staatstheater
Vorverkauf Maximilianstraße 11
Telefon 089/22 13 16
Tageskasse: Mo.-Fr. 10.00 -13.00 Uhr
15.30-17.30 Uhr, Sa. 10.00 -12.30 Uhr
Abendkasse: 1 Std. vor Beginn der
Vorstellung

Nationaltheater
La Cenerentola
von Gioacchino Rossini (in ital. Spr.)
Weikert, Ponnelle
Soffel, Kaufmann, Jungwirth, Matteuzzi,
Rinaldi, Montarsolo, Helm
Vorst f. d. Theatergemeinde
Anfang: 19.00 Uhr - Ende: ca. 22.15 Uhr

Staatstheater am Gärtnerplatz
Telefon 089/2 01 67 67
Vorverkauf im Theater
Tageskasse: Mo.-Fr. 10-13 Uhr und
15.30-17.30 Uhr, Sa. von 10-12.30 Uhr
Abendkasse: 1 Std. vor Beginn der Vorst.
Geschlossene Vorstellung
Eine Nacht in Venedig
von Johann Strauß
Rottenaicher, Soleri, Vincz / Bregnard,
Ehrensperger, Heyng, Holliday, Puhlmann;
Baumgardt, Jankovits, Köninger,
Preißinger, Soco, Stückmann, Trebes,
Wyzner
Anfang: 19.30 Uhr - Ende: 22.00 Uhr

Deutsches Theater
Schwanthalerstr. 13, Tel. 59 34 27
Vorverk.: Mo.-Fr. 12-18, Sa. 10-13.30 Uhr
Erstmals wieder in Deutschland
Nur in München!
George Gershwins Meisterwerk
PORGY and BESS
Die große amerikanische Oper in
spektakulärer und authentischer
Inszenierung. Direkt aus den USA.
Tägl. 20 Uhr (auß. 24.5., 30.5. und 6.6.)
So., 14 u. 19 Uhr, Sa., 11.6., 15 u. 20 Uhr

Altes Residenztheater
(Cuvilliés-Theater)

Münchner Kammerspiele
Tageskasse Maximilianstraße 26
Mo.-Fr. 10-18 Uhr, Sa. u. So. 10-13 Uhr
Telefon 23721-328
Schauspielhaus
**In der Einsamkeit der
Baumwollfelder**
von Bernard-Marie Koltès
Regie: Alexander Lang
Bühne, Kostüme: Volker Pfüller
mit Lambert Hamel und Thomas Holtzmann
6. Vorstellung Dienstag gelb und
freier Verkauf
Anfang: 20.00 Uhr - Ende: 21.45 Uhr
– Nach Beginn kein Einlaß –
Werkraum
Kalldewey, Farce
– Spielplanänderung –
von Botho Strauß
Ines Krug, Sunnyi Melles, Daphne Wagner,
Ulrike Willenbacher, Axel Milberg,
Edgar Selge, Heiko Steinbrecher
Leitung: Dieter Dorn, Jürgen Rose, Klaus
Hellenstein, Musik: Roberto C. Détrée
Anfang: **19.30 Uhr** - Ende: 22.00 Uhr
Freier Verkauf

Komödie am Max II
Maximilianstr. 47, Tel. 22 18 59
Täglich 20 Uhr
(außer Montag)
Kasse ab 11 Uhr, Sonntag ab 15 Uhr
HALLO, WER DORT?
Komödie von Keith Waterhouse
u. Willis Hall
mit: Michael Hinz, Pia Hänggi, Monika
Strauch, Eckart Dux
Regie: Horst Sachtleben
Wer uns kennt, wird Abonnent
Informationsmaterial Tel. 22 67 65

Theater die Kleine Freiheit
Maximilianstraße 31
Telefon 22 11 23 und 22 04 20
Kasse ab 11.00 Uhr, So. ab 14.00 Uhr
Beginn 20.00 Uhr
Gastspiel der Lore-Bronner-Bühne
Der Raub der Sabinerinnen
Schwank von Franz und Paul von Schönthan
mit: Wolf Ackva, Elisabeth Brams, Helga
Lehner, Wolfgang Uhl, Stefan Hoffmann,
Dieter Brammer als

Auf deutsch!

Schreibübung

1. Was gibt's im Nationaltheater?

   _____

2. Was ist die Telefonnummer vom Staatstheater?

   _____

3. Wann beginnt die Vorstellung von *Hallo, wer dort*?

   _____

4. Wo ist das Theater die Kleine Freiheit?

   _____

5. Von wem ist der *Eine Nacht in Venedig*?

   _____

6. Wie heißt das Stück von Botho Strauß?

   _____

7. Wo läuft *Porgy and Bess*?

Kleine Sprechübung

1. Gehst du ins Theater, in die Oper oder ins Konzert?
2. Wann gehst du?
3. Wo sitzt du?
4. Sitzt du rechts oder links?
5. In welcher Straße ist das Schillertheater?
6. In welcher Stadt ist die Philharmonie?
7. Wo ist die Deutsche Oper?
8. Welcher Film spielt im „Cinema Paris"?

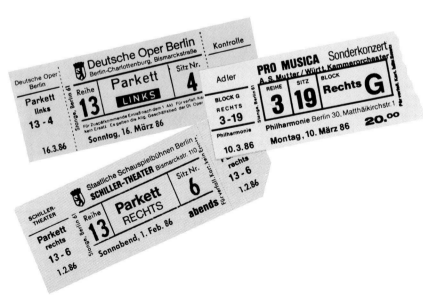

Lese- und Vokabularübung

Was gibt es im Fernsehen?
Welche Programme gibt es im *Ersten Programm?* Wann beginnen die Programme?

> Der liebe Gott sieht alles— außer Dallas.

> Freust du dich auf die Schwarzwaldklinik?

> Ja, das ist ein tolles Fernsehprogramm.

Österreich

20.15 Bei Kerzenlicht

Lustspiel von Karl Farkas († 1971), Siegfried Geyer und Paul Frank
Herr von Rommer . . Alfred Reiterer
Maria . . . . . Dolores Schmidinger
Gaston . . . . Ernst Anders
Herr von Baltin . . . . . Kurt Jaggberg
Frau von Baltin . . . . . . Ulli Fessl
u. a. – Regie: Jochen Bauer
Wien 1932 in einer hochherrschaftlichen Suite. – Neidvoll bewundert der Diener Gaston seinen Herrn und dessen Erfolge bei den Frauen. Als der Herr eines Abends ausgeht, schlüpft Gaston in dessen Rolle und lädt zwecks Flirt eine Dame der Gesellschaft ein. Doch ihr eifersüchtiger Mann und der vorzeitig heimkehrende Hausherr bringen Gaston in eine prekäre Lage.

21.55 Sport

mit Ski-Weltcup, Abfahrt der Damen in Bad Kleinkirchheim

22.15 Pink Floyd at Pompeji

Moderne Show in antikem Rahmen
23.15 Schlußnachrichten

ÖSTERREICH 2

20.15 Ein spätes Mädchen

Von Harold Pinter – Nach einer Erzählung von Aidan Higgin
Imogen Langrishe . . . . Judi Dench
sowie Jeremy Irons, Annette Crosbie, Harold Pinter, Margaret Whitin u. a. – Regie: David Jones
Die drei Langrishe-Schwestern Imogen, Helen und Lily leben in einem einsamen Landhaus außerhalb von Dublin, in einer Gegend, wo es eigentlich nur Kühe und Disteln gibt. Hierher verschlägt es einen deutschen Studenten. Alsbald erobert er die sensible, altjüngferliche Imogen. Ihre Beziehung erweist sich auf die Dauer als recht problematisch.
„Meisterhaft . . ." (Sunday Times).
22.05 Fragen des Christen

22.10 Kommissar hoch zwei

(Plus ça va, moins ça va)
Französischer Spielfilm von 1977
Pignon . . . . . Jean-Pierre Marielle
Melville . . . . Jean Carmet
Sylvia . . . . Caroline Cartier
u. a. – Regie: Michel Vianey
Zwei tölpelhaft-spießige Polizisten sollen ein Sexualverbrechen aufklären. Ihre Ermittlungen führen sie in die Welt der feinen Leute.
Witzige Persiflage auf Borniertheit

2.□PROGRAMM

19.00 Heute

19.30 Die Pyramide

Ein schnelles Spiel um Worte und Begriffe mit Dieter Thomas Heck
Kandidaten: Schauspielerin Cleo Kretschmer und Sänger Michael Holm und die Zuschauer Elke Gasper und Hans-Peter Pull
Im Showteil: Zauberer Marvelli
Regie: Dieter Pröttel
Wird Montag, 11.35 Uhr wiederholt

20.15 Der Mann aus Laramie

(The man from Laramie)
Amerikanischer Spielfilm von 1955
Will Lockhart . . . . . . James Stewart
Vic Hansbro . . . . . Arthur Kennedy
Alec Waggoman . . . D. Crisp († 1974)
Barbara Waggoman
. . . . . . Cathy O'Donnell († 1970)
Dave Waggoman . . . . . . Alex Nicol
Kate Canaday . . . . Aline MacMahon
Charley O'Leary Wallace Ford († 1966)
Chris Boldt . . . . Jack Elam
Frank Darrah . . . . . John War Eagle
Tom Quigby . James Millican († 1955)
Fritz . . . . Gregg Barton
Regie: Anthony Mann († 1967)
ARD-Erstaufführung am 24. 4. 1969 – Sehbeteiligung: 64% – Zuschauerurteil: sehr gut (+6) – ARD-Wh. am 6. 11. 1971
„A. Manns Western besticht durch seine Schauspielerführung, durch den Verzicht auf Effekthascherei und durch die Konzentration, mit der in ihm menschliche Beziehungen einsehbar gemacht werden" (Süddeutsche Zeitung).

21.55 Heute

22.00 Das aktuelle Sportstudio

U. a. mit Berichten von den Spielen der Bundesliga und vom Ski-Weltcup der Damen
Moderator: Dieter Kürten

SCHWEIZ

20.00 Geheimnisse des Meeres • 20.50 Oh, du fröhliche – Weihnachtsgeschichten nach Wolfdietrich Schnurre • **21.50 Tagesschau • 22.00 Sportpanorama • 23.00 Flammender Stern.** – US-Spielfilm, 1960. Mit Elvis Presley († 1977) • **0.30 Tagesschau**

DDR-FERNSEHEN

20.00 Feuerdrachen (1) – 2tlg. FS-Film von M. Mansfeld (2. Teil Mo., 20.00) • **21.30 Auf dem Weg zu euch** – Melodien von und mit Frank Schöbel • **22.00 Aktuelle Kamera** • **22.15 Der Prinz und die Tänzerin**

PROGRAMM			
Spielfilm	Sport	Nachrichten/Politik	Musik

> Lisa, ich habe kein Fernsehprogramm. Hast du eins?

> Ich habe den GONG. Was willst du wissen, Rolf?

Leseübung zu „Fernsehen"

Rolf: Gibt es heute Sport im Fernsehen?

Lisa: Es gibt Sport im _____ und _____ .

Rolf: Wann beginnt das Sportprogramm im österreichischen Fernsehen?

Lisa: Es beginnt um _____ Uhr oder um _____ Uhr.

Rolf: Um 20 Uhr sehe ich gern einen Western. Gibt es einen?

Lisa: Ja, er heißt _____ .

Rolf: Gibt es heute einen Krimi?

Lisa: Ja, um _____ Uhr. Er heißt _____ . Aber ich sehe heute den amerikanischen Spielfilm mit Elvis Presley. Er heißt _____ .

Rolf: Womit endet das Programm im Schweizer Fernsehen?

Lisa: Mit _____ .

Rolf: Vielen Dank, Lisa, Tschüs.

Lisa: Tschüs.

Abendzeitung

PONKIE SIEHT FERN

26. Juni

Die große Versuchung
Marilyn

ARD 20.15

In dem Spielfilm, „Das verflixte sie-bente Jahr" (ARD, 20.15 Uhr) von Billy Wilder durfte Marilyn Monroe 1955 zum ersten Mal dem erstaunten Amerika be-weisen, daß sie nicht als dumme kleine Sexbombe abzustempeln war, sondern wirklich spielen konnte. Sie bringt in der Film-komödie einen biederen Ehemann in größte Gewissenskonflikte.

Richard Sherman (Tom Ewell) teilt das Schicksal vieler New Yorker, die in den heißen Som-mermonaten zu Hause die Bröt-chen verdienen müssen, während die Familie ans Meer fährt.

Als seine verführerische Nach-barin bei ihm auftaucht, wird er schwach. . . . (J.N.)

Wörter zum Nachschlagen

der Ehemann
das Schicksal
die Versuchung
verflixt

Ja oder nein?

1. _____ Im Film ist Marilyn die Nachbarin von Richard Sherman.

2. _____ Marilyn ist eine dumme kleine Sexbombe.

3. _____ Sie spielt in einer Filmkomödie.

4. _____ Den Film kann man im Fernsehen um 21.15 sehen.

5. _____ Der Film heißt auf deutsch: „Das verflixte siebente Jahr".

6. _____ Sie bringt den Ehemann Richard Sherman in Konflikte.

Machen Sie eine Liste mit den Verben.

1. _____   5. _____

2. _____   6. _____

3. _____   7. _____

4. _____   8. _____

BLICKPUNKT

NORDRHEIN-WESTFALEN, RHEINLAND-PFALZ, SAARLAND

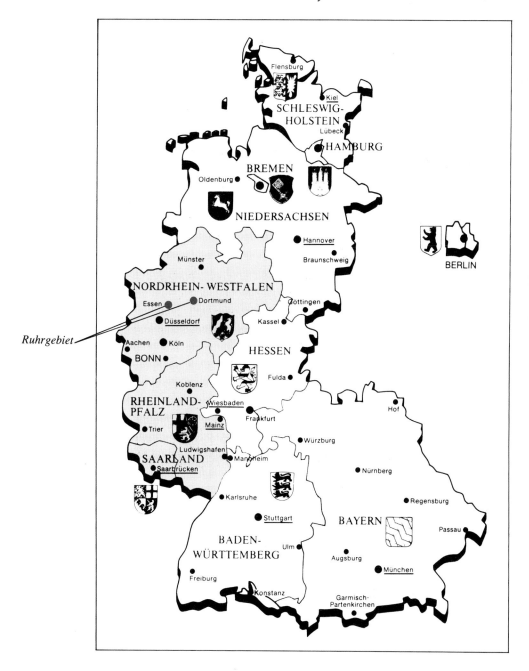

Nordrhein-Westfalen

Fläche: 34 066 km².
Einwohner: 17 Mill.
Einwohner je km²: 499
Hauptstadt: Düsseldorf

Das Ruhrgebiet ist Deutschlands wichtigste Bergbau- und Industrie-Zone: Dortmund liegt im Ruhrgebiet. Sehr viel Kohle, Eisen, Stahl, Elektronik, Chemie, Textilien, Automobile.

Saarland

Fläche: 2571 km².
Einwohner: 1.1 Mill.
Einwohner je km²: 412
Hauptstadt: Saarbrücken

Neben den Stadtstaaten Bremen und Hamburg ist das Saarland das kleinste Bundesland. Wichtig für Kohle, Metallverarbeitung, Maschinenbau, chemische, keramische und Glasindustrie.

Rheinland-Pfalz

Fläche: 19 848 km².
Einwohner: 3.6 Mill.
Einwohner je km²: 183
Hauptstadt: Mainz

Das Mittelrheintal mit seinen vielen Burgruinen ist eine der schönsten deutschen Landschaften. Rheinland-Pfalz ist mit zwei Dritteln der deutschen Rebfläche die wichtigste Weinbauregion der Bundesrepublik.

Wörter zum Nachschlagen

das Tal
die Burgruine
die Landschaft
die Rebe
wichtig
die Weinbauregion
das Geld
die Kohle
das Eisen
der Stahl
der Maschinenbau

Leseübung

Richtig (R) oder Falsch (F)

1. _____ Im Westen der drei Bundesländer liegt Frankreich.
2. _____ Reben produzieren Orangensaft.
3. _____ Dortmund liegt im Ruhrgebiet.
4. _____ Im Saarland wohnen 2 Millionen Leute.
5. _____ Der Rhein fließt durch Nordrhein-Westfalen und durch Rheinland-Pfalz.
6. _____ Im Ruhrgebiet gibt es keine Kohle.
7. _____ Die Bundeshauptstadt Bonn ist in Nordrhein-Westfalen.

Ruhrgebiet? Wir sagen ,,der Kohlenpott'' und Geld heißt ,,Kohle.''

KAPITEL 4

MINIDRAMA 4
Überfall auf der Straße

Es ist Karneval. Brigitte tankt
Benzin an der Tankstelle. Jack
sitzt schon im Auto. Brigitte
steigt ein. Sie schnallen sich an
und fahren los.

Jack: Das ist nett von dir,
daß du mich mitnimmst.
Brigitte: Oh bitte, gern
geschehen. Wo wohnst du?
Jack: In der Parkstraße. Du
hast einen schönen Wagen.
Das ist ein Mercedes-Benz,
nicht wahr?
Brigitte: Ja, ein „Mercedes",
wie man in Deutschland
sagt. Es ist ein 220er Diesel.

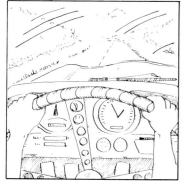

Jack: Mit dem Wagen kannst du bestimmt sehr schnell fahren.

Brigitte: Ja, er fährt bis zu 110 Meilen in der Stunde.

Jack: Halt an, Brigitte, dort winkt ein Anhalter. (*Brigitte hält an.*)

Anhalter: (*mit Maske und Wasserpistole*) Hände hoch! Los, geben Sie mir Ihr Geld!

Jack: (*leise*) Du, Brigitte! Das ist ja Susi.

Jack und Brigitte: (*laut*) Wir haben kein Geld. Hier, die Brieftaschen sind leer.

Anhalter: Mercedes fahren! Aber kein Geld haben! Na sowas!

Brigitte: Na und? Wir sind eben Studenten.

Susi: (*ohne Maske*) Ich auch!

Brigitte: Schon gut, Susi, du kannst kostenlos mitfahren. Steig ein!

Susi: Gern. (*im Auto*) Aber ich muß so schnell wie möglich meine Freunde treffen. Bitte, fahre schneller, Brigitte!

Jack: Oh, bitte nicht! Da gehe ich lieber zu Fuß. (*Er steigt aus.*) Nochmals besten Dank, Brigitte.

Brigitte: Nichts zu danken. Bis morgen, Jack.

Jack: Bis morgen.

Susi: Tschüs!

73

WÖRTER zur KOMMUNIKATION

Substantive

der Anhalter, -
das Auto, -s
das Benzin
die Brieftasche, -n
der Einkauf, ⸚e
der Fuß, ⸚e
das Geld
die Hand, ⸚e
die Maske, -n
die Meile, -n

das Modell, -e
der Schauspieler, -
die Schauspielerin, -nen
die Straße, -n
die Stunde, -n
die Tankstelle, -n
der Überfall, ⸚e
der Wagen, -
die Wasserpistole, -n

Verben

an·halten (hält an)
an·schnallen
aus·steigen (steigt aus)
danken
ein·steigen (steigt ein)
fahren (fährt)
geben (gibt)

haben (hat)
mit·fahren (fährt mit)
tanken
treffen (trifft)
winken
wohnen

Ausdrücke

Bis morgen.
Besten Dank.
Gern geschehen!
Halt an!
Hände hoch!

Na und?
Nichts zu danken.
Oh, bitte.
Tschüs.
zu Fuß gehen

Andere Wörter

bestimmt
bis dort
hoch
kostenlos
leer
lieber

los
nett
schnell
schon
nochmals

MUSTER I

DER/EIN-WÖRTER

der-Wörter	ein-Wörter	
dies-	kein-	
welch-	mein-	(ich)
jed-	dein-	(du)
jen-	sein-	(er)
manch-	ihr-	(sie)
solch-	sein-	(es)
all-	unser-	(wir)
	euer-	(ihr)
	ihr-	(sie)
	Ihr-	(Sie)

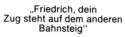

„Friedrich, dein Zug steht auf dem anderen Bahnsteig"

PST! STRENG GEHEIM!

Possessivpronomen: mein, dein, sein, ihr, sein, unser, euer, ihr, Ihr

Endungen

	M	S	W	PL
N	-er/-	-es/-	-e	-e
A	-en	-es/-	-e	-e
D	-em	-em	-er	-en
G	-es	-es	-er	-er

PST!

**Ein-Wörter haben keine Endung in:
männlich Nom.,
sächlich Nom. und Akk.**

Beispiele: der-Wörter

A Welche Zeitung liest er? *w*

N Dieser Zug fährt nicht. *m*

D Sie steht vor jedem Fenster. *s*

N Solche Koffer sind schwer. *pl*

Beispiele: ein-Wörter

A Sie sieht ihren Mann. *m*

G Die Farbe seiner Krawatte ist rot. *w*

N Das ist nicht Ihr Zug, Herr Böll. *m*

D Macht ihr das auch mit euren Schuhen? *pl*

MUSTER II

DATIV/AKKUSATIVPRÄPOSITIONEN

an
auf
hinter
in
neben
über
unter
vor
zwischen

die Kneipe

die Theke

„He, Sie stehen
auf meinem Mann!"

Kapitel Vier

Akkusativ

WOHIN?

,,**Wohin** gehst du?"
,,Ich gehe **in die Kneipe**."

BEWEGUNG MIT . . .   ZIEL

Dativ

WO?

ODER

,,**Wo** bist du?"
,,Ich bin **in der Kneipe**."
,,Warum stehst du **an der Theke**?"
,,Soll ich vielleicht **auf der Theke**
tanzen?"

KEINE
BEWEGUNG

BEWEGUNG
OHNE ZIEL

Beispiele: Akkusativ

m Er kommt in den Klub.
s Der Mann sieht in das Glas.
w Sie geht an die Theke.
pl Der Barmixer stellt das Bier zwischen die Gläser.

Beispiele: Dativ

m Die Frau sitzt neben dem Mann.
s Was schwimmt in dem Glas?
w Der Mann liegt unter der Theke.
pl Die Wodkaflasche steht zwischen den Whiskeyflaschen.

Auf

Der Affe klettert auf
den Reifen. ▶

*Der Affe sitzt auf
dem Reifen. ▶

—— = Akkusativ
══ = Dativ
 *   = Bild

In

An

Brigitte geht *in das* Wohnzimmer.

*Brigitte ist *in dem* Haus.

Jack klopft *an die* Wand.

*Er lehnt *an der* Wand.

Vor

Jack steht *vor der* kaputten Lampe.

*Jack tritt *vor die* kaputte Lampe.

Hinter

Über

Der Vogel fliegt <u>über</u>
<u>seinen</u> Kopf.
*Der Vogel fliegt über
<u>seinem</u> Kopf herum.

Die Ente springt
<u>hinter den</u> Jäger.
*Die Ente wartet
<u>hinter dem</u> Jäger.

Zwischen

Der Ritter rennt
<u>zwischen die</u> Drachen.
*Der Ritter kniet
<u>zwischen den</u>
Drachen.

Unter

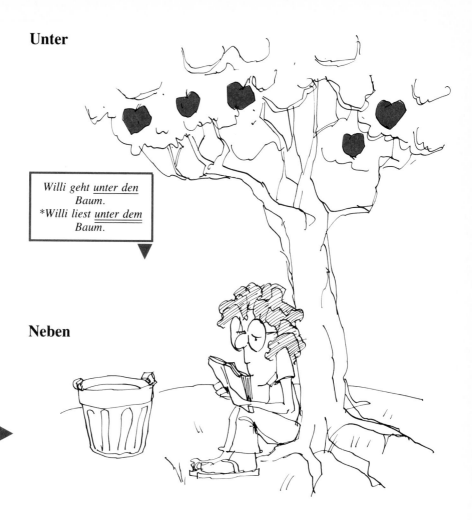

Willi geht <u>unter den</u> Baum.
*Willi liest <u>unter dem</u> Baum.

Neben

Er stellt den Korb <u>neben den</u> Baum.
*Der Korb steht <u>neben dem</u> Baum.

AUSPROBIEREN!

Muster I: der-/ein-Wörter

Schnelle Autos

> **Beispiel: Welch_____ Autos fahren 110 km/st?**
> **Welche Autos fahren 110 km/st?**

a. Mit welche_____ Benzin (*s*) fährst du?
b. Für welch_____ Tankstelle (*w*) arbeitest du?
c. Wegen welch_____ Wagen_____ (*m*) hast du kein Geld (*s*)?
d. Welch_____ Marke (*w*) kaufst du heute?
e. Welch_____ Auto (*s*) ist billig?

Muster II: Akkusativ/Dativ Präpositionen

**1. Räuber- und Gendarm-Spiel: Wohin gehen wir? Wo sind wir?
   an, auf, hinter, neben, in, über, unter, vor, zwischen**

a. Macht eine Liste von Verben „mit Bewegung" (z. B. gehen) und „ohne
   Bewegung" (z. B. sitzen).
b. Macht auch eine Liste von Orten (z. B. der Keller).

> **Beispiel:** „Räuber": Ich sitze in dem Keller. (Wo?)
>   „Gendarm": Ich gehe in den Keller. (Wohin?)

**2. Wo ist die Maus?
   Macht Sätze mit allen Akkusativ/Dativ Präpositionen.**

> **Beispiel:** Eine Maus sitzt unter dem Stuhl.
>   Sie läuft über den Tisch.

 # SPRACHLICHE BESONDERHEITEN

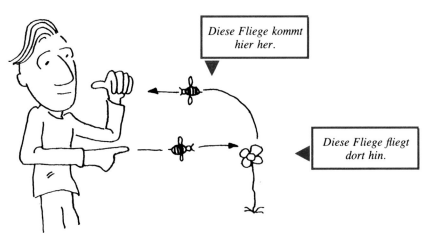

Diese Fliege kommt hier her.

Diese Fliege fliegt dort hin.

hin/her

Wohin gehst du?
Ich gehe zur Party.
Woher kommst du?
Ich komme von zu Hause.

bei

Walter wohnt **bei seiner** Mutter.
Wir machen die Party **bei mir**.
Bei uns ist es gemütlich.
Wir wohnen dicht **beieinander**.

bei (wohnen) = wo man wohnt (= bei wem)
bei mir = in meinem Haus, in meiner Wohnung

mit (per Fahrzeug)

Ich fahre **mit dem** Zug.
Schickt das Paket **mit dem** Schiff!
Fahrt ihr **mit dem** Fahrrad nach Bombay?

Wortfolge von Objekten ▬▬▬▬

1. 2 Substantive:

Die Frau gibt dem Mann die Säge.
          ↓   ↓
    indirektes   direktes
    Objekt   Objekt

2. 1 Pronomen + 1 Substantiv:

Die Frau gibt ihm die Säge.
Die Frau gibt sie dem Mann.
         ↓   ↘
   Pronomen Substantiv

3. 2 Pronomen:

Die Frau gibt sie ihm.
        ↙   ↘
   direktes indirektes
   Objekt Objekt

Noch mehr Beispiele:

Er zeigt ihr das Radio.
Er zeigt es ihr.
Sie bringt ihm den Hammer.
Sie bringt ihn ihm.

WAS SAGT MAN DA?

Nach Wünschen fragen:

Was möchten Sie bitte?

Was darf es sein?

Was kann ich für Sie tun?

Kann ich Ihnen helfen?

Sie wünschen?

Haben Sie einen bestimmten (besonderen) Wunsch?

Sonst noch etwas (was)?

Darf es sonst noch etwas sein?

Brauchen Sie (sonst) noch etwas?

Ist das alles?

Suchen Sie etwas?

Rollenspiel (zu dritt): Einkaufen

Drei Leute stehen in einem Geschäft.

Eine Person ist Verkäufer(in). Die anderen zwei möchten etwas kaufen.

(Auto, Radio, Goldring, Blumen, Steak, usw.)

Wünsche äußern

Ich möchte (gern) [neue Schuhe] haben.

Ich möchte [ein Bier], wenn Sie haben.

Ich würde gern [spazierengehen].

Ich hätte gern [hundert Dollar].

Kann (könnte) ich [was zu essen] haben?

Haben Sie [Zigaretten]?

Haben Sie vielleicht (zufällig) [etwas Geld]?

Ich möchte [bald essen]. Wenn möglich.

Rollenspiel (zu zweit): Was möchten sie?

Eine Frau und ihr Freund sind in einem großen Laden.

Ein Vater und sein Sohn sind in der Schweiz.

Zwei Freunde sind in einem Restaurant.

Dein kleiner Bruder kommt in dein Zimmer.

Du willst etwas von deinem Nachbarn in der Klasse.

DEUTSCHES

M A G A Z I N

DIE KONSUMGESELLSCHAFT

„Der Mensch lebt nicht von Brot allein." Alle brauchen Geld—oder eine Kreditkarte. Jeder hat Wünsche, große und kleine.

Blickpunkt: Bonn

Deutsch ohne Wörterbuch

alkoholisch
der Autor, -en
die Autorin, -nen
die Banknote, -n
die Formel, -n
die Gruppe, -n
die Lampe, -n
die Memoiren, (*pl*)
das Museum, die
   Museen
die Person, -en
der Pharmazeut, -en
die Pharmazeutin,
   -nen
der Preis, -e
das Produkt, -e
der Ring, -e
der Scheck, -s
sozial
die Ware, -n
der Wassersport

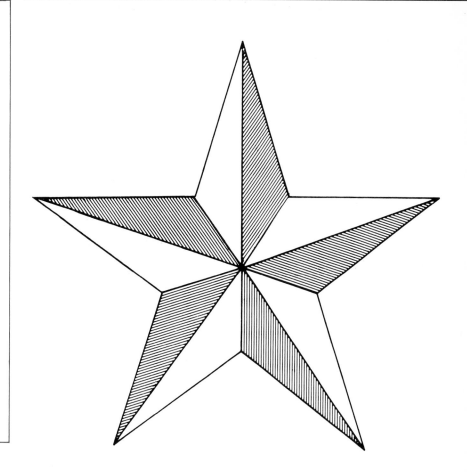

Konsum-Produkte

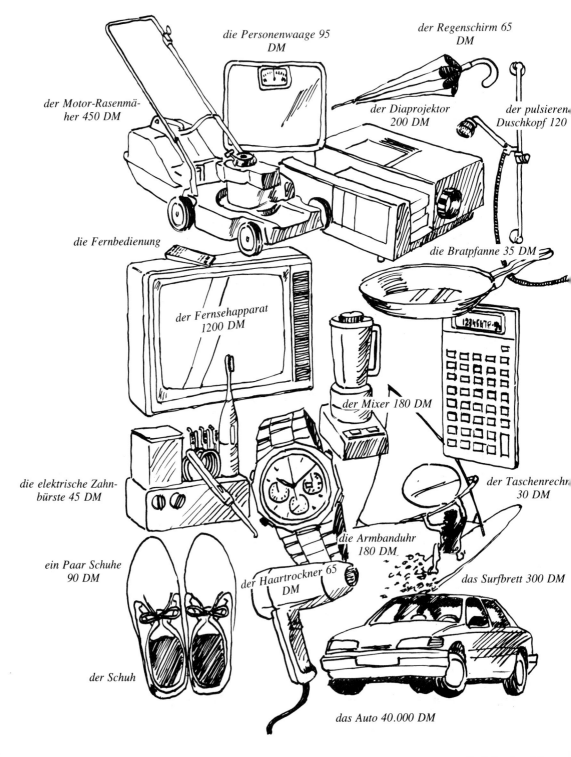

die Personenwaage 95 DM

der Regenschirm 65 DM

der Motor-Rasenmä-her 450 DM

der Diaprojektor 200 DM

der pulsieren Duschkopf 120

die Fernbedienung

die Bratpfanne 35 DM

der Fernsehapparat 1200 DM

der Mixer 180 DM

die elektrische Zahn-bürste 45 DM

der Taschenrechr 30 DM

die Armbanduhr 180 DM

ein Paar Schuhe 90 DM

der Haartrockner 65 DM

das Surfbrett 300 DM

der Schuh

das Auto 40.000 DM

Wo braucht man was?

Badezimmer (s)
Küche (w)
Garten (m)
Büro (s)
Strand (m)
Garage (w)

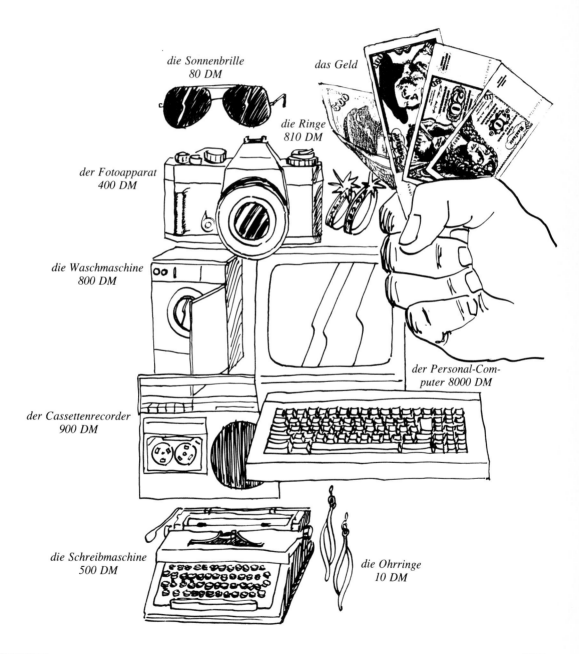

die Sonnenbrille
80 DM

das Geld

die Ringe
810 DM

der Fotoapparat
400 DM

die Waschmaschine
800 DM

der Personal-Computer 8000 DM

der Cassettenrecorder
900 DM

die Schreibmaschine
500 DM

die Ohrringe
10 DM

Die Konsumgesellschaft

Herr Max Bohn: 58 Jahre alt. Er ist Pharmazeut bei der Firma BASF. Er muß viel rechnen. Am Abend, wenn er nach Hause kommt, trinkt er gern einen Cocktail und geht gern spazieren.

Frau Frieda Bohn: 50 Jahre alt. Sie ist eine freiberufliche Photographin. Sie photographiert Bilder für die Zeitschrift *Stern*. Wenn sie von einer Reise nach Hause kommt, verkauft sie ihre neuen Photos. Während ihrer letzten Reise nach Istanbul hat sie billigen Schmuck gekauft.

Großmutter Ida Herzog: 80 Jahre alt. Sie schreibt ihre Memoiren. Sie ißt sehr gern Karotten, aber sie sind zu hart.

Manfred (Sohn von Frieda und Max Bohn): 28 Jahre alt. Er hat sein Studium in Germanistik beendet. Er macht eine große Fete. Er möchte gern Musik hören, aber er hat keine Stereoanlage. Er hat wenig Geld, weil er noch keinen job hat.

Helga (Tochter von Frieda und Max Bohn): 30 Jahre alt. Sie ist Autorin. Während des Sommers fährt sie nach Süd-Frankreich und kauft ein Haus. Sie will ein Auto kaufen. Sie schwimmt gern und treibt Wassersport.

Onkel Hugo: 61 Jahre alt. Er ist Filmregisseur. Spezialität: Dokumentarfilme über Naturphänomene. Er reist sehr viel und kommt nur nach Hause, um schnell seine Wäsche zu waschen. Während die Wäsche in der Maschine ist, sieht er gern alte Filme.

Tante Charlotte: 48 Jahre alt. Sie ist Buchhalterin. Sie arbeitet privat. In ihrer Freizeit arbeitet sie gern im Garten.

Großvater Herzog: 88 Jahre alt. Er arbeitet nicht. Er hat Probleme mit dem Rücken. Der Doktor sagt „Sie müssen warm duschen." Seine Zahnbürste ist kaputt—er will jetzt etwas Modernes kaufen.

Person

	Beruf/Hobby?	Was kaufen sie?	Preis?	Warum kaufen sie das?
Max Bohn				
Frieda Bohn				
Tante Charlotte				
Onkel Hugo				
Großmutter Ida Herzog				
Großvater Werner Herzog				
Onkel Hugo				
Manfred				
Helga				

Der ,,Laden an der Ecke''

Ich kaufe hier ein. Es gibt Pfeifen.

Modernes Einkaufszentrum

Sprechübung (zu zweit)

Welche Person kauft welches Produkt? Warum? Diskutiert eure zwei Tabellen!

Rollenspiel (zu dritt):

Spielt eine Person (z. B. Max Bohn, Frieda, usw.)! Diskutiert eure Hobbys und Interessen! Was macht ihr? Was kauft ihr?

Sprechübung (zu dritt)

Ihr kommt zu zweit ins Kaufhaus. Ihr findet einen Verkäufer. Was wollt ihr kaufen?

Vokabularübung

Was kauft ihr und was kostet alles?

Summe _____

Einkaufsliste:

Nahrungsmittel   DM

1.
2.
3.

Kleidung

1.
2.
3.

Möbel

1.
2.
3.

Körperpflege

1.
2.
3.

Unterhaltung

1.
2.
3.

Summe _____

Was kostet . . .? ▬▬▬

Nahrungsmittel:

1 Liter Milch	DM	1,49
1 Joghurt	DM	0,39
100 Gramm Salami	DM	1,79
1 Brötchen	DM	0,20
1 Kopf Salat	DM	0,55
1 Hähnchen	DM	5,70
1 Kilo Kalbfleisch	DM	19,50
1 Pfund Kaffee	DM	13,00

Kleidung:

1 Pullover (Wolle)	DM 119,00
1 Paar Damenschuhe	DM 150,00
1 Lederjacke	DM 350,00

Möbel:

1 kleiner Schreibtisch	DM 200,00
1 Futon	DM 353,00
1 Klappsofa	DM 295,00

Körperpflege:

1 Stück Seife	DM	1,90
1 Flasche Kölnisch Wasser	DM	12,00
1 Zahnbürste	DM	6,00

Ich kaufe hier ein.
Das Brot ist Klasse!

Zahlen

0—null
10—zehn
11—elf
12—zwölf
13—dreizehn
14—vierzehn
15—fünfzehn
16—sechzehn
17—siebzehn
18—achtzehn
19—neunzehn
20—zwanzig
21—einundzwanzig
22—zweiundzwanzig
23—dreiundzwanzig
24—vierundzwanzig
25—fünfundzwanzig
26—sechsundzwanzig
27—siebenundzwanzig
28—achtundzwanzig
29—neunundzwanzig

30—dreißig
40—vierzig
50—fünfzig
60—sechzig
70—siebzig
80—achtzig
90—neunzig
100—hundert
101—hunderteins
110—hundertzehn
120—hundertzwanzig
200—zweihundert
300—dreihundert
1.000—eintausend
1.101—eintausendeinhunderteins
2.000—zweitausend
20.000—zwanzigtausend
20.203—zwanzigtausendzweihundertdrei
100.000—hunderttausend
1.000.000—eine Million, -en
1.000.000.000—eine Milliarde, -en

Bruttosozialprodukt wichtiger Industriestaaten 1980

DDR	121
Brasilien	243
Kanada	243
Italien	369
Großbritannien	443
Frankreich	628
BRD	828
Japan	1153
Sowjetunion	1212
USA	2582

Sprechübung: Könnt ihr diese Zahlen schnell sagen?

BSP in Mrd. Dollar

BSP je Einwohner in Dollar

Mrd. = Milliarde
(1 Milliarde in Deutschland = 1 „billion" in den USA)

BSP = das Bruttosozialprodukt heißt in den USA: GNP

Vokabularübung:

Das Bruttosozialprodukt in Japan ist _____ Milliarden Dollar. *usw*

Sprechübung: Könnt ihr diese Zahlen sagen?

Kleine Biographie:

Vorname: Eva
Nachname: Altenberger

1954—in Hamburg geboren
1958—Kindergarten
1960—Schulbeginn
1972—Universität
1974—Tennisstar
1976—Millionärin
1980—Golfstar
1982—Milliardärin

Sprechübung (zu zweit): Interview

A gibt die Information,
B schreibt die Zahl aus (*z. B.* dreizehn).

> **Beispiel:** „Was kostet dein(e) . . .?" . . . Dollar.

. . . T-Shirt
. . . Bluejeans
. . . Bleistift
. . . Kinokarte
. . . Fahrrad
. . . Auto
. . . Frisbee
. . . Stereoanlage
. . . Walkman
. . . Hamburger

Wie alt . . .
. . . bist du?
. . . ist dein Hund?
. . . ist dein Auto?
. . . sind deine Tennisschuhe?
. . . ist dein T-Shirt?
. . . ist dein Fahrrad?
. . . sind deine Rollschuhe?
. . . ist deine Frisur?

Geld

Wie bezahlt man in Deutschland?

Deutsche Banknoten und Münzen

Papiergeld: (Banknoten)

DM 1000—eintausend Deutsche Mark
DM 500—fünfhundert Deutsche Mark
DM 100—hundert Deutsche Mark
DM   50—fünfzig Deutsche Mark
DM   20—zwanzig Deutsche Mark
DM   10—zehn Deutsche Mark
DM   5—fünf Deutsche Mark

Münzen:

DM 5,00—fünf Deutsche Mark
DM 2,00—zwei Deutsche Mark
DM 1,00—eine Deutsche Mark
DM 0,50—fünfzig Pfennig
DM 0,10—zehn Pfennig (oder ein Groschen)
DM 0,05—fünf Pfennig
DM 0,02—zwei Pfennig
DM 0,01—ein Pfennig

Kleine Schreibübung!

1. Wieviel Geld ist auf dem Bild?
2. Wieviele Münzen sind auf dem Bild?
3. Wieviele Banknoten sind auf dem Bild?

1.

2.

3.

PST!

Bei Geld gibt es keinen PLURAL!
z. B. 10 Dollar
2 D-Mark

BLICKPUNKT

BONN

Viel von Bonn

Bonn ist seit 1949 die Hauptstadt der Bundesrepublik Deutschland.
Hier ist der Regierungssitz der Bundesrepublik.
Bonn liegt am Rhein im Land Nordrhein-Westfalen.
Die Stadt hat 291.000 Einwohner (1982).
Bonn war zuerst eine römische Kolonie.
Es gibt ein schönes, barockes Schloß in der Stadt.
Bonn hat eine Universität.
Beethoven wurde in Bonn geboren.
Man findet auch Museen und Theater.

Sprechübung (zu zweit): Interview mit einer Politikerin

Journalist: Frau von Krause, woher sind Sie, und warum sind Sie in die Politik gegangen?

von Krause:

Journalist: Wieviele Einwohner hat Bonn?

von Krause:

Journalist: Was gibt es alles in dieser Stadt?

von Krause:

Journalist: Wie ist das Wetter im Juni hier?

von Krause:

Journalist: Was kann ein Tourist hier machen?

von Krause:

Journalist: Können Amerikaner in Bonn studieren?

von Krause:

Journalist: Wie finden Sie Amerika?

von Krause:

Journalist: Welcher amerikanische Politiker ist wichtig?

von Krause:

Journalist: Vielen Dank, Frau von Krause.

KAPITEL 5

MINIDRAMA 5
Zufall oder Zauberei?

Susi und Willi stehen in einer Telefonzelle. Susi nimmt den Hörer ab und wählt eine Nummer. Es klingelt bei der Theaterkasse.

Angestellter: Grüß Gott. Zentrale Theaterkasse. Sie wünschen?

Susi: Ja, hier Susi Damico. Ich habe letzte Woche zwei Theaterkarten für das Symphoniekonzert am Sonnabend bestellt und . . .

Angestellter: Moment, buchstabieren Sie bitte Ihren Namen.

Susi: D-a-m-i-c-o, Susan.

Angestellter: Ja, das waren zwei Karten zu 15 Mark.

Susi: Leider haben Sie einen Fehler gemacht. Heute bekam ich vier Karten zu je 25 Mark.

Angestellter: Mit wem haben Sie telefoniert?

Susi: Das hat mir die Stimme am Telefon nicht gesagt. (*ungeduldig*) Wie ist das nun: haben Sie noch zwei billige Karten?

Angestellter: Moment, ich verbinde.

Susi: Hallo, hallo!

Angestellte: Frau Damico?

Susi: Ja, am Apparat.

Angestellte: Wir haben nur noch Karten zu 25 Mark.

Susi: Das ist zu teuer. Gestern hatten Sie noch billige Karten.

Angestellte: (*irritiert*) Ja, aber heute ist nicht gestern. Wo soll ich sie herzaubern?

Susi: (*zu Willi*) Die Karten kosten zu viel. Paß auf, Willi, jetzt mache ich mir einen Spaß: (*zum Angestellten*) Bitte, aber *ich* bin die größte Zauberin der Welt! Abrakadabra (*Sie klopft ans Telefon.*)

Angestellte: (*erschreckt*) Was war das? Hallo, hallo, sind Sie noch da?

Susi: Hallo, hallo!

Angestellte: Moment bitte, bleiben Sie am Apparat.

(*spricht leise mit jemand*)

Susi: Hallo, hallo!

Angestellte: Hallo, Frau Damico? Sie haben Glück. Jemand hat gerade zwei Karten für das Symphoniekonzert zurückgebracht. Das macht zusammen dreißig Mark.

Susi: Na also! (*zu Willi*) Ich kriege die Karten. Bin ich nicht die größte Zauberin der Welt? (*zum Angestellten*) Großartig. Ich hole die Karten heute ab. Vielen Dank. Auf Wiederhören.

Angestellte: Auf Wiederhören.

Willi: So ein Zufall! Oder Zauberei?

WÖRTER zur KOMMUNIKATION

Substantive

die Angestellte, -n
der Angestellte, -n
der Apparat, -e
der Fehler, -
das Glück, -
der Hörer, -
die Karte, -n
die Mark, -
die Nummer, -n
der Sonnabend, -e

der Spaß, ⸚e
die Stimme, -n
das Symphoniekonzert, -e
die Telefonzelle, -n
die Theaterkasse, -n
die Theaterkarte, -n
die Welt, -en
die Zauberin, -nen
die Zauberei, -en
der Zufall, ⸚e

Verben

ab·holen
ab·nehmen (nimmt ab), nahm ab,
    abgenommen
auf·passen
bestellen
erschrecken (erschrickt), erschrak,
    ist erschrocken
her·zaubern
klingeln
klopfen
kriegen

sollen
stehen, stand, gestanden
telefonieren, telefonierte, telefoniert
verbinden, verband, verbunden
wählen
wünschen
zurück·bringen, brachte zurück,
    zurückgebracht

Andere Wörter

billig
gerade
groß
großartig
hallo
je

jemand
leider
leise
teuer
ungeduldig
zentral

Ausdrücke

Auf Wiederhören.
Glück haben
Grüß Gott.
Ich mache mir einen Spaß.
Moment bitte.

Paß auf!
So ein Zufall.
Wer weiß?
Sie wünschen?

MUSTER I
IMPERATIV

Sie (s)

Fahren Sie langsam!

du

Spiel nicht auf der Straße!

Trinken Sie nicht so viel!

He! Macht das nicht!

Sie (pl)

ihr

PST!

oft	**bei mehr Silben**
	+e

    z.B.   bestell + e!
              telefonier + e!

Imperativ mit „!"

Sie (s + pl)	Machen Sie!	Geben Sie!
~~du~~	Mach! (machst)	Gib! (gib~~st~~)
~~ihr~~	Macht!	Gebt!

PAß AUF!

	sein	**fahren**
Sie	Seien Sie!	Fahren Sie!
du	Sei!	Fahr! (hier: kein Umlaut)
ihr	Seid!	Fahrt!

Beispiel

Sie	**Nehmen Sie** das Buch von Karl May!
du	**Nimm** das Buch von Karl May!
ihr	**Nehmt** das Buch von Karl May!

Noch mehr Beispiele

Oma und Opa, kommt morgen zum Essen!
Hans, fahr nicht so schnell!
Herr Direktor Braun, geben Sie mir bitte das Geld!
Kinder, arbeitet fleißig!

MUSTER II

PERFEKT

Wann benütze ich Perfekt?
Beim Sprechen in der Vergangenheit.

Schwache Verben

haben + ge—t

tanzen: ge + tanz—t (*Perfektpartizip*)
Ich habe einen Tango getanzt.

hören: ge + hör + t
Ich habe ein Konzert gehört.

BIG-BAND
TANZABEND

Eintritt: DM 15,-
Vorverkauf: DM 12,- + Gebühr

Vorverkaufsstellen

Kartenkiosk Sandrock
Hauptwache B-Ebene
Telefon: 20 1 15/16

Reiseburo Nord-West
Nordwestzentrum
Telefon: 58 10 58

Saturn Hansa, Bergerstr. 125
Telefon: 44 50 35

Schilling, Schweizerstr. 18
Telefon: 81 23 38

Starke Verben

haben/sein + ge—en

sehen: ge + seh + en (*Perfektpartizip*)
Ich habe einen Freund gesehen.

gehen: ge + gang + en
Ich bin zum Tanzabend gegangen.

PST!

Oft: Hilfsverb ,,sein'' wenn das Verb kein direktes Objekt haben kann!
(z.B. ist gewesen, ist geblieben, ist gefahren)

Starke Verben haben im Perfekt oft einen anderen Vokal und/oder Konsonant! (z.B. sprechen—gesprochen, nehmen—genommen)

Wortfolge

Verb
↓

Heute kostet das Zimmer DM 60.

Hilfsverb   Perfektpartizip
↓   ↓

Gestern **hat** das Zimmer DM 45 **gekostet.**

Er kommt zum Hotel.

Er **ist** zum Hotel **gekommen.**

Noch mehr Beispiele

sein	Er ist gestern nicht hier gewesen.
sagen	Was haben Sie gesagt?
werden	Ein Platz ist frei geworden.
telefonieren	Hast du mit ihr telefoniert?

MUSTER III

IMPERFEKT

Imperfekt für Schreiben/Erzählen in der Vergangenheit

Schwache Verben

Verbstamm + Endungen (schwach)

ich	-te	**Beispiele**
du	-test	
er, es, sie	-te	**hören: hör + te**
wir	-ten	Er hört einen Witz.
ihr	-tet	Er hörte einen Witz.
Sie, sie	-ten	
		kosten: kost-e-te
		Das Zimmer kostet DM 400.
		Das Zimmer kost**ete** DM 400.

„Bist du ganz sicher, Hildegunde,
daß auf der Einladung ‚Kostümfest' stand?"

Starke Verben

Verbstamm (Vokaländerung!) + Endungen (stark)		
ich	—	**Beispiele**
du	-st	
er, es, sie	—	**sprechen: sprach + —**
wir	-en	Er spricht sehr laut.
ihr	-t	Er sprach sehr laut.
Sie, sie	-en	**gehen: ging + —**
		Ich gehe ohne Kostüm.
		Ich ging ohne Kostüm.

Beispiele

Präsens	Imperfekt
Die Frau lernt in drei Tagen Deutsch.	Die Frau lernte in drei Tagen Deutsch.
Er kommt zur Party.	Er kam zur Party

haben		sein	
hatte	hatten	war	waren
hattest	hattet	warst	wart
hatte	hatten	war	waren

STRENG GEHEIM!

Bei „sein" und „haben": Imperfekt auch beim Sprechen!

Ich bin zu Hause gewesen.   Er hat die Einladung gehabt.
Ich war zu Hause.   Er hatte die Einladung.

AUSPROBIEREN!

Muster I: Imperativ

1. Was könnt ihr machen? (zu zweit)
Schreibt fünf Verben im Infinitiv auf und macht Imperative daraus (in allen drei Formen).

> **Beispiel: Gehen—Gehen Sie nach Hause!**
> **Geh nach Hause!**
> **Geht nach Hause!**

2. Was kann man im Klassenzimmer machen? (zu viert)
Macht eine Liste mit Verben im Infinitiv.
A, B und C sagen einen Satz im Imperativ. D muß alles machen.

> **Beispiel: A sagt, „Sing ein Lied!" D muß ein Lied singen.**

3. Bei der Ärztin (Rollenspiel zu viert)
Dr. Gesundheit, Herr Krank mit seinen Söhnen Max und Moritz.
Macht ein Gespräch mit vielen Imperativen in den drei Formen.

Verben und Ausdrücke

herein·kommen,
die Arme hoch·heben
die Augen zu·machen
das Hemd aus·ziehen
die Hände zeigen
ins Bett gehen
keinen Alkohol trinken
morgen wieder·kommen
leise sein
nicht zur Schule gehen

den Mund auf·machen
,,Ahh'' sagen
schnell zum Fenster gehen
die Medizin trinken
nach Hause gehen
viel schlafen
keine Zigaretten rauchen
die Rechnung bezahlen
nicht laut sprechen

Muster II: Perfekt

1. Was hast du heute gemacht?
   Benutzt viele Verben!

> **Beispiele: Ich habe mit dem Professor gesprochen.**
> **Ich habe eine Katze gesehen.**

Ausdrücke:

im Restaurant
am See
mit dem Fahrrad
Orangensaft
mit dem Professor

zu Hause
mit dem Auto
im Theater
eine Katze
usw.

Muster III: Imperfekt

1. Polizeibericht
   Macht eine Liste mit 15 Verben.
   Schreibt diesen Polizeibericht weiter. Benutzt viele Verben im Imperfekt.

Die Geschichte von Detektiv XYZ:
Gestern sah ich in Paris einen BMW aus Deutschland. Es war vier Uhr.
In dem BMW saßen . . .

2. Brief an Onkel Hans
   Macht noch eine Liste mit 10 Verben.
   Schreibt den Brief an Onkel Max mit diesen Verben im Imperfekt zu Ende.

Lieber Onkel Hans,
wie geht es Dir? Hoffentlich gut. Ich war gestern bei Tante Lucie. Sie sah krank
aus. Aber sie machte doch Kaffee für mich. Sie las ein Buch über Deutschland.
. . .

Trennbare Präfixe

ab-	mit-
an-	nach-
auf-	vor-
aus-	vorbei-
ein-	zu-
her-	zurück-
hin-	

mitnehmen

Ich **nehme** dich **mit**.

mit·nehmen

Ich habe dich **mitgenommen**.

Beispiele (Präsens)

mitkommen	Wir kommen heute mit.
vorstellen	Sie stellt ihren Vater vor.
einladen	Ich lade dich zur Party ein.

Imperativ

Mach im Deutschunterricht mit!

Perfekt

Ich habe im Deutschunterricht immer mitgemacht.

Imperfekt

Er machte im Deutschunterricht nicht mit.

Präsens

Machst du im Deutschunterricht mit?

WAS SAGT MAN DA?

Gefallen ausdrücken

Das gefällt mir.

Ich habe das gern.

Ich lese gern.

Ich finde das toll.

Ich finde das besonders schön.

Ich gehe lieber ins Theater.

Wen hast du am liebsten?

Ich ziehe deutsche Filme vor.

Ich mag das gern.

Rollenspiel

Zwei Leute sprechen über Filme, eine neue Wohnung, das Essen, Fernsehprogramme, Politiker, *usw.*

DEUTSCHES MAGAZIN

AN DER DEUTSCHEN UNI

Amerikanische Studenten setzen sich gern zu den deutschen Studenten in Cafés und diskutieren über Politik und Ideen. Ihre Probleme? Wohnung, Liebe, Geld, Prüfungen!

Blickpunkt: Bildung in der Bundesrepublik Deutschland

Deutsch ohne Wörterbuch

die Ästhetik
der April
das Café, -s
das Drama, die
   Dramen
das Examen, die
   Examina
der Februar
die Grammatik, -en
die Gruppe, -n
der Juli
der Kontakt, -e
die Kontrolle, -n
die Kultur, -en
die Lyrik
die Mathematik
modern
der Oktober
die Philologie
die philosophische
   Fakultät, -en
planen
der Sommer, -
das Semester, -
der Staat, -en
die Villa, die Villen
der Winter, -

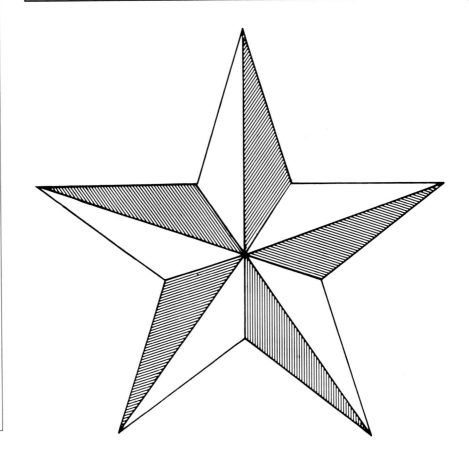

Freie Universität Berlin

Universitäten in West-Berlin

An der Freien Universität in Dahlem und der Technischen Universität in Charlottenburg sind 24 000 Studierende immatrikuliert. Neben der Hochschule für bildende Künste und für Musik gelten die Ingenieurschulen und andere Fachschulen als anerkannte Lehrinstitute. Die Freie Universität wurde 1948 neu gegründet. Man ließ sich zunächst in den leer stehenden Villen und den Gebäuden des Kaiser-Wilhelm-Instituts nieder. 1950 finanzierte die Ford-Foundation Neubauten.

Leseübung—Ja oder Nein?

1. _____ Die Universitäten in Berlin heißen Freie Universität und Technische Universität.

2. _____ In Berlin studieren 24.000 Studenten.

3. _____ Die Freie Universität ist seit 1948 in Berlin.

4. _____ Im Jahre 1950 finanzierte die Ford-Foundation Neubauten für die Uni.

Die Hochschulen = Die Universitäten _____

Die Universität in Deutschland ist kostenlos.
Der Staat leiht den Studenten oft das Geld zum Leben. (Bafög)
Die Studenten wohnen oft in Wohngemeinschaften oder in Studentenheimen.

Die Universität Bonn ist sehr alt.
Die Universität Bochum ist neu.
Die Freie Universität Berlin ist auch ziemlich neu.

Wörter zum Nachschlagen

die Wohngemeinschaft (=WG)
kostenlos
der Staat
das Geld
wohnen
das Studentenheim
möchten

Wie heißt deine Universität in den USA? Sie heißt _____ .

Ist sie neu oder alt? Sie _____ .

Wohnst du im Studentenheim? Ich _____ .

Möchtest du nach Deutschland fahren? _____ .

Wo möchtest du in Deutschland studieren? _____ .

In Deutschland möchte ich an der _____ studieren.

Interview mit Beatrix B., Studentin an der Universität Heidelberg

Was sind deine Hauptfächer?

Germanistik und Deutsch als Fremdsprachenphilologie.

Wie lange studierst du schon?
Wie lange dauern die Semester in Deutschland?

Seit 3 Jahren.
Das Wintersemester geht von Oktober bis Februar, das Sommersemester von April bis Juli.

Wie hat dein Studium ausgesehen?

Nach zwei Jahren Grundstudium habe ich eine Zwischenprüfung abgelegt.

Was mußtest du alles machen in deinem Studium?

In Proseminaren habe ich Referate gehalten, oft mit anderen zusammen. Jeder schreibt etwas dafür. Oder ich mußte eine Seminararbeit oder ein Protokoll schreiben.

Du hast von einer Zwischenprüfung gesprochen. Muß man viele Prüfungen ablegen?

Nein, nur wenige. Man muß nur immatrikuliert sein. Aber man muß nicht zu allen Vorlesungen, Seminaren, usw., gehen. Oft gehe ich nur, wenn ich Lust habe.

Ist das System besser als in den USA?

Ich habe hier größere Freiheit und kann meine Zeit selbst einteilen. Aber die Gefahr ist, daß man nichts tut. Es gibt weniger Kontrollen, und man hat nicht viel Kontakt mit den Professoren.

Bekommt man auch Noten?	Ja, man kann Scheine mit Noten für Seminararbeiten und Referate bekommen, man braucht sie aber nicht.
Wie lange mußtest du dann noch studieren?	Noch zwei Jahre. Erst wollte ich das Staatsexamen für Lehrer machen. Aber jetzt schreibe ich eine Magisterarbeit über „Weibliche Ästhetik".
Warum wolltest du nicht mehr ein Staatsexamen machen?	Weil es wenige Stellen für Lehrer gibt.
Was möchtest du später machen?	Ich will promovieren und später an der Uni unterrichten.

UNIVERSITÄT HEIDELBERG
Prüfung zum Nachweis deutscher Sprachkenntnisse
Prüfungsamt

SPRACHZEUGNIS
zur Immatrikulation ausländischer Studenten

Herr/Frau/Fräulein ....Beatrix B............................... geb. am ...9.2.1962.....

aus ....den U.S.A.

hat durch eine Prüfung nachgewiesen, daß er/sie über die Kenntnisse der deutschen Sprache verfügt, die erforderlich sind, um ein Fachstudium an einer deutschen wissenschaftlichen Hochschule aufnehmen zu können. Die Prüfung wurde nach einer Ordnung abgenommen, die sich an die Rahmenrichtlinien der Westdeutschen Rektorenkonferenz vom 12.12.1972 anlehnt und vom Kultusministerium des Landes Baden-Württemberg mit Erlaß vom 30.7.1976 · H 1416-3-2/16 · genehmigt wurde.

Heidelberg, den ....5.10.19...............   Der Leiter des Prüfungsamtes

                                                        Rothe
                                                        (A. Rothe)

Der Vorsitzende des Prüfungsausschusses

        R. Dietrich
(Prof. Dr. R. Dietri...

I. D. F.   der Universität Heidelberg

Herr/Frau/Fräulein stud. .Beatrix B.

geboren am ....9.2.1962................   in ..Detroit, Mi.

hat während des Sommer/Winter-Semesters 19.. regelmäßig und mit Erfolg an meine

Übungen zur Durchführung und Besprechung von
Lehrproben.

teilgenommen und über

drei Lehrproben durchgeführt / referiert / ein Protokoll / eine Seminararbeit angefertigt.

Note: gut bis befriedigend (2-3)

Heidelberg, den ..15.2........ 19 :   R. ....
                                            als Ersatz...........

                                    UNIVERSITÄT HEIDELBERG
                                    Institut für ...
                                    ... Philologie
                                    Plöck 55
                                    6900 Heidelberg

Kleine Leseübung—richtig oder falsch?

1. _____ Das Wintersemester fängt im September an.
2. _____ Es gibt viele Prüfungen.
3. _____ Die Studenten arbeiten oft zusammen.
4. _____ Noten spielen eine große Rolle im Studium.
5. _____ Man muß Vorlesungen besuchen.
6. _____ Man hat viel Freiheit an deutschen Unis.
7. _____ Der persönliche Kontakt mit Professoren ist sehr gut.
8. _____ Lehrer finden schnell Arbeit.
9. _____ Es gibt keine Prüfung nach dem Grundstudium.
10. _____ Wenn man Lehrer werden will, macht man das Staatsexamen.

Student im 30. Semester mit seinem Professor

Wörter zum Nachschlagen

das Grundstudium
die Prüfung
das Referat
die Vorlesung
die Freiheit
die Gefahr
die Note

Aus dem Vorlesungsverzeichnis der Technischen Universität Berlin

Fachbereich 01

0130 L 033 HS **Gottfried Keller u. Theodor Storm, Zeitgenossen im 19. Jhd.**

MO 12-14 H2038 Beginn: 14.10. Turnus: wöchentl. **Höllerer**

0130 L 034 HS **Ingeborg Bachmann und Uwe Johnson, Autoren der Gruppe 47**

MO 16-18 H2038 Beginn: 14.10. Turnus: wöchentl. **Höllerer**

0130 L 035 HS **Das historische Drama (von Schiller bis Hauptmann)**

MI 16-18 H7112 Beginn: 16.10. Turnus: wöchentl. **Miller**

0130 L 036 HS **Der frühe Rilke**

DI 14-16 H7112 Beginn: 15.10. Turnus: wöchentl. **Miller**

0130 L 041 HS **Expressionismus-Theorien**

MO 16-18 H7112 Beginn: 14.10. Turnus: wöchentl. **Sprengel**

0130 L 009 PS **Literatursoziologie**

MI 14-16 MA309 Beginn: 17.4. Turnus: wöchentl. **Rath
u. f. V. v. Höllerer**

0130 L 016 PS **Deutsche Sprachgeschichte**

MO 16-18 MA141 Beginn: 15.4. Turnus: wöchentl. **Hagenlocher
Cramer**

0130 L 028 VL **Drama und Theater um 1900**
Von der Wiener Moderne zum Expressionismus.

MO 10-12 MA144 Beginn: 15.4. Turnus: wöchentl. **Sprengel**

0130 L 029 VL **Novalis**

DO 14-16 H7112 Beginn: 18.4. Turnus: wöchentl. **Apel**

0130 L 030 VL **Geschichte d. deutschsprachigen Lit. i. 20. Jhdt. (1885-1985**

DI 10-12 H2054 Beginn: 16.4. Turnus: wöchentl. **Höllerer**

0130 L 033 HS **Berlin in Prosa**

MO 12-14 H2038 Beginn: 15.4. Turnus: wöchentl. **Höllerer**

Kleine Vokabularübung

Du studierst Germanistik an der
TU Berlin.
Was möchtest du belegen?

Vorl. Verz. = Vorlesungsver-
zeichnis
VL = Vorlesung
PS = Proseminar
HS = Hauptseminar

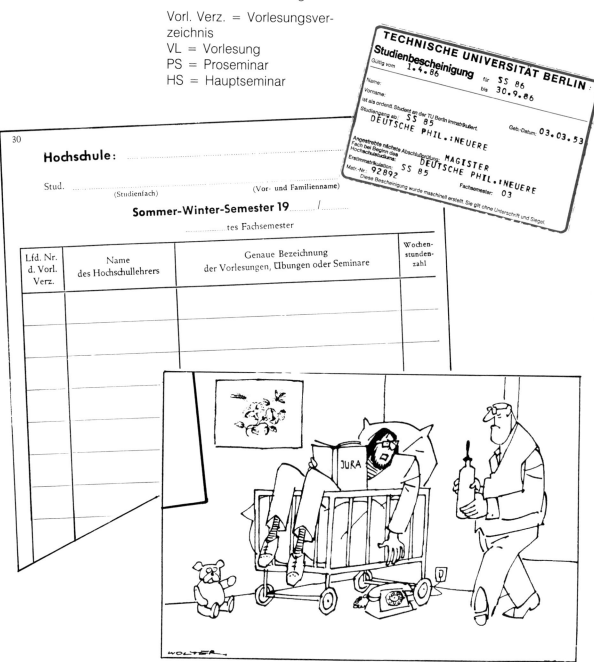

TECHNISCHE UNIVERSITAT BERLIN
Studienbescheinigung
Gültig vom   1.4.86   für   SS 86
  bis   30.9.86

Name:

Vorname:

ist als ordentl. Student an der TU Berlin immatrikuliert.
Studiengang ab: SS 85   Geb.-Datum: 03.03.53
    DEUTSCHE PHIL.:NEUERE

Angestrebte nächste Abschlußprüfung: MAGISTER
Fach bei Beginn des
Hochschulstudiums: DEUTSCHE PHIL.:NEUERE
Erstimmatrikulation: SS 85
Matr.-Nr.:   92892   Fachsemester: 03

Diese Bescheinigung wurde maschinell erstellt. Sie gilt ohne Unterschrift und Siegel.

30

Hochschule: ....

Stud. ....
     (Studienfach)   (Vor- und Familienname)

Sommer-Winter-Semester 19......../ ....

..................tes Fachsemester

Lfd. Nr. d. Vorl. Verz.	Name des Hochschullehrers	Genaue Bezeichnung der Vorlesungen, Übungen oder Seminare	Wochen- stunden- zahl

Deutsches Allgemeines Sonntagsblatt

„Das wurde aber auch Zeit, sonst hätte ich Bafög angerufen"

BILDUNG IN DER BUNDESREPUBLIK DEUTSCHLAND

Reinhard S. (Student)
geboren 1967

	Alter
katholischer Kindergarten	4–5 Jahre
Grundschule	6–9 Jahre
Gymnasium in Köln	9–18 Jahre

    Abitur mit Note: 1,1
    Prüfungen zum Abitur: 3 schriftliche in Deutsch, English, Mathematik
                         1 mündliche in Geschichte
Freie Universität Berlin (von 1985)
    Hauptfächer: Germanistik, Anglistik und Geschichte

Thomas E. (Arzt)
geboren 1951

	Alter
katholischer Kindergarten	3–5 Jahre
Grundschule	5–9 Jahre
Humanistisches Gymnasium mit Abitur	9–18 Jahre
(Er hatte zum Beispiel: 9 Jahre Latin,	
6 Jahre Griechisch, 3 Jahre Englisch)	
Universität Münster, Medizinstudium	18–24 Jahre

Danach:

Medizinal-Assistenten-Zeit (PJ)	1 Jahr
Zivildienst (als Kriegsdienstverweigerer)	15 Monate
Facharztausbildung als Kinderarzt	5 Jahre

Marion B. (Studentin)
geboren 1965

	Alter
evangelischer Kindergarten	4–6 Jahre
Grundschule	6–10 Jahre
Hauptschule	10–12 Jahre
Realschule	12–16 Jahre
Lehre als Fernmeldehandwerkerin bei der deutschen Bundespost	16–20 Jahre

Lehre als Fernmeldehandwerkerin bei der deutschen Bundespost
(Turnus: 3 Wochen Lehre, 1 Woche Berufsschule der Post, 2
Wochen allgemeine Berufsschule)—Abschlußprüfung für
Fachhandwerker bestanden mit Anerkennung.

Fachoberschule	20–21 Jahre
Fachhochschule der deutschen	21–22 Jahre

Bundespost, Dieburg (bei Frankfurt)
geplanter Abschluß: Diplom-Ingenieur für Nachrichtentechnik

Fächer an der Berufsschule der Post: Physik, Elektrotechnik, Elektronik,
Arbeitsschutz und Unfallverhütung, allgemeine Berufskunde

Fächer an der allgemeinen Berufsschule: Religion, Deutsch, Sozialkunde,
Mathematik, Fachtheorie, Fachzeichnen, praktische Fachkunde

KAPITEL 6

MINIDRAMA 6
Ausflug mit
Hindernissen

Unsere drei Freunde sitzen in
Willis klapprigem VW und
schauen sich traurig an.

Willi: Ihr müßt jetzt alle
    aussteigen. Das Auto ist
    kaputt.
Jack: Wir haben einen
    Platten.
Brigitte: Was sollen wir jetzt
    machen?
Willi: Ich suche zuerst den
    Reservereifen.
Brigitte: Wir beide können
    inzwischen einen
    Spaziergang machen. Es ist

nicht mehr sehr weit bis zum See. Willi, komm doch mit!

Willi: Nein, ich möchte zuerst den Reifen wechseln!

Brigitte: Laß das doch bis nachher!

Jack: Ja, ich darf dir sowieso nicht helfen. Der Doktor hat es verboten.

Willi: Ach, das glaube ich nicht. Du kannst schon, wenn du willst.

Jack: Schau mal, wie ich zittere!

Brigitte: Willi, kannst du nicht den Abschleppdienst anrufen?

Willi: Ich will es mal versuchen. Vielleicht gibt's hier ein Telefon.

Jack: Beeile dich! Ich möchte heute noch das Restaurant am See besuchen. Ich esse so gern Forelle. Und ich mag den Wein dort.

Brigitte: Ich auch. Und ich gehe auch gern spazieren. Komm, Jack, wir gehen jetzt einfach durch den Wald.

Willi: Und ich soll hierbleiben? Ihr seid ja gute Freunde!

WÖRTER zur KOMMUNIKATION

Substantive

der Abschleppdienst, -e
der Ausflug, ⁼e
der Doktor, -en
die Forelle, -n
das Hindernis, -se
der Reifen, -

der Reservereifen, -
das Restaurant, -s
der See, -n
der Spaziergang, ⁼e
der Wald, ⁼er
der Wein, -e

Verben

an·rufen, rief an, angerufen
an·schauen
aus·steigen, stieg aus, ist ausgestiegen
sich beeilen
besuchen
dürfen (darf), durfte, gedurft
essen (ißt), aß, gegessen
glauben
helfen (hilft), half, geholfen
lassen (läßt), ließ, gelassen
mögen (mag), mochte, gemocht

müssen (muß), mußte, gemußt
reparieren
schauen
sollen
spazieren
suchen
verbieten, verbot, verboten
versuchen
wechseln
wollen (will), wollte, gewollt
zittern

Andere Wörter

beide
inzwischen
kaputt
klapprig
schon

sowieso
traurig
weit
zuerst (erst)

Ausdrücke

einen Platten haben
Laß das!
Bis nachher!
Du kannst schon, wenn du willst.

Schau mal!
Ich will es mal versuchen.
Beeile dich!
einen Spaziergang machen

MODALVERBEN

Hägar der Schreckliche Von Dik Browne

Beispiel

Ich helfe dir heute nicht. (dürfen)

Ich **darf** dir heute nicht **helfen.**

   ↑   ↑

 dürfen   + Infinitiv

1. **Das Modalverb (dürfen) ist konjugiert.**
2. **Das Verb (helfen) steht am Ende im Infinitiv.**

Modalverben im Präsens

können	**kann**	**können**
	kannst	**könnt**
	kann	**können**
müssen	**muß**	**müssen**
	mußt	**müßt**
	muß	**müssen**
dürfen	**darf**	**dürfen**
	darfst	**dürft**
	darf	**dürfen**
sollen	**soll**	**sollen**
	sollst	**sollt**
	soll	**sollen**
wollen	**will**	**wollen**
	willst	**wollt**
	will	**wollen**

Besonderes Modalverb ▬▬

möchten	möchte	möchten
	möchtest	möchtet
	möchte	möchten

Noch mehr Beispiele

1. Ich nehme die Rose mit. (wollen)
   Ich will die Rose mitnehmen.
2. Was machen wir jetzt? (sollen)
   Was sollen wir jetzt machen?
3. Gehst du ins Theater? (möchten)
   Möchtest du ins Theater gehen?
4. Hilfst du mir bitte? (können)
   Kannst du mir bitte helfen?
5. Er beeilt sich. (müssen)
   Er muß sich beeilen.

MUSTER II

MODALVERBEN IM IMPERFEKT

Hast du schon vergessen?

Endungen im Imperfekt

ich	-te
du	-test
er/es/sie	-te
wir	-ten
ihr	-tet
sie/Sie	-ten

PST!

Kein Umlaut im Imperfekt

Modalverben im Imperfekt

können	konnte	konnten
	konntest	konntet
	konnte	konnten
müssen	mußte	mußten
	mußtest	mußtet
	mußte	mußten
dürfen	durfte	durften
	durftest	durftet
	durfte	durften
sollen	sollte	sollten
	solltest	solltet
	sollte	sollten
wollen	wollte	wollten
	wolltest	wolltet
	wollte	wollten

Präsens

Wir **können** heute in die Ausstellung gehen.

Imperfekt

Wir **konnten** heute in die Ausstellung gehen.

Beispiele

Ich sollte gestern ein Buch über Bettine von Arnim kaufen.
Wir konnten keinen Bücherladen finden.
Bettine wollte an Goethe schreiben.
Im letzten Semester solltet ihr über Bettine sprechen.
Du mußtest über ihre Großmutter, Sophie la Roche, schreiben.

STRENG GEHEIM!

Bei Modalverben benutzen wir Imperfekt auch beim Sprechen!

MUSTER III

FUTUR

werden

werde	werden
wirst	werdet
wird	werden

ZURÜCK IN DIE ZUKUNFT

werden (konjugiert) + Infinitiv

Beispiel: Ich **werde** noch drei Bücher **lesen**.
Der Infinitiv steht am Ende des Satzes.

Beispiele

Ich werde bald braun sein.
Er wird alle Bücher lesen.
Wir werden Adorno und Habermas
am Strand diskutieren.
Werdet ihr ein Frisbee mitbringen?

Ihr werdet mit dem Bus zum Strand
fahren.
Jack wird in der Mensa bleiben.
Die Freunde werden einen Ausflug
machen.
Wird Susi das Restaurant am See
anrufen?

PST!

Beide Sätze = Futur
Ich werde mein Sonnenöl mitbringen. (Verb im Futur)
Ich bringe morgen mein Sonnenöl mit. (Verb im Präsens + ,,morgen'')

Muster I: Modalverben

Nehmt Sätze von den Minidramen und setzt Modalverben ein (zu zweit).

> **Beispiel:** Die vier Freunde ziehen ins Studentenheim.
> Die vier Freunde wollen ins Studentenheim ziehen.

Muster II: Imperfekt

Ausreden finden! (zu zweit)
müssen, können, dürfen, sollen, wollen

> **Beispiel:** Warum warst du gestern nicht in der Klasse?
> (Arzt gehen)
> Ich mußte zum Arzt gehen.

a. Warum hast du den Brief nicht mitgebracht?
   (nicht finden)
b. Warum spielst du nicht besser Violine?
   (nicht laut üben)
c. Warum hast du keinen Fernseher?
   (Geld sparen)
d. Warum hast du nicht Aerobics gemacht?
   (Karate lernen)
e. Warum fährst du mit dem Fahrrad?
   (das Auto zur Reparatur bringen)
f.–j. Was sind eure eigenen Ausreden?

Muster III: Futur

1. Nehmt Sätze aus den Minidramen und sagt sie im Futur (zu zweit).
   (Ohne Modalverben!)

> **Beispiele:** Ihr müßt jetzt alle aussteigen.
> Ihr werdet alle aussteigen.
>
> Mit wem haben Sie telefoniert?
> Mit wem werden Sie telefonieren?

2. **Was macht ihr *nicht* am Wochenende?**
   Macht eine Liste von ,,Wörter zur Kommunikation.''

Beispiel: A: Am Wochenende fahre ich nicht in die Bahamas.
             B: Am Wochenende werde ich nicht in die Bahamas fahren.

oder

             A: Am Wochenende färbe ich meine Haare nicht.
             B: Am Wochenende werde ich meine Haare nicht färben.

SPRACHLICHE BESONDERHEITEN

Gern haben, gefallen, mögen

Verb + gern

Beispiele: Gisela schwimmt gern.
Rudi ißt gern.

Musik
Person
Essen
Farben
} + gern haben

Anton hat Anna gern.
Winni hat Kuchen gern.

Substantiv + gefallen + (Dativ)

gefallen (gefällt), gefiel, hat gefallen

Beispiele: Die Krawatte **gefällt** mir.
            Mir gefällt die Krawatte.
            Französische Filme **gefallen** ihr.
            Ihr gefallen französische Filme.

Modalverb: mögen

,,etwas nicht mögen'' bedeutet: etwas nicht gern haben

Präsens: mag   mögen
            magst   mögt
            mag   mögen

Imperfekt: mocht + Endung

Beispiele: Warum **mögt** ihr keine Musik?
Ich **mag** moderne Malerei nicht.
Wir **mögen** Kaffee mit Milch.
Früher **mochte** sie die Farbe Lila nicht.

Kleine Übung (zu dritt)

Was haben wir sehr gern?
Was gefällt uns?
Was mögen wir nicht?

1. Macht eine Liste mit Verben von „Wörter zur Kommunikation."

   Beispiel: A: Ich schwimme gern.
   B: Ich schwimme auch gern.
   C: Ich schwimme nicht gern.

2. Macht eine Liste mit Substantiven von „Wörter zur Kommunikation."

   Beispiel: A zu C: Dein Pullover gefällt mir.
   C zu B: Gefällt er dir auch?
   B: Ja, er gefällt mir auch.
   Nein, er gefällt mir nicht.

Wo es uns gefällt

Essen und trinken hält Leib und Seel' zusammen, und in einer ordentlichen Wirtschaft ist selbst ein grauer Tag noch erträglich. Auf dieser Seite stellen wir Ihnen regelmäßig ein Restaurant, ein Gasthaus oder ein Beisl vor, wo es uns gefallen hat. Probieren Sie's doch auch!

»In Ohlstadt hat eine zünftige bayrische Wirtschaft neu aufgemacht, da mußt Du mal hin!« hat mir ein Freund zugeflüstert, als wenn es ein Geheimtip wäre. Doch obwohl **s'Wirtshaus zum Sepp** erst vor drei Wochen eröffnet wurde, war es, als ich hinkam, schon so gut besucht, als stünde es schon immer hier hinterm Ohlstadter Rathaus.

Abgesehen von der neumodischen (aber sehr praktischen) Steh-theke im Schankraum ist **s'Wirtshaus zum Sepp** wirklich eine zünftige bayrische Wirtschaft. Ohne jeden aufgesetzten, bay-risch-tümelnden Protz sind die mit massivem Holz, kräftigem weißen Putz und einem schlichten Kachelofen ausgestatteten Räume auf Anhieb gemütlich. Die freundliche Bedi... eine große Speisenkarte mit vie...
lassen den k...

WAS SAGT MAN DA?

Um Hilfe bitten und rufen

Könnten Sie mir helfen?

Helfen Sie mir, bitte!

Komm, hilf mal!

Kannst du mir [den Reservereifen] geben?

Würdet ihr bitte [den Abschleppdienst anrufen]?

Ich brauche Hilfe.

Hilfe!

Feuer!

Hallo!

Rollenspiel (zu zweit)

Situationen

Ein Autounfall

Das Haus brennt.

Jemand kann nicht schwimmen.

usw.

DEUTSCHES MAGAZIN

VERKEHR UND VERBINDUNGEN

Keine Geschwindigkeitsbegrenzung auf der Autobahn! Auch auf den Landstraßen darf man 100 std/km fahren. Doch wer achtet schon darauf? Alle Straßen werden zu Rennbahnen. Man blinkt und hupt und rast. Eigentlich braucht man oft gar kein Auto: Bus, S-Bahn, U-Bahn, Straßenbahn und Personenzüge gibt es überall. Viele Deutsche fahren gerne mit dem Fahrrad oder gehen zu Fuß. Und wenn man zu Hause bleibt?— Dann kann man telefonieren.

Blickpunkt: Baden-Württemberg, Hessen, Bayern

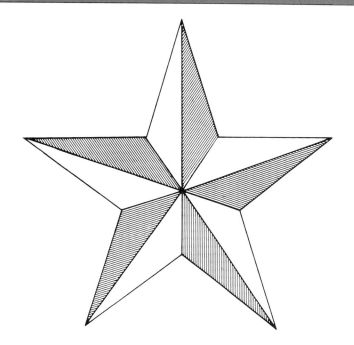

Wörter ohne Wörterbuch

demonstrieren
der Dialog, -e
der Dieselmotor,
  -en
die Energie, -n
funktionieren
international
der Job, -s
der Komfort
die Konzentration,
  -en
der Markt, ⸚e
der Mechaniker, -
neu
der Norden
die Nummer, -n
der Osten
das Picknick, -s
die Politik
produzieren
der See, die See, -n
der Senator, -en
sozial
sportlich
starten
das Taxi, -s
der Traktor, -en
der Westen
wild
die Zigarette, -n

Spaziergang in West-Berlin*

Ich wohne in der Klopstockstraße im Hansaviertel (4).
Dieses Viertel liegt mitten in der Stadt.
Heute mache ich einen Spaziergang durch die Stadt.
Von meinem Haus aus gehe ich geradeaus in südwestlicher
Richtung am Berlin-Pavillion (6) vorbei.
Von hier gehe ich nach links die Straße des 17. Juni
entlang bis zur Siegessäule (7).
Dann gehe ich nach rechts die Hofjägerallee hinunter durch
den Tiergarten.
Ich warte an der Kreuzung Tiergartenstraße.
Hier biege ich nach rechts ab und gehe zur Budapester
Straße.
Ich will zur Kaiser-Wilhelm-Gedächtnis-Kirche (15).
Die Verkehrsampel an der Budapester Straße, Ecke
Kurfürstenstraße ist rot.
Bei grün gehe ich weiter.
Ich überquere die Straße und sehe am Breitscheidplatz die
Kirche. Sie ist eine Ruine aus dem zweiten Weltkrieg.
Nun laufe ich den Kurfürstendamm in westlicher Richtung
hinunter. Hier trinke ich eine Tasse Kaffee in einem
Straßencafé.

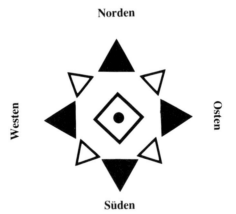

Richtungen:

Ich fahre nach Norden, Süden, Osten, Westen.
Ich wohne im Süden der Stadt.
Fahren Sie in südliche Richtung; dann kommen Sie zum Flughafen
Tempelhof (20).
Das Hansaviertel liegt mitten in der Stadt.
_____ _____ von Berlin liegt Frankfurt an der Oder.
Die Stadt Frankfurt am Main liegt _____ von Berlin.
_____ von Berlin findet man Hamburg.

Auf deutsch!

Vokabularübung (Osten? im Süden? westlich? usw.)

1. Im _____ des Tierparks (7) finden Sie die Mauer.
2. Die Technische Universität (9) liegt _____ vom Landwehrkanal.
3. Der Zoologische Garten (14) befindet sich _____ von der Spree.
4. Fahren Sie in _____ Richtung; dann kommen Sie zum Flughafen Tegel (1).
5. Sie finden den Reichstag (3) _____ der Mauer.
6. Fahren Sie vom Bahnhof Zoo (12) nach _____; dann kommen Sie zur Technischen Universität (9).

* *Benutzt die Berlinkarte auf Seite 138–139.*

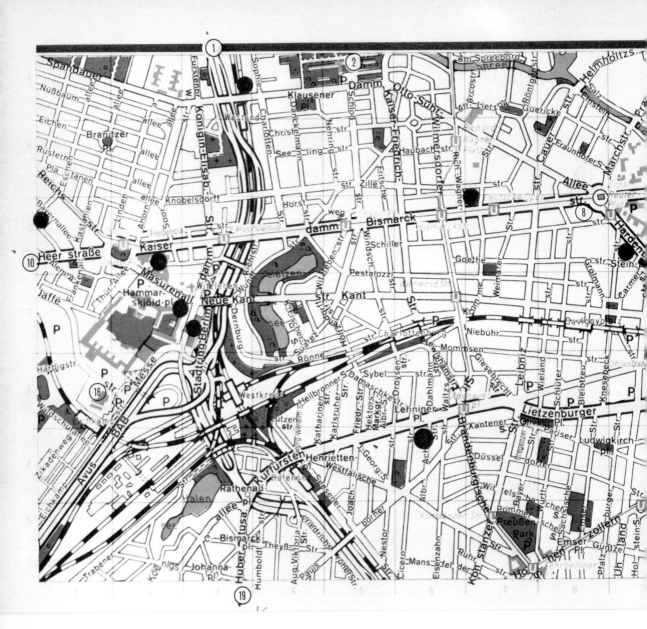

1. Stadtautobahn zum Flughafen Tegel / Tegel-
   Center / Humboldt-Schloß (Schloß Tegel)
   Spandauer Zitadelle / Juliusturm
2. Schloß Charlottenburg
3. Reichstag, Platz der Republik
4. Hansaviertel
5. Brandenburger Tor

6. Berlin-Pavillon
7. Siegessäule / Tiergarten
8. Schiller-Theater, Ernst-Reuter-Platz
9. Technische Universität (TU)
10. Kontrollpunkt Staaken
11. Potsdamer Platz
12. Bahnhofer Zoo (Postamt Tag/Nacht) /
    Wechselstube / Kunstbibliothek / Berlini-
    sche Galerie

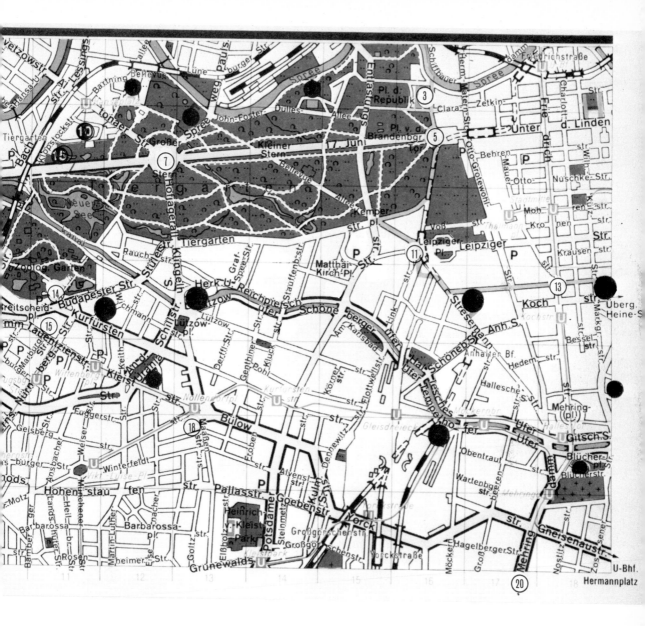

13. Checkpoint-Charlie / Friedrichstraße
14. Zoologischer Garten
15. Kaiser-Wilhelm-Gedächtnis-Kirche / Europa-Center
16. Deutschlandhalle, Eissporthalle (AMK Berlin)
17. Freie Volksbühne

18. Berliner Flohmarkt
19. Freie Universität (FU)
20. Flughafen Tempelhof / Luftbrückendenkmal

Sprechübung (zu viert):

Nach dem Weg fragen _____

Jack und Jill, ein Amerikaner und eine Amerikanerin, sind gerade mit dem Auto in Berlin angekommen. Sie wollen viel sehen und rufen ihre Freundin Birgit in West-Berlin und ihren Freund Manfred in Berlin (Ost) an. Birgit wohnt in der Goebenstraße und Manfred wohnt in der Leipzigerstraße.

,,Wie komme ich zur . . . Straße?" ,,Wie fahre ich am besten zum (zur) . . . ?"

1. Sie kommen aus der BRD (10) und wollen nach Berlin (Ost) (13). Sie rufen Manfred an. Wie müssen sie fahren?
2. Sie sind in Berlin (Ost) (13) und wollen zum Brandenburger Tor (5), dann zum U-Bahnhof Friedrichstraße und zuletzt zu ihrem Freund Manfred in der Leipziger Straße. Wie gehen Sie? Wo kommen Sie vorbei? Manfred sagt ihnen den Weg am Telefon.
3. Am zweiten Tag wollen sie Birgit besuchen. Sie müssen von der Kaiser-Wilhelm-Gedächtnis-Kirche zur Potsdamer Straße, Ecke Goebenstraße (beim Kleistpark) gehen. Wie erklärt Birgit den Weg?
4. Am dritten Tag rufen sie wieder Birgit an. Sie sind am Schloß Charlottenburg (2) und wollen das Brandenburger Tor (5) vom Westen aus sehen. Am Abend wollen sie von der Freien Volksbühne (17) zur U-Bahn am Ernst-Reuther-Platz (8) gehen. Was sagt Birgit?

Erzählen Sie Ihrem Nachbarn _____

1. Wohnen Sie nördlich von der Universität?
2. Wie kommen Sie von Ihrem Haus zur Uni?
3. Wie kommt man in Ihrer Stadt von der Uni zum Flughafen?
4. Wie kann man in der Innenstadt einen Spaziergang machen? Wo kommt man vorbei, wo muß man an der Verkehrsampel warten? Was sieht man?

Gebrauchte Autos zu verkaufen! ━━━━━━

praktisch	Auto
hoher Wiederverkaufswert	mehr als Autos
Sicherheit	wirtschaftlich
kaufen	Wir bauen Sportwagen.
komfortabel	1 Jahr Garantie ohne Kilometer-
Vollbremsung	begrenzung
sportlich	Spitzentechnik
Marke	Fahrzeug
Porsche 924	zuverlässig
K-GG 505	Ein Auto für alle.
	Eine Testfahrt wird Sie überzeu-
	gen.

Sparsamer 1.6-l-Motor mit 48 kW (65 PS) für niedrigen Kraftstoffver-
brauch.
Thermostatisch geregelter Lüfter. Spart Energie.
Leichter Einstieg. Leichter Durchstieg. Bequemes Be- und Entladen.

Sprechhilfe zu „Gebrauchte Autos zu verkaufen!"

Das Auto ist	nicht teuer, billig
	wirtschaftlich
	zuverlässig
	neu, nicht alt
	komfortabel
	phantastisch
	sparsam
	ein Sportwagen, ein VW
	ein Straßenkreuzer
	ein guter Kauf
	ein amerikanischer Schlitten
Das Auto hat	ein Jahr Garantie
	eine Klimaanlage
	einen Unfall gehabt
	neue Reifen
	eine schöne rote Farbe
	einen Katalysator
Das Auto fährt	60 Meilen (ca. 100 km) die Stunde
	ohne Benzin
	mit Diesel
	billig, sparsam
	leise
	schnell

Verkehrszeichen

Wichtige Verkehrszeichen

102 Kreuzung oder Einmündung mit Vorfahrt von rechts	125 Gegenverkehr	128 Bewegliche Brücke	129 Ufer	136 Kinder
134 Fußgängerüberweg	350 Radfahrer kreuzen	138	142 Wildwechsel	144 Flugbetrieb
205 Vorfahrt gewähren!	206 Halt! Vorfahrt gewähren!	301 Vorfahrt an der nächsten Kreuzung oder Einmündung	306 Vorfahrtstraße	307 Ende der Vorfahrtstraße
250 Verbot für Fahrzeuge aller Art	267 Verbot der Einfahrt	251 Kraftwagen	253 VERBOT FÜR LKW über 2,8 t zul. Ges.-Gew. u. Zugmasch.	208 Gegenverkehr hat Vorrang
308 Vorrang vor dem Gegenverkehr	274 Zulässige Höchstgeschwindigkeit	275 Vorgeschriebene Mindestgeschwindigkeit	278 Ende der Verbotsstrecke	279
276	277 ÜBERHOLVERBOT FÜR Kraftfahrzeuge LKW über 2,8 t sowie aller Art LKW u. Zugmasch. m. Anh.	280 Ende des Überholverbots	281	282 Ende sämtlicher Streckenverbote

283 Haltverbot	286 Eingeschränktes Haltverbot	290 3 Stunden Zonenhaltverbot für einen Stadtbezirk	292 Ende des Zonenhaltverbotes	357 Sackgasse
330 Autobahn	331 Kraftfahrstraße	334 Ende der Autobahn	336 Ende der Kraftfahrstraße	358 Erste Hilfe
310 Wilster Kreis Steinburg Ortstafel Vorderseite	311 Schotten Wilster Rückseite	385 Weiler Namen von Ortschaften u. a. (soweit keine Ortstafeln)	415 Dorsten 28 km Wegweiser für Bundesstraßen	380 70-110 km Richtgeschwindigkeit

Warnzeichen und Blinkanlagen an Bahnübergängen

153 dreistreifige Bake (links) etwa 240 m vor beschranktem Bahnüberg.	156 dreistreifige Bake (rechts) etwa 240 m vor unbeschranktem Bahnüberg.	162 einstreifige Bake (rechts) etwa 80 m vor dem Bahnüberg.	Blinklicht-Anlage	201 Andreaskreuz (auch liegend)

Im Ausland z. T. noch gebräuchlich

Hupverbot	Abbiegen nach links verboten	Abbiegen nach rechts verboten	Abbiegen nach links oder rechts verboten	Ankündigung des Kreisverkehrs

Die Zahlen rechts neben den Verkehrszeichen sind die Bild-Nr. nach der Anlage zur StVO

- Angaben ohne Gewähr -

Übung

1. Habe ich hier die Vorfahrt?

2. Kann ich durch diese Straße fahren?

3. Bin ich hier in Schotten?

4. Darf ich hier mit meinem Fahrrad fahren?

5. Ist dies der Kinderspielplatz?

6. Kann ich hier 130 Stundenkilometer mit meinem Brummer (LKW) fahren?

Auf deutsch!

7. Darf ich hier mit meinem LKW (Lastkraftwagen) überholen?

8. Gibt es hier eine Schranke?

9. Führt diese Straße zur Autobahn?

10. Muß ich stoppen, wenn ein Auto aus einer Seitenstraße kommt?

11. Darf ich hier links abbiegen?

12. Ist dies die Raststätte „Zum springenden Hirsch?"

Übung

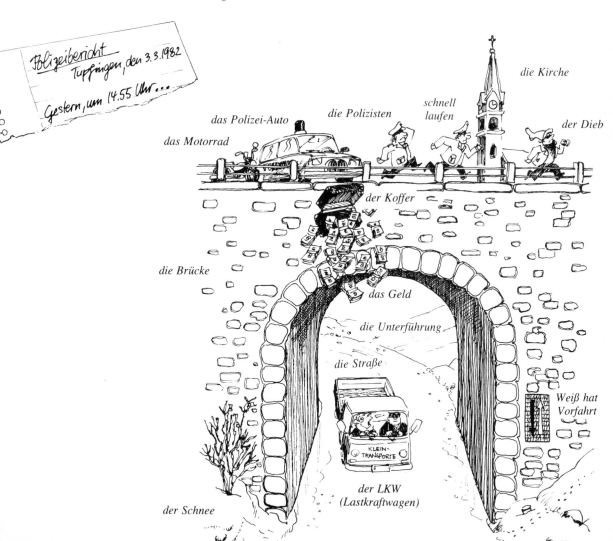

Kleine Leseübung

HILFE! Wie komme ich vom Innsbrucker Platz (West-Berlin) zur Friedrichstraße (DDR)?
Aha, so komme ich dorthin:

Ich steige am Innsbrucker Platz in die U-Bahn Linie 4 ein.
Ich fahre bis zum Nollendorfplatz und steige dort um.

Hier nehme ich die U-Bahn Linie 1 und fahre in westliche Richtung bis zum Hallischen Tor.
Jetzt steige ich wieder um und fahre mit der Linie 6 in nördliche Richtung bis zur Friedrichstraße.

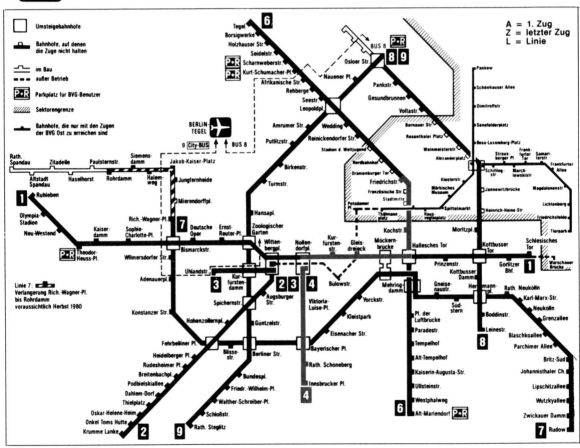

Straßenbahn **Bus**

U-Bahn

S-Bahn

Rollenspiel

2 Studenten sprechen über ihre
U-Bahnfahrt von Tegel zum Kurfürstendamm.

Telefonverbindung

Susis Auto hat einen Platten, und der Motor funktioniert auch nicht mehr. Sie geht in eine Telefonzelle, nimmt zwei Zehnpfennigstücke aus dem Portemonnaie, wirft sie ein und wählt. Sie versucht, den Abschleppdienst zu erreichen. Die erste Nummer ist besetzt. Aber bei der Firma Müller meldet sich jemand. . . .

„Hier Firma Müller. Wer ist am Apparat?"

„Hier Frau Zeidler."

„Guten Tag. Kann ich Ihnen helfen?"

„Ja, mein Auto muß zur Reparaturwerkstatt. Können Sie es abholen?"

„Hallo! Die Verbindung ist sehr schlecht. Sind Sie noch da?"

„Hallo! Hallo! Es muß eine Störung sein!"

„Wo ist denn Ihr Auto? Ist das ein Ferngespräch?"

„Nein, ein Ortsgespräch! Schwanthalerstraße 23."

„Ich komme sofort."

„Vielen Dank!"

„Auf Wiederhören."

„Danke. Auf Wiederhören!"

Sprechübung (zu zweit): Telefongespräche

Wohin?	Warum?
Taxi-Zentrale	Taxi
Bahnhof	Zug
Kino	Film
Auskunft	Nummer
Freunde	Pläne
Eltern	Geld
Reisebüro	Reise

Ruf doch mal an!

machen, schicken, ankommen, laufen, geben, senden, suchen, abfahren

BADEN-WÜRTTEMBERG, HESSEN UND BAYERN

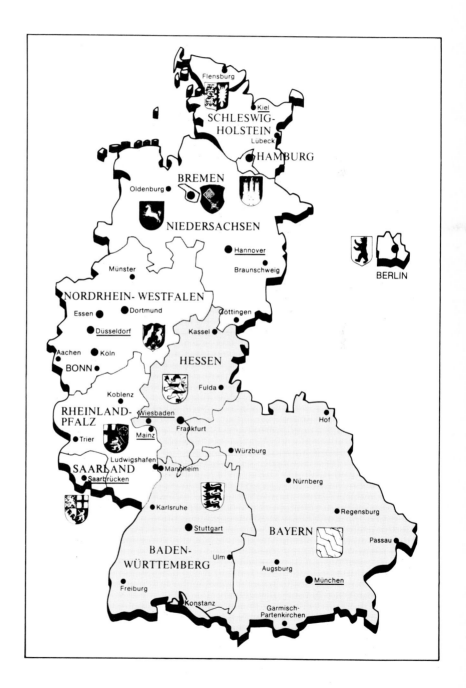

Hessen

Fläche: 21.114 km^2
Einwohner: 5,6 Mill.
Einwohner je km^2: 266
Hauptstadt: Wiesbaden

Bayern

Fläche: 70.546 km^2
Einwohner: 11 Mill.
Einwohner je km^2: 155
Hauptstadt: München

Baden-Württemberg

Fläche: 35.752 km^2
Einwohner: 9,3 Mill.
Einwohner je km^2: 269
Hauptstadt: Stuttgart

Flüsse

Hessen: Rhein, Main, Neckar
Baden-W.: Rhein, Donau, Neckar
Bayern: Isar, Donau

Gebirge

Hessen: Taunus
Baden-W.: Schwarzwald
Bayern: Alpen

Industrie und Wirtschaft

Hessen: Chemie, Elektrotechnik,
          Lederwaren, Maschi-
          nenbau

Baden-W.: Automobilbau (Mer-
          cedes), Schmuck,
          Uhren, Feinmechanik,
          Forstwirtschaft

Bayern: Elektro- und Textilindu-
          strie, Maschinenbau,
          Brauereien

Kleine Sprechübung:

1. In welchem Land liegt Wiesbaden?
2. Wie heißt die Hauptstadt von Bayern?
3. Wo wird der Mercedes produziert?
4. Welche Flüsse fließen durch Hessen?
5. Welches der drei Länder möchtest du besuchen? Warum?

MINIDRAMA 7
Morgenstunde hat Gold im Munde

Jack und Brigitte kommen mit schweren Einkaufstaschen bei Willi an und klopfen. Niemand antwortet. Sie gehen hinein und finden Willi noch im Bett.

Jack: Willi, schläfst du noch? Es ist gleich 12.00 Uhr, wir wollen doch zusammen essen.

Willi: Was, noch so früh? Laß mich in Ruhe!

Brigitte: Ich decke schon den Tisch.

Jack: Ich helfe dir. Hier sind die letzten sauberen Gläser

aus seinem Schrank.

Willi: Psst! Nicht so laut!

Jack: Du Faulpelz, du willst bestimmt nur den ganzen Tag im Bett liegen. Und wir haben schon so viel gemacht.

Brigitte: Ja, ich bin früh aufgestanden. Um halb sieben war ich unter der Dusche.

Jack: Um diese Zeit saß ich schon am Frühstückstisch.

Willi: (gähnt) Frühstück? Du frühstückst?

Jack: Natürlich! Ich hatte Rühreier mit Toast und Marmelade. Dazu heißen Kaffee und frischen Orangensaft.

Brigitte: Und ich habe Besorgungen gemacht. Ich habe Hackfleisch für Hamburger, Brötchen, Gemüse und Kartoffeln gekauft.

Jack: Bist du nicht mehr auf die Post gegangen?

Brigitte: Doch, doch! Hier sind deine Briefmarken. Ich mußte ja auch ein großes Paket an meine Eltern abschicken.

Susi: (ruft von draußen) Herr Willi Neumann? Hier ist die Hauswirtin. Sie haben Ihre Strom-, Wasser- und Gasrechnung noch nicht bezahlt!

Willi: (springt aus dem Bett) Ach du liebe Güte! Ich habe das ja beinahe vergessen: wenn ich nicht sofort meine Miete bezahle, wirft mich die Hauswirtin auf die Straße.

Susi: (kommt herein) Willi, ist das Mittagessen fertig?

WÖRTER zur KOMMUNIKATION

Substantive

die Besorgung, -en
das Bett, -en
die Briefmarke, -n
das Brötchen, -
die Dusche, -n
die Einkaufstasche, -n
die Eltern
der Faulpelz, -e
das Frühstück, -e
der Frühstückstisch, -e
die Gasrechnung, -en
das Gemüse, -
das Glas, ¨er
das Gold
das Hackfleisch

die Hauswirtin, -nen
die Kartoffel, -n
die Marmelade, -n
die Miete, -n
das Mittagessen, -
die Morgenstunde, -n
der Mund, ¨er
der Orangensaft, ¨e
das Paket, -e
die Ruhe, -
das Rührei, -er
der Schrank, ¨e
der Strom
das Wasser
die Zeit, -en

Verben

ab·schicken
auf·stehen, stand auf, ist aufgestanden
bezahlen
decken
gähnen
hinein·gehen, ging hinein, ist hineingegangen

herein·kommen, kam herein, ist hereingekommen
liegen, lag, gelegen
rufen, rief, gerufen
schlafen (schläft), schlief, geschlafen
werfen (wirft), warf, geworfen

Andere Wörter

beinahe
dazu
draußen
fertig
frisch
gleich

halb
heiß
laut
sauber
schwer

Ausdrücke

Ach du liebe Güte!
Doch, doch!
den ganzen Tag

Du Faulpelz!
Laß mich in Ruhe!
Nicht so laut!

MUSTER I

ADJEKTIVENDUNGEN

der-Wörter: Wir trinken dies**es** kalte Bier.
ohne der-/ein-Wörter: Wir trinken kalt**es** Bier.
↑
Endung [von der-Wörtern]

Beispiele

N Süß**e** Limonade (*w*) ist himmlisch.
Kalt**e** Rühreier (*pl*) schmecken nicht.
A Ich habe heute frisch**en** Fisch (*m*) gegessen.
Es gibt warm**es** Wasser (*s*) in der Küche.
D Was kannst du aus kalt**en** Kartoffeln (*pl*) machen?
Er kocht immer mit frisch**em** Gemüse (*s*).

„Blödes   Programm!"

Noch mehr Beispiele

Es gibt selten gute Programme im Fernsehen.
Der Mann hat schlechte Laune.
Neue Farbfernseher sind teuer.
Von alten Karatemeistern kann man etwas lernen.

Endungen bei Adjektiven ohne der-/ein-Wörter

	m	s	w	pl		
N	-er	-es	-e	-e	N	
A	-en	-es	-e	-e	A	
D	-em	-em	-er	-en	D	
G	-en	-en	-er	-er	G	*nicht oft*

PST!

Endungen wie bei Artikeln

STRENG GEHEIM!

ein Adjektiv: **Gute Programme sind schwer zu finden.**

viele Adjektive: **Gute, intelligente, interessante, spannende Programme sind schwer zu finden.**

MUSTER II

ADJEKTIVENDUNGEN

Endungen nach der-Wörtern

	m	s	w	pl
N	-e	-e	-e	-en
A	-en	-e	-e	-en
D	-en	-en	-en	-en
G	-en	-en	-en	-en

Beispiele

N Welcher südamerikanisch**e** Kaffee
  (*m*) schmeckt gut?
A Ich esse dieses hart**e** Brötchen (*s*)
  nicht.
D Das Poster war auf der alt**en**
  Litfaßsäule (*w*).
G Sie kann nur die Hälfte der
  klassisch**en** Filme (*pl*) sehen.

PST!

Adjektivendungen Bei Plural, Dativ, Genitiv immer -en!

Der Orangensaft ist frisch. (Keine Endung, wenn kein Substantiv folgt.)
Ich trinke den frischen Orangensaft. (Endung!!)

Milram Leicht & Locker
QUARK FÜR SCHLANKE SCHLEMMER.

Die neuen Werte
der jungen Bundesbürger

PUERTO RICO
Der strahlende Stern der Karibik.

Aktuelles
Thema:
HAARAUSFALL

**Es gibt ein
neues Sondermodell
von
PANDA!**

Eine neue **Zeitschrift** für Zeitgeist,
für Lüste und Moden, Moral und Unmoral,
Information und Desinformation.

**EIN
GUTER
START**

vor der
australischen Sonne warnen,
Quantas!

**Frische
Ideen**

**FIAT PANDA
DIE
TOLLE
KISTE**

Commodore
Eine gute Idee nach der anderen

Endungen nach ein-Wörtern

	m	s	w	pl
N	-er	-es	-e	-e
A	-en	-es	-e	-e
D	-en	-en	-en	-en
G	-en	-en	-en	-en

Beispiele

N Ein bunt**es** Bild (*s*) ist auf dem Plakat.

A Ihr bekommt keine billig**en** Kinokarten (*pl*) mehr.

D Ich gebe meinem gut**en** Freund (*m*) das Programm.

G Die Werbung des neu**en** Reisebüros ist interessant.

MUSTER III

KOORDINIERENDE KONJUNKTIONEN

aber, denn, oder, sondern, und

Wortfolge

Hauptsatz A + Komma + Konjunktion + Hauptsatz B

(A) Sie liest die Zeitung. (B) Er wartet auf das Glockenspiel.

Komma Konjunktion
↓   ↓

(A) Sie liest die Zeitung, (B) und er wartet auf das Glockenspiel.

(A) Bleibst du in München? (B) Fährst du nach Salzburg?

Komma Konjunktion
↓   ↓

(A) Bleibst du in München, (B) oder fährst du nach Salzburg?

aber/sondern?

Erster Satzteil = positiv: aber

Du fährst heute zum Oktoberfest. Du fährst morgen nach Köln.
Du fährst heute zum Oktoberfest, **aber** du fährst morgen nach Köln.

Erster Satzteil = negativ, zweiter Satzteil = Alternative: sondern

Du fährst heute nicht zum Oktoberfest. Du fährst nach Köln.
Du fährst heute nicht zum Oktoberfest, **sondern** du fährst nach Koln.

Muster I: Adjektivendungen

1. Jede Gruppe macht eine Liste von Adjektiven und Substantiven.

> **Beispiel:** Gruppe A fragt Gruppe B: phantastisch—der Rocksän-ger—Genitiv
> Sie müssen die Antwort innerhalb von 5 Sekunden geben.
> „des phantastischen Rocksängers"—Gruppe B bekommt einen Punkt!

2. Macht eine Liste von Adjektiven und eine Liste von Substantiven.

> **Beispiel:** der Filmstar, die Filmemacherin, der Spion, das Brot, langweilig, esoterisch, schlau, groß, . . .

3. Schreibt eine moderne Geschichte mit diesem Vokabular.

> **Beispiel:** Der elegante Filmstar macht . . .

Muster III: Koordinierende Konjunktionen

Kleine Schreibübung (zu zweit): sondern/aber

Was gefällt dir besser? Was machst du lieber?

> **Beispiel:** Ich gehe nicht zum Friseur, sondern ich trockne meine Wäsche.
> Du hast vielleicht trockne Wäsche, aber deine Haare sehen furchtbar aus.

den Reifen wechseln
zur Mensa gehen
schnell mit dem Auto fahren
Brigitte besuchen
Deutsch studieren

im Wald spazierengehen
viel Kaffee trinken
zu spät ankommen
ins Kino gehen
kalifornischen Wein trinken

Kleine Schreibübung (zu zweit)

Ein langer Satz mit allen 5 koordinierenden Konjunktionen wird geformt.

> **Beispiel:** Susi und Jack arbeiten heute nicht, sondern sie besuchen Willi, und alle haben dort viel Spaß, denn Willi spielt Jazzmusik, oder singt Lieder, aber sie hören auch eine Symphonie von Beethoven.

Themen: ,,In der Mensa", ,,Besuch bei Breitmoser"

SPRACHLICHE BESONDERHEITEN

einen Spaziergang machen = spazierengehen

Wann mache ich einen Spaziergang,
oder wann gehe ich spazieren?
Immer wenn ich Zeit habe . . .
zum Spaß.

Spazieren meist mit dem Verb *gehen*.
Spazieren steht im Satz wie ein Präfix.

Beispiele

Im Sommer **gehe** ich oft **spazieren**.
Im Sommer bin ich oft **spazieren gegangen**.

Jeden Tag machen wir einen Spaziergang.
Die Deutschen machen oft am Sonntagnachmittag einen Spaziergang.

Wandern statt Spazierengehen

Eine Fußwanderung unterscheidet sich von einem Spaziergang durch die Dauer und Länge der Strecke.

WAS SAGT MAN DA?

Dinge anbieten

Trinkst du [Kaffee]?

Möchten Sie [ein Bier]?

Wollen Sie [meinen Schirm] haben?

Willst du noch [eine Tasse Tee]?

Was nehmen Sie? [Bier oder Wein]?

Kann ich Ihnen [Wasser] anbieten?

. . . geben?

Darauf reagieren

Ja gern!

Danke gern!

Gern! Ja bitte!

Ich sage nicht nein.

[Nein] danke!

[Nein] vielen Dank!

Nein, bitte nicht!

Nein, lieber nicht.

Danke, . . . aber . . .

Nein, wirklich nicht.

Danke, ich möchte keinen [Kuchen].

(nichts [trinken]).

Rollenspiel (zu viert)

Jeder bietet etwas an, die anderen
reagieren darauf und bieten etwas
anderes an.

das Buch

der Zucker

die Butter

die Banane

der Apfel

das Geld

DEUTSCHES MAGAZIN

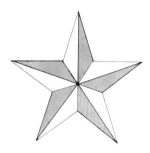

KÜCHE + KELLER + KOMFORT

Alle essen gern. Manchmal geht man „schön zum Essen aus" oder ißt nur schnell eine Bratwurst auf der Straße. Manchmal macht man sich's gemütlich zu Hause mit einer eleganten Mahlzeit oder—für Anfänger—mit Bratkartoffeln und Spiegeleiern.

Blickpunkt: Berlin (West)

Wörter ohne Wörterbuch

die Garage, -n
der Gast, ¨e
der Gourmet, -s
das Haus, ¨er
der Komfort
kosten
die Lampe, -n
parken
der Pfeffer
die Qualität, -en
die Region, -en
das Rezept, -e
der Salat, -e
die Stereoanlage, -n
der Supermarkt, ¨e
die Toilette, -n
die Tomate, -n
unmoralisch
der Wein, -e

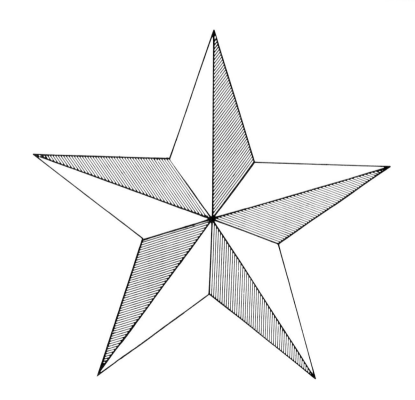

Alle mögen deutsches Brot!

In den Regalen Ihres Bäckers oder Ihres Supermarktes finden Sie mehr Angebote, als Ihr Brotkorb fassen kann: Bauernbrot, Weißbrot, Roggenmischbrot, Steinofenbrot, Vollkornbrot, Knäckebrot, Rosinenstuten, Toast, Zwieback, Brötchen, Mürbchen, Hörnchen, Brezeln.

Stern, 15. Okt. 1981

162   **Auf deutsch!**

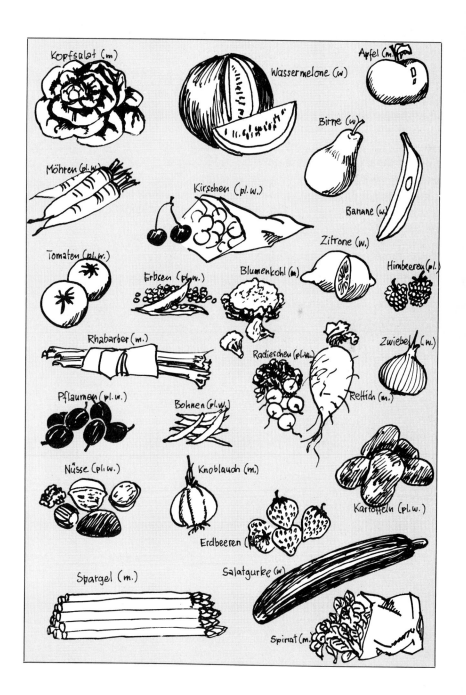

Kopfsalat (m)

Wassermelone (w)

Apfel (m.)

Birne (w)

Möhren (pl. w.)

Kirschen (pl. w.)

Banane (w.)

Zitrone (w.)

Tomaten (pl. w.)

Erbsen (pl. w.)

Blumenkohl (m)

Himbeeren (pl.)

Rhabarber (m.)

Radieschen (pl. w.)

Zwiebel (w.)

Pflaumen (pl. w.)

Bohnen (pl. w.)

Rettich (m.)

Nüsse (pl. w.)

Knoblauch (m.)

Kartoffeln (pl. w.)

Erdbeeren (

Spargel (m.)

Salatgurke (w)

Spinat (m.)

Küchenzettel für eine Woche

	Montag	Dienstag	Mittwoch
Frühstück:			
Mittagessen:			
Abendessen:			

	Donnerstag	Freitag	Samstag
Frühstück:			
Mittagessen:			
Abendessen:			

	Sonntag
Frühstück:	
Mittagessen:	
Kaffeetrinken:	
Abendessen:	

Thomy Tomaten-ketchup 500 ml Fl. **1.99**

Langnese Bienenhonig feincremig, zähflüssig 500 g Gls. **3.68**

Melitta Kaffee Mocca 500 g Vac. Pa. **6.99**

Aus unserem Dauerniedrigpreis-Programm	
Südmilch Kaffeesahne 10×10g **−.49**	Selex Spülmittel 1l **1.48**
Apti Konfitüre 3 Sorten 450 g Gls. **1.38**	Jumbo Krepp Toilettenpapier 8×250 Blatt **2.98**
Bauernschnitten 500 g **−.99**	Softlan Superkonzentrat 1l **2.99**
Speisesalz 500 g **−.25**	Selex Filtertüten Gr. 2 und 4 **−.59**
Balm Rindfleisch 400 g **1.98**	
Frühstücks-fleisch 340 g **1.79**	Selex Vollwaschmittel Phosphatfrei 3 kg **6.98**
Corned beef 340 g **2.79**	
Rindsgulasch 300 g **1.29**	Dalli Feinwaschmittel 1,5 kg **4.59**
Apfelessig 0,75 l Fl. **1.38**	

Ein Menü für jeden Tag.

Vokabularübung (Gruppe)

Schreibt bitte einen Küchenzettel für einen Tag der Woche.

Tagesgerichte

DIE SALATSCHÜSSEL
- - - - - - - - - -

Wir empfehlen:

1 Glas

POMMERY Brut Royal
0,1 l DM 12,00

und unseren Hauscocktail

" SCHNEEFLOCKE "
DM 9,50

Strammer Max
mit zwei Spiegeleiern
DM 14,50

Salat der Jahreszeit
DM 6,00

Griechischer Salat
mit Schafskäse und Schinkenstreifen
DM 16,50

Salatbowle
mit Scampi und Huhn
DM 22,00

Rindfleischsalat
mit Bratkartoffeln
DM 17,50

Avocadosalat
mit Tomaten und Grönland Shrimps
DM 21,00

Ardenner Salat
mit Schinken und Artischocke
DM 16,00

Tomatensalat
mit Mozzarella
DM 14,50

Salat von frischen Früchten
mit zwei Sorbets

Notizen des Chefs

Spanische Gazpacho
DM 6,50

Hausgemachte Sülze
mit Bratkartoffeln, Remouladensauce
DM 14,50

Aal grün
mit Reis und Gurkensalat
DM 26,00

Kalbsnieren mit Nudeln,
Kräutern und jungen Gemüsen
DM 22,00

Filetwürfel in Beaujolais
mit Ratatouille-Gemüse und Reis
DM 23,50

Lammkeule mit grünen Bohnen
Gratin Dauphinois
DM 24,50

Schweinefilet
mit Kräuterkruste, Kartoffelkroketten
DM 24,00

Kalbsragout
mit Butternudeln
und gemischtem Salat
DM 19,50

* * *

Inclusivpreise

Sprechübung (zu zweit): Speisekarte

1. Was kostet eine billige Suppe?
2. Suchen Sie ein Fischgericht!
3. Welche Gerichte sind mit Salat?
4. Was kann man für 6,50 DM essen?
5. Was kostet die Lammkeule?
6. Was möchten Sie bestellen?
7. Was kostet das alles zusammen?

Hamburger-Test

Hamburger bei:	McDonalds	Wuv's	zu Hause	sonstwo
lecker				
phantastisch				
ungesund				
saftig				
geschmacklos				
hart				
zu teuer				
zu dünn				
delikat				
kein Qualitätsfleisch				
erstklassige Zutaten				

Wieviel kostet ein Fischmac?
Trinken Sie Milchshakes gern?
Wohin gehen Sie zum Essen?

Was meinen Sie?

McDonalds Pommes Frites sind zu fettig
zu dünn
knusprig
frisch
salzig
zu weich

Was meinen Sie?

Fleisch: Ausschließlich 100 Prozent reines Rindfleisch von deutschen Rindern. Ohne jeden chemischen Zusatz, ohne Konservierungsmittel, ohne Geschmacksverbesserer, ohne Bindemittel. Vitamine und Mineralstoffe sowie der gute Geschmack bleiben durch optimale Verarbeitungs- und Zubereitungsmethoden erhalten.

Kartoffeln: Die Kartoffeln für unsere weltberühmten Pommes Frites kommen aus dem klassischen Kartoffelland Holland. Daraus werden extra lange und extra dünne Pommes Frites geschnitten und schockgefroren. Sie werden stets frisch zubereitet; aufgewärmte Pommes Frites gibt es nicht. Die Zubereitung in Fritteusen mit einer ständig erneuerten und gefilterten speziell auf die McDonald's-Produkte abgestimmten Fettmischung ist ebenfalls computergesteuert.

Fisch: Der Fischmac ist ein Stück weißes, festes Kabeljau-Filet. Nach dem Fang wird der Fisch in Portionsgrößen geschnitten, paniert und vor dem Transport aus Dänemark schockgefroren. Preßfisch, Fischstäbchen oder Fisch-Buletten lehnen wir ab.

Brot: Die Brötchen aus einer großen deutschen Bäckerei werden täglich frisch an unsere Restaurants geliefert. Sie sind nach eigener Rezeptur aus reinem Weizenmehl, Schmalz, Zucker und Wasser gebacken.

weltberühmt—weltbekannt

schockgefroren—schnell kalt gemacht

zubereitet—gekocht

aufgewärmt—wieder warm gemacht

abgestimmte Fettmischung—genaue Proportion von Öl und Fett

Getränke

„Ich finde, zu einem guten
Weißwein trinkt man
am besten einen guten Rotwein!"

Sprechübung (zu zweit)

- Welches deutsche Bier kennen Sie?
- Trinken Sie lieber Bier oder Wein?
- Welches Bier in Amerika schmeckt Ihnen am besten?
- Ist Biertrinken unmoralisch? Warum?
- Wie alt muß man in Ihrem Staat sein, bevor man trinken darf?

Vokabularübung

Wohnungen zu vermieten

Wohnung	Wo?	Wieviele Zimmer?	Wie teuer?
1.			
2.			
3.			
4.			
5.			

Zuschriften unter ✉ ZS544[illegible] an SZ

München 19, (Neuhausen), 3-Zi.-Whg., 86 m², 8. OG, Westbalk. m. Alpenblick, neu mod., z. 1.6.88, Mte. 1 350,- + NK 150,-. Zuschr. ✉ ZS5445129 SZ

2- bis 3-Zi.-Whgn. frei! Ohne Provision! Schnell durch EDV! ☎ 2603372 MIETERRING e. V., Hackenstr. 2 /Ecke Sendlinger Str.

2 ZI-NB-WHG HEIMSTETTEN
56 m², Balkon, 2. OG, zum 15.6. S-Bahn DM 900,- + NK **H*M*S-Imm ☎75 10 84**

Obergiesing, Altbau, 690,-/NK
kleine möbl. 2-Zi-Whg
Anna Silbernagel RDM Imm. ☎5804823

Hübsche 3-Zi.-Whg. Lohhof
91 m², EG, Grt.-Terr., 1.7. **980,- + NK/Kt.**
Seischab Immobilien ☎089/331066

3 ZI-MAIS-NB-GARTEN-WHG
U'schleißheim 72 m² + 29 m² Hobby + Gge DM 1700,- incl **H*M*S-Imm ☎75 10 84**

3 Zi./96 m² - PASING Zentrum
DM 1086,- + NK, OE-Imm. ☎2609512

Gröbenzell 3-Zi.-Whg. 87 m², 1150,- + NK **Immobilien Colombini, ☎08142/51890**

Möbl. 3 Zi.-Whg. Neuried, 85 m², 1200,- + Nk. **Heckert Immobilien ☎573919**

Kl. 2-Zi.-Gartenwhg. Mü. 82, ruh., sof., 1065,- inkl. Imm. Sierstorpff ☎1295089

3 Zi. Mü. 81, 70 m², Balkon, 1.6., **1300,- inkl. NK. Immobilien Stantke ☎681146**

Schwabing, 3-Zi., 75 m², f. 1250,-, per 1.6. **Immob. Freundl ☎08141/18044**

Traum-möbl. 3½-Zi., Ottobr., 88 m², 2500,- + NK Müthing Immob. ☎9301896

2-Zi.Lux.-NB-Whg., Waldperlach, 65 m², 1200,- + NK Schröder Immob. ☎5706775

2-Zi.-Whg., Cosimapark, 65 m², 1050,- + NK, f. 3 J., Heckert Immob. ☎5706663

2-Zi.-NB-Whg., Giesing, 50 m², ruh., 800,- + NK, Heckert Immobilien ☎5706663

Möbl. 2-Zi.-Whg., Großhadern, 55 m², 1000,- + NK, Heckert Immob. ☎573919

Möbl. 2-Zi.-Lux.-Whg., City, 65 m², ruh., 1200,- + NK, Heckert Immob. ☎573919

Möbl. 2-Zi.-Whg., Implerstr., ruh., 50 m², 900,- + NK, Heckert Immob. ☎573919

3-Zi.-Whg. Erding, 96 m², 950,- + NK. **Immobilien W. Ruhland, ☎08122/10561**

Bestlage Ottobrunn, 2-Zi.-DG-Whg., ca. 65 m², Südblk., Bestausstatt., 1100,- + TG + NK, v. privat. Zuschr. u. ✉ ZS5447561 an SZ

Giesing 3-Zi., TG, 78 m², Balk., Bj. 81, 1250,- + HZ. **Thelen Immob. ☎468839**

Mü.-Aschheim, 4-Zi., 107 m², EG mit gr. Garten, ab 1.7., DM 1 100,- + KT
Imm. R. Oberste-Sirrenberg
Dipl.-Betriebswirt (FH) ☎425107

Schöne ruhige 4-Zi.-Whg.
126 m² + 26 m² Balkon, Ebenhausen/ Schäftlarn, Nh. S-Bahn, 1800,- + 180,- Hzg./NK., langer Mietvertrag möglich.
Immobilien K. Wallbaum ☎089/555910

5-Zi.-Whg. Solln
152 m², Wintergarten, Blk., 2 Bäd., EBK, 2 WC, beste Wohnlg., z. 1.7., **3400,- + NK**
Wohnservice Immobilien GmbH 6121036

4 ZI-GARTEN-WHG 127 m²
Großhadern, Neubau, Erstbezug z 15.6. in 3 FH, Nh Klinikum ca 400 m² Garten 2200,- + Hzg. **H*M*S Imm ☎75 10 84**

OLCHING - GEISELBULLACH
5-Zi.-Whg. 1150,- + NK
115 m², Garten, Gge, ruhig, per 1.7.
Bliemeister RDM Immobilien ☎331952

4-Z.-W. 129 m² Neuhausen
Beding. 8000,- Ablöse 1.7. **1280,- + NK**
RDM w. riedl ☎ 791 26 47 · Immobilien

Große Whgn. frei! Ohne Provision! Schnell durch EDV! ☎2603372 MIETERRING e.V., Hackenstr. 2 / Ecke Sendlingerstr.

Excl. 8-Zi.-DG-Whg., Schwabing, Altbau, DT, Marmorbäder/-WC, Galerie, teilgewerbl. mögl., 293 m², 6 650,- + NK/Gge.
Dienhold Immob. ☎336161

Haidhausen Exkl. DG-Neubau, auf renov. Altbau, 4-Zi., 143 m², Höhe bis 4m, großer Wintergarten, 2 Terr., 2650,- + NK, v. Priv., Zuschr. u. ✉ ZS5449986 an SZ

4,5 ZI-ALTBAU SCHWABING
116 m², Helmtrudenstr, 1. OG, z. 15.6. 1630,- + Hzg. **H*M*S Imm ☎75 10 84**

Helle 5-Zi.-DG-Whg., Schwabing, 117 m², ren. Altb., teilgew. nutzb. **2690,- + NK**
beuco immobilien GmbH ☎089/2725032

Schwabing, 4-Zi.-Whg., 125 m², renov. Altb., 4.OG, o. Lift/Blk., k. Kinder, 1850,- inkl. **Immob. Schuckall, ☎08142/53143**

4-Zi.-Whg., 85 m² + 2 Blk., auch teilgewerblich, 2 Eingänge, 2 TG, zum 15.6., 1690,- + NK; **R & T Immobilien ☎363439**

Neuaubing 4-Zi.-Whg., 1.OG, Balk., 114 m², off. Ka., Kachelof., f. Ehep. a. m. Kind, 1370,- + NK **Holl Imm. ☎8573918**

4-Zi.-Whg. Nä. Romanpl., 120 m², 1.OG., 1.8., 1700,-/Nk.; Rotter Imm. ☎302070

Engl. Garten, Osterwaldstr., 4-Zi.-Lux.-Whg., 140 m², 1. OG, Bj. 78 **2800,-/NK**
Imm. Lemberger GmbH · Tel. 98 61 52

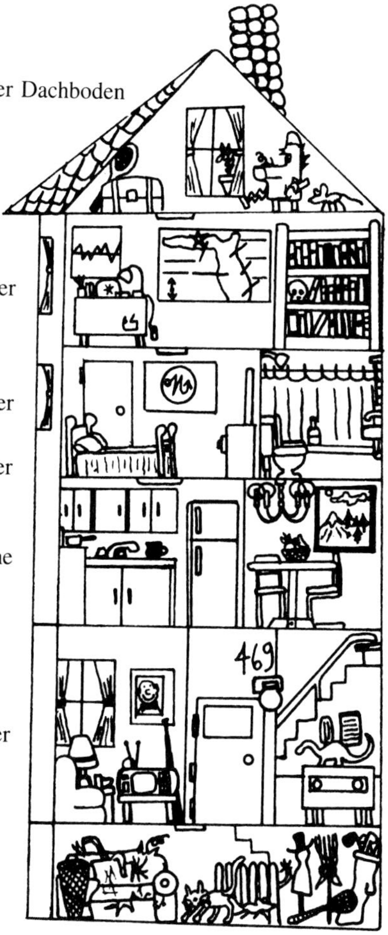

der Dachboden
Arbeitszimmer
s Badezimmer
Schlafzimmer
die Küche
das Eßzimmer
Wohnzimmer
die Treppe
die Tür
der Keller

Welches Zimmer?

Ines wohnt in einem alten Fachwerkhaus. Sie wohnt dort mit ihrem Freund, Manfred. Ines hat Geburtstag, und Manfred möchte sie mit einem Fest überraschen.

Rolf: He Manfred, ich habe einen Kuchen gebacken. Wohin soll ich ihn stellen?

Manfred: Stelle ihn auf den Eßtisch im _____, und hol mir bitte drei Flaschen Sekt und eine Flasche Wein aus dem _____! In der _____ in einer Besteckschublade ist ein Korkenzieher.

Rolf: Was müssen wir noch machen? Sollen wir die Geschenke unter das Bett im _____ legen?

Manfred: Prima Idee! Ich möchte auch ein großes Plakat machen und vorne am Haus über der _____ aufhängen. Holst du

mir bitte die Kugelschreiber! Sie liegen auf meinem
Schreibtisch in meinem _____.

Rolf: Wo kann ich mir die Hände waschen?

Manfred: Im _____.

Rolf: Soll ich eine Schallplatte auflegen?

Manfred: Gerne. Wir können sie aber beim Essen nicht hören. Die
Stereoanlage steht im _____.

Rolf: Ist in der _____ noch Platz für Ines' Auto?

Manfred: Nein. Sie muß vor dem Haus parken. Ach, da kommt sie
schon!

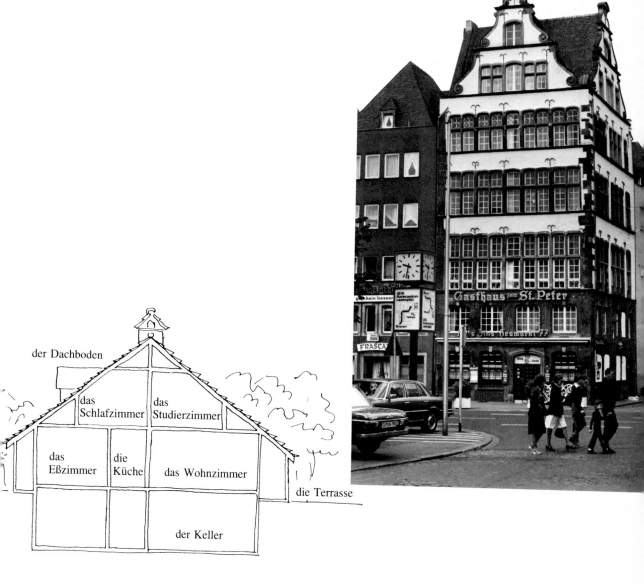

der Dachboden

das Schlafzimmer   das Studierzimmer

das Eßzimmer   die Küche   das Wohnzimmer

die Terrasse

der Keller

Vokabularübung

In welches Zimmer gehören die Möbel auf dem Bild?

> **Beispiel:** _____ in das Wohnzimmer.
> **Das Sofa gehört in das Wohnzimmer.**

Das Sofa kommt hierhin! ▶

a. _____

b. _____

c. _____

d. _____

e. _____

f. _____

g. _____

h. _____

i. _____

j. _____

k. _____

l. _____

m. _____

n. _____

o. _____

p. _____

q. _____

r. _____

s. _____

t. _____

u. _____

v. _____

w. _____

x. _____

y. _____

z. _____

In wievielen deutschen Haushalten gibt es die folgenden Gebrauchsgüter?

	1981	1984
Personenkraftwagen	66,2 %	70,96%
Fahrrad	76,3 %	95 %
Schwarzweiß-Fernsehgerät	55,56%	45,9 %
Farbfernsehgerät	68,6 %	81,86%
Waschmaschine	72,53%	72,6 %
Geschirrspülmaschine	31,76%	36,66%
Staubsauger	99,1 %	97,76%

DIE MÖBEL

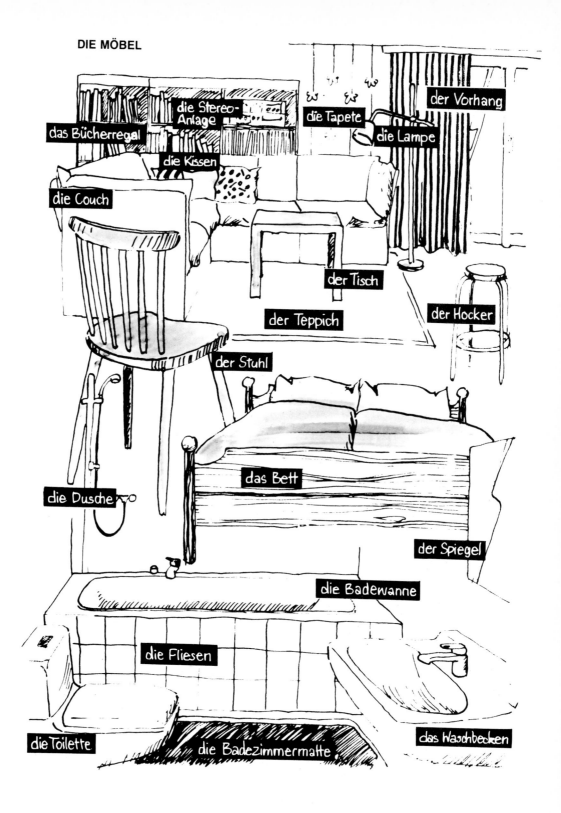

der Vorhang

die Stereo-Anlage

die Tapete

das Bücherregal

die Lampe

die Kissen

die Couch

der Tisch

der Teppich

der Hocker

der Stuhl

die Dusche

das Bett

der Spiegel

die Badewanne

die Fliesen

die Toilette

die Badezimmermatte

das Waschbecken

BERLIN (WEST)

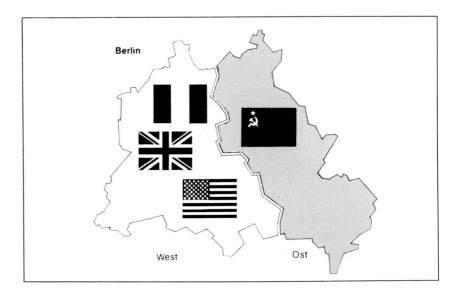

Berlin

West   Ost

In West-Berlin wohnen 1,9 Millionen Menschen.

Die Stadt liegt in der Mitte der DDR, ist aber durch eine Mauer von Ost-Berlin und der DDR getrennt (seit 1961).

Offiziell regieren die westlichen Alliierten (England, Frankreich und die USA) die Stadt.

Wirtschaftlich ist sie mit der Bundesrepublik Deutschland verbunden.

Die Großstadt Berlin ist nicht ohne Grün: Viele Bäume, Parks, Wälder (der Grunewald), Seen (der Wannsee) und Flüsse (die Spree und die Havel) gehören zur Stadt. Was ist die berühmte ,,Berliner Luft?"
Atmosphäre und Klima (minus Umweltverschmutzung).

Der Ku-Damm ist die berühmteste Straße West-Berlins: Dort gibt es elegante Geschäfte und viele Restaurants.

Berlin ist eines der größten Kulturzentren Deutschlands: Es gibt zum Beispiel die Berliner Film- und Theaterfestspiele.

Sonderstellung von Berlin: Es gibt keinen Militärdienst, weniger Steuern aber Nachtklubs, Discos und Kneipen, die nachts offen bleiben.

Mein Femin. 011ty 3 S. 71 Emma

TÜRK KÜLTÜR

In Berlin wohnen viele Leute aus der Türkei. Nur in Ankara und Istanbul wohnen mehr Türken in einer Stadt als in Berlin!

Sie sind als Gastarbeiter nach Deutschland gekommen. Der Stadtteil Kreuzberg heißt bei vielen ,,Klein-Istanbul."

MINIDRAMA 8
Die große Wende

Susi und Brigitte befinden sich im Waschsalon und falten ihre Bettlaken. Willi erscheint mit einem Wäschekorb unterm Arm. Er liest ein Buch.

Susi und Brigitte: Hallo, Willi!

Willi: Grüßt euch! Ich muß noch vor meiner nächsten Klasse etwas waschen. Ich habe keine saubere Wäsche mehr. Alles ist schmutzig.

Susi: Was sagst du da? Ist das ein „neuer" Willi?

Willi: . . . Und während die Sachen trocknen, gehe ich zum Friseur. Meine Haare

werden einfach zu lang.

Brigitte: Donnerwetter! Bald erkennt man dich nicht wieder.

Willi: (*hebt sein Buch hoch*) Schau mal, Susi. Was sagst du zu diesem Bestseller: ,,Der neue Knigge, richtiger Umgang mit Menschen.'' Ich werde mein ganzes Leben ändern.

Susi: Aber Willi, du gefällst mir, wie du bist. Gehst du heute abend mit mir tanzen? Ich kenne eine Diskothek. Sie heißt Stonehenge.

Willi: Diese Diskothek gefällt mir aber nicht. Die Musik ist mir zu laut und der kalifornische Wein ist zu teuer.

Brigitte: (*schlägt die Zeitung auf*) Es läuft ein guter Film von Wim Wenders. Warum geht ihr nicht ins Kino?

Willi: Ja, dazu habe ich Lust.

Susi: Also abgemacht. Wir treffen uns um halb acht Uhr vor dem Kino.

Willi: Es kann sein, daß ich etwas zu spät komme. Ich sehe gerade, den Wäschekorb habe ich mitgebracht, aber die Wäsche liegt zu Hause. Ich muß nochmal zurück. (*Geht weg, in sein Buch vertieft.*)

Susi: Typisch Willi! Er wird sich nie ändern. Brigitte, gehen wir zusammen ins Kino?

WÖRTER zur KOMMUNIKATION

Benimm-Baron Knigge

Substantive

der Arm, -e
der Bestseller, -
das Bettlaken, -
die Diskothek, -en
der Film, -e
der Friseur, -e
das Haar, -e
das Kino, -s
die Klasse, -n
der Knigge
das Leben, -

die Lust
der Mensch, -en
die Musik
die Sache, -n
der Umgang
die Wende, -n
die Wäsche
die Wäscherei, -en
der Wäschekorb, ¨e
die Zeitung, -en

Verben

ab·machen
ändern
auf·schlagen (schlägt auf), schlug
    auf, aufgeschlagen
befinden, befand, befunden
erkennen, erkannte, erkannt
erschienen, erschien, ist erschienen
falten
gefallen (gefällt), gefiel, gefallen
heben, hob, gehoben
kennen, kannte, gekannt

laufen (läuft), lief, ist gelaufen
liegen, lag, gelegen
mit·bringen, brachte mit,
    mitgebracht
tanzen
treffen (trifft), traf, getroffen
trocknen
vertiefen
waschen (wäscht), wusch,
    gewaschen
weg·gehen, ging weg, ist
    weggegangen

Ausdrücke

Also abgemacht!
Donnerwetter!
Grüßt euch!
Typisch!

Was sagst du da?
heute abend
Dazu habe ich Lust!

Andere Wörter

kalifornisch
schmutzig
typisch

nächste
lang

MUSTER I

ADJEKTIVENDUNGEN

Adjektivendungen

Ohne der- und ein-Wörter

	m	s	w	pl
N	-er	-es	-e	
A	-en			
D	-em		-er	-en
G	-en		-er	

Beispiele

,,Kleiner Jakob, was machst du im Wildpark?''

,,Ich möchte große Tiere sehen. Ich brauche frische Luft.''

,,Was nimmst du mit?''

,,Ich nehme frisches Brot, reife Bananen, vitaminreiches Gemüse und kaltes Wasser mit.''

Hans Jürgen Press

Kapitel Acht

Hans Jürgen Press

Adjektivendungen

Mit der-/ein-Wörtern

a. Dativ + Genitiv } -en
b. Plural

	m	s	w
N	-e/-er	-e/-es	-e
A	-en	-e/-es	

Beispiele

Der neue Photoapparat des kleinen
Herrn Jakob funktioniert nicht.
Ein riesiger Elefant setzte sich auf
die neue Kamera.

MUSTER II

ORDINALZAHLEN

Kardinalzahlen	Ordinalzahlen der/die/das
0 null	
1 eins	erste
2 zwei	zweite
3 drei	dritte
4 vier	vierte
5 fünf	fünfte
6 sechs	sechste
7 sieben	siebte
8 acht	achte
9 neun	neunte
10 zehn	zehnte
11 elf	elfte
12 zwölf	zwölfte
13 dreizehn	dreizehnte
.	.
.	.
.	.

Auf deutsch!

19	neunzehn	neunzehnte
20	zwanzig	zwanzigste
21	einundzwanzig	einundzwanzigste
22	zweiundzwanzig	zweiundzwanzigste
.		.
.		.
.		.
30	dreißig	dreißigste
60	sechzig	.
70	siebzig	.
80	achtzig	achtzigste
.		.
.		.
.		.

Heute ist der erste April.

Ordinalzahl

> **4 – 19 + t + Adjektivendung**

> **20 – 100 + st + Adjektivendung**

Beispiele

Brigitte hat schon ihr **drittes** Auto.
Die **ersten** Gäste kommen!
Wir sitzen in der **sechsundachtzig-sten** Reihe.
Heute ist der **fünfte** Mai.
Am **einundzwanzigsten** April fahre
ich nach Innsbruck.

AUSPROBIEREN!

Muster I: **Adjektivendungen**

1. **Eine Geschichte mit Adjektiven schreiben. Sucht passende Adjektive!**
2. **Romeo und Julia**
   Szene 1: In einem ＿＿＿＿＿ Garten

   An einem ＿＿＿ Morgen (*m*) trifft der ＿＿＿ Romeo die ＿＿＿
Julia auf der ＿＿＿ Straße (*f*). Romeo sagt, ,,＿＿＿ Julia, deine ＿＿＿
Jeans (*pl*) gefallen mir und deine ＿＿＿ Jacke (*f*) ist wunderbar.''
,,Ja, ＿＿＿ Romeo, ich habe sie aus der ＿＿＿ Boutique (*f*). ,,Oh,
＿＿＿ Julia, deine ＿＿＿ Augen (*pl*) sind wunderschön.'' Der
＿＿＿ Romeo springt von seinem ＿＿＿ Pferd (*s*) und rennt gegen einen
＿＿＿ Tannenbaum (*m*). ,,Oh ＿＿＿ Romeo, deine ＿＿＿ Brille (*f*)
ist kaputt!'' Romeo geht blind weiter und fällt in ＿＿＿ Wasser (*s*). ,,Oh
＿＿＿ Romeo, geh zum ＿＿＿ Optiker (*m*) und kaufe dir ＿＿＿
Kontaktlinsen (*pl*)!''

182   **Auf deutsch!**

Szene 2: Am Abend vor dem _____ Haus (s) der _____ Julia.

Romeo kommt mit einer _____ Rose (f). ,,Nanu, hier sind ja zwei
_____ Balkons (pl).'' ,,Welcher geht in Julias _____ Zimmer (s)?''
,,Leider hat der _____ Optiker (m) meine _____ Brille (f) noch nicht
repariert.'' Romeo nimmt seine _____ Gitarre (f) und spielt eine _____
Melodie (f) und singt ein _____ Liebeslied (s). Julia kommt aus der
Tür (f) ihres _____ Balkons (m). Der Vater steht hinter den _____
Blumen (pl) des anderen _____ Balkons (m). Romeo sieht niemand und
geht zur _____ Seite (f), wo der Vater ist. Oh weh, _____ Romeo, oh
weh!

Muster II: Ordinal- und Kardinalzahlen

1. **In einer Gruppe mit 3 Studenten. Jede/r Student/in fragt die
   anderen:**
   a. **Wann hast du Geburtstag?**
   b. **An welchem Tag fängt der Sommer an?**
   c. **An welchem Tag fängt der Winter an?**
   d. **Welcher Tag ist heute?**

2. **Lest den Text, jede/r einen Satz, und schreibt die Zahlen auf (zu
   zweit).**

   Hallo, ich heiße Nummer 3333. Natürlich habe ich die Nummer 3 sehr
gern. Sie ist auch eine sehr wichtige Nummer in meinem Leben. Ich wohne
z. B. im 15. Stockwerk (s) des 3. Hauses auf der linken Seite der 53. Straße.
Ich arbeite im 96. Stockwerk (s) im 6. Zimmer (s) neben der 21. Tür. Der 3.
Tag des 3. Monats (m) ist mein Geburtstag (m). Ich bin auch um 3 Uhr 33
geboren. Meine Mutter erzählte mir, ich schrie 3 Mal. Ja, es geht noch
weiter. Mein 30. Geburtstag war gestern. 13 Leute sind gekommen. Meine 6.
Schwester hat mir ein Auto geschenkt, einen Mercedes 300. Gleich nach der
Party sind wir in das 1. deutsche Restaurant (s) in unserer Nachbarschaft
gegangen. Da traf ich Nummer 4444 nach dem 4. Bier. Nummer 4444 wohnt
im 7. Stockwerk des 2. Hauses in der 62. Straße (f). Tja, leider bin ich nie
mit einer geraden Zahl gut ausgekommen.

SPRACHLICHE BESONDERHEITEN

Wortfolge

	Zeit	Art und Weise	Ort
	1.	2.	3.
Wir fahren	dieses Jahr	lieber ohne Neckermann	in die Berge.
Die Männer sitzen	seit vier Stunden	gemütlich	auf der Bank.
Sie schauen	die ganze Zeit	ruhig	auf den Fluß.
Wir fahren	heute	mit dem Auto	zum Chiemsee.
Wir bleiben	heute abend	gern im Gasthaus	,,Zur Insel''.

SCHREIBÜBUNG

Zeit, Art und Weise, Ort

(Zu fünft). Jede/r nimmt ein Stück Papier und schreibt:

1. Wer: _____
   trifft
2. Wen: _____

3. Wann: _____

4. Wie: _____

5. Wo: _____

1. **Schreib den Namen einer Person (wer) auf die erste Linie! Falte das Blatt nach hinten und gib es im Kreis weiter.**
2. **Schreib noch einen Namen (wen) auf das nächste Blatt, falte wieder nach hinten und gib weiter.**
3., 4., 5. **Schreib Zeit (wann), Art und Weise (wie) und Ort (wo) auf die nächsten Blätter, falte und gib sie weiter.**

Am Ende liest jeder die ,,Geschichte'' vor, die alle geschrieben haben.

Beispiel:		
1. Wer:	Humphrey Bogart	
	trifft	
2. Wen:	Marilyn Monroe	
3. Wann:	um Mitternacht	
4. Wie:	mit einem Regenschirm	
5. Wo:	auf dem Friedhof.	

WAS SAGT MAN DA?

Gratulieren

Herzlichen Glückwunsch [zum Geburtstag].

Alles Gute [zum Geburtstag].

Ich gratuliere Ihnen [zum Geburtstag, zur Hochzeit, zur Verlobung].

Gratuliere!

Gute Wünsche aussprechen ━━━━━━━━━━━

Bei Krankheit:	Gute Besserung!
Beim Beginn des Essens:	Guten Appetit!
	Mahlzeit!
Beim Verabschieden:	Gute Reise/Fahrt!
	Alles Gute!
	Mach's gut!
	Viel Glück!
	Viel Vergnügen!
	Viel Spaß!
	Schönes [Wochenende]!
	Schöne [Ferien]!
Zu Feiertagen:	Schöne Feiertage!
	Frohes Fest!
	Frohe Weihnachten/Ostern!
	(Ein) gutes neues Jahr!

Gute Wünsche erwidern ━━━━━━━━━━━

Danke gleichfalls!
Ihnen auch!
Vielen Dank!

Rollenspiel (zu fünft)

Sie sind zuerst bei A zum Geburtstag, dann bei B zu Weihnachten, dann bei C zum Neujahr, bei D im Krankenhaus, E zu Ostern, *usw*.

Alle sprechen gute Wünsche aus und gratulieren.

Auf deutsch!

DEUTSCHES
MAGAZIN

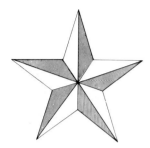

FEIERN und FESTE

„Zum Wohl" oder „Prosit" hört man oft, besonders wenn Freunde und Verwandte zusammenkommen— und man kommt oft zusammen. Es gibt immer einen guten Grund zum Feiern: Ostern, Pfingsten, Fasching, Geburtstag, Namenstag oder einfach Feierabend. Das Jahr fängt mit Feuerwerk an und hört mit Wunderkerzen und Weihnachtsbaum auf.

Blickpunkt: München

Wörter ohne Wörterbuch

besser (gut)
die Bluejeans
bringen
der Clown, -s
der Cowboy, -s
die Familie, -n
die Galerie, -n
der Garten, ¨
geboren
die Gesundheit
das Konzert, -e
das Kostüm, -e
die Minute, -n
das Museum, die
   Museen
der Park, -s
die Party, -s
das Restaurant, -s
der Salat, -e
das Sauerkraut

EINLADUNG

Krummbach, den 10. Mai 1990

Lieber Klaus-Dieter,

ich möchte Dich zu einer Fête einladen. Wir tanzen im Garten. Es gibt tolle Musik. Wir fangen abends um acht Uhr an. Bring bitte etwas Kartoffelsalat zum Essen mit. Ich mache eine Bowle. Es würde mich freuen, wenn du Deine Freundin Sabine mitbringen könntest. Herzliche Grüße,

Dein
Giesbert

einladen

Ich lade Sie zu einer Party ein.
(zum Mittagessen)
(zum Frühstück)

Komm bitte zu meinem Gartenfest!
(Geburtstag)

Ihr seid eingeladen zu unserer Neujahrsfeier.
(Weihnachtsfeier)
(Hochzeit)

mitbringen

Bringen Sie eine Flasche Wein mit!
(Salat)
(Kartoffelsalat)
(etwas Obst)
(etwas zum Essen)
(etwas zum Trinken)

es gibt

Es gibt tolle Musik.
(eine Rockgruppe)
(Diskomusik)
(einen Zauberkünstler)

Schreibübung (zu zweit)

Was für ein Fest feiern Sie?
Schreiben Sie einen Brief als Einladung zu Ihrem Fest!

GEBURTSTAG IN DEUTSCHLAND

Interviewer: Thomas, wo bist du geboren?
Thomas: Ich bin aus Burgsteinfurt. Das liegt in Westfalen.
Interviewer: Wann hast du Geburtstag?
Thomas: Am 26. Mai.
Interviewer: Wie alt bist du heute?
Thomas: Einunddreißig Jahre alt.
Interviewer: Wie hast du deinen Geburtstag gefeiert, als du ein Kind warst?
Thomas: Ich konnte den Abend davor nicht einschlafen. Ich war sehr gespannt auf den nächsten Tag. Am Morgen meines Geburtstags gab es ein Ei, was es sonst nicht gab, und Blumen um mein Gedeck herum. Natürlich war ich viel mehr gespannt auf meine Geschenke, aber ich habe das natürlich nicht gezeigt. Alle sangen, „Hoch soll er leben, dreimal hoch!" Dann konnte ich nicht länger warten und habe meine Geschenke aufgemacht.

> . . . ich backe
> ihm eine
> Geburtstagstorte.
> Vielleicht habe
> ich dann bei ihm
> Chancen.

Interviewer: Wo lagen deine Geschenke?
Thomas: Auf dem Tisch.
Interviewer: Was hast du bekommen?
Thomas: Das weiß ich nicht mehr. Meistens bekam ich Bücher.
Interviewer: Was hast du sonst noch an dem Tag gemacht?
Thomas: Mittags gab es immer „Wunschessen". Ich konnte mein Lieblingsessen wünschen, Stampfkartoffeln mit Sauerkraut, gebratene Zwiebeln und heiße Würstchen, und zum Nachtisch, den es sonst nur sonntags gab, habe ich Quark mit Kirschen gegessen.
Interviewer: Hast du keinen Geburtstagskuchen bekommen?
Thomas: Nein. Nicht in unserer Familie.

Interviewer: Ist es nicht üblich in Deutschland?
Thomas: Doch, viele bekommen eine Geburtstagstorte, aber wir haben keine bekommen.
Interviewer: Und wie feierst du deinen Geburtstag jetzt?
Thomas: Ich mache eine Fête und lade alle meine Freunde ein. In Deutschland machen die Leute die Geburtstags-Party für ihre Freunde und Bekannten selber. . . . ich backe ihm eine Geburtstagstorte. Vielleicht habe ich dann bei ihm Chancen.

Lesehilfe:

der Nachtisch	= Dessert
der Quark	= weißer Käse
üblich	= macht man oft
die Geburtstagstorte	= Geburtstagskuchen
die Fête	= die Party
gespannt sein	= sich freuen auf
die Blume	= z. B.: Rose
um das Gedeck herum	= um den Teller herum
das Geschenk	= was man zum Geburtstag bekommt
hoch soll er leben, dreimal hoch	= (ein Geburtstagslied)
das Wunschessen	= was man gern ißt

Kleine Sprechübung (zu zweit)

Was gibt es/was machst du an deinem Geburtstag?

1. eine Geburtstagstorte
2. gute Wünsche
3. eine Fête
4. Blumen
5. Geschenke
6. Sauerkraut, Zwiebeln und Würstchen
7. Lieder singen
8. Freunde und Bekannte kommen zu dir
9. Nachtisch
10. Du gehst in ein Restaurant
11. _____

Wörter zum Nachschlagen

gespannt ——— der Quark
das Gedeck   früher
das Geschenk   jetzt

„Bitte noch etwas Geduld: In einer Stunde fünfzig Minuten ist es soweit!"

Vokabularübung (zu zweit)

Wünscht du jemandem
- ☐ frohe Weihnachten?
- ☐ ein frohes Neujahr?
- ☐ viel Glück?
- ☐ Gesundheit?

Tanzt du
- ☐ einen Walzer?
- ☐ eine Samba?
- ☐ Rock?
- ☐ Punk?

Was machst du zu Silvester?
- ☐ Siehst du die Sendung vom ,Times Square'?
- ☐ Trinkst du Sekt?
- ☐ Gehst du ins Kino?
- ☐ Fährst du nach China?
- ☐ _____

Was ziehst du an?
- ☐ einen Badeanzug?
- ☐ Bluejeans?
- ☐ Abendkleidung?
- ☐ einen Astronautenanzug?
- ☐ _____

Was machst du mit deinem Sektglas?
- ☐ Wirfst du es gegen die Wand?
- ☐ Stößt du mit jemandem an?
- ☐ Verkaufst du es an einen Nachbarn?
- ☐ Stellst du es in den Kühlschrank?
- ☐ _____

FASCHING TOTAL:

Wann fängt Fasching an?
Am 11.11. um 11 Uhr 11!

Februar						
MO	DI	MI	DO	FR	SA	SO
*	*	*				

* Rosenmontag
* Faschingsdienstag
* Aschermittwoch

Horrormaske Frankenstein

Hundertfache Schockwirkung und ein Riesenspaß. Paßt täuschend echt auf jede Kopfform. Sie können frei durch Mund und Nase atmen.

Frankenstein	Nr. 774618	NUR **DM 34.80**
Totenkopf	Nr. 774715	NUR **DM 19.80**

Kostüme

Supermann:
Im Flug zu erobern
Haremsdame:
Nackte Tatsachen
Winnetou:
Einer zum Pferdestehlen
Cowboy:
Held mit Herz
Der Gigolo:
Schön und schnell
Hexe:
Verzaubern hat sie gelernt
Clown:
Denn das Leben ist ernst genug
Zigeunerin:
Nur halb so wild
Tarzan:
Schwingt sich von Ast zu Ast
Guru:
Ein Mann zum Aussteigen

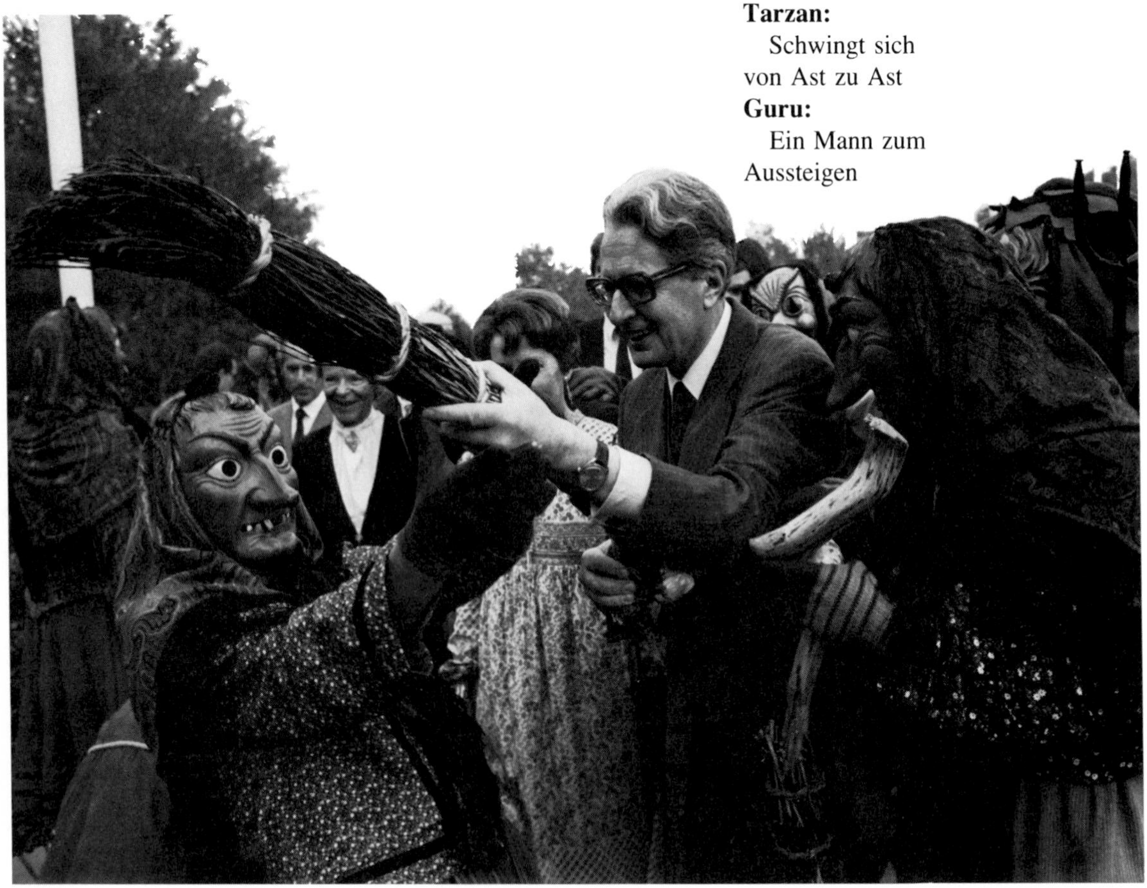

Kleine Schreibübung:

Wie gehst du zum Faching?
Wie ziehst du dich an?

Wann ist der Fasching vorbei?

Am Dienstag vor Aschermittwoch!

Dann weiß ich wieder, wer ich bin!

BLICKPUNKT
MÜNCHEN

- Man nennt München oft „die heimliche Hauptstadt"
  „Weltstadt mit Herz"
  „das größte Dorf Deutschlands".

- Es wohnen hier 1,292 Millionen Menschen.

- Was jeder über München weiß!
  Bier
  Hofbräuhaus
  Oktoberfest
  Dirndl, Lederhosen
  bayerische Gemütlichkeit
  BMW

- Was nicht jeder über München weiß!
  über 800 Jahre alt
  Wirtschaftszentrum im Süden
  Automobil-, Maschinenbau
  Universität
  Deutsches Museum (Technik)
  Pinakothek, Galerien
  Theater, Konzerte, Ausstellungen
  Künstler-Zentrum
  Schlösser, Parks, Seen
  Englischer Garten

*In München steht ein Hofbräuhaus,
eins, zwei, g'suffa!
Da schaun viel schöne Madeln raus,
eins, zwei, g'suffa!
Da hat so mancher brave Mann,
eins, zwei g'suffa!
gezeigt, was er vertragen kann.
Schon früh am Morgen fing er an,
und spät am Abend hört er auf,
so schön ist's im Hofbräuhaus*

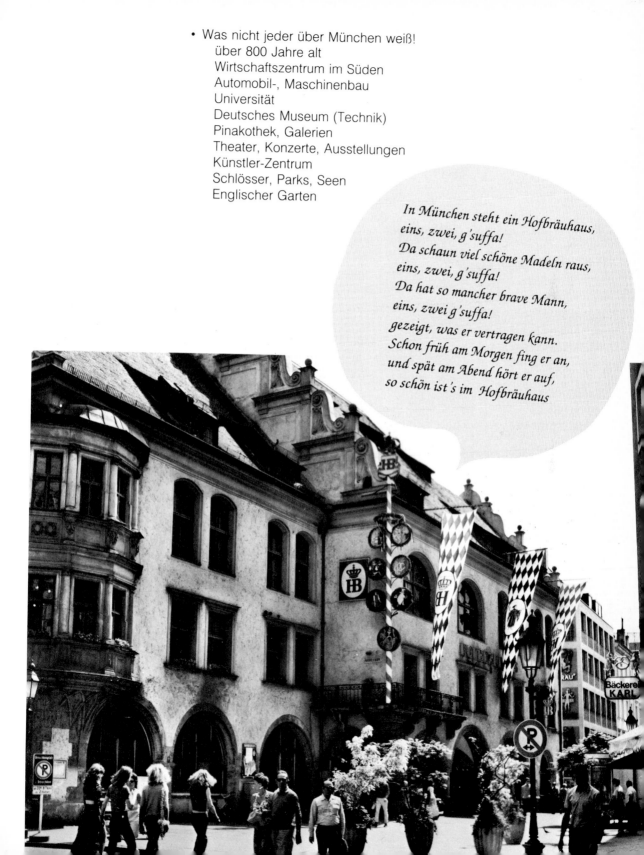

KAPITEL 9

MINIDRAMA 9
Frühlingsfieber

Susi und Jack sitzen auf der
Treppe der Bibliothek. Sie
lesen ihre Notizen. Ein starker
Wind weht.

Susi: Ich werde die Prüfung
  nie im Leben bestehen!
Jack: Wie spät ist es?
Susi: Ich habe keine Uhr bei
  mir, aber es ist ungefähr halb
  zwölf.
*(Willi und Brigitte kommen
  vorbei und bleiben bei ihnen
  stehen.)*
Willi: Na, seid ihr schön
  fleißig? Wie lange seid ihr
  schon hier?

Jack: Wir sind vor zwei Stunden gekommen.

Susi: Ach, ich bin deprimiert. Wir pauken schon seit halb zehn.

Jack: Habt ihr euch auf die Prüfung vorbereitet?

Brigitte: Na klar. Ich habe die ganze Nacht hindurch gearbeitet.

Willi: Ich auch. Und du, Jack?

Jack: Ich nicht. Vorige Woche habe ich noch alles gewußt. Aber jetzt hat der Frühling angefangen, und ich habe schon zwei Tage kein Buch mehr angeschaut. Für mich ist das keine Jahreszeit zum Büffeln.

Susi: Ich bin ganz deiner Meinung. Der Streß ist zuviel für mich! Ich bin todmüde.

Willi: Ihr seid immer müde: im Frühjahr, Sommer, Herbst und Winter. Und warum? Weil ihr lieber Sport treibt und Theater spielt!

(Der Wind weht Willis Notizen weg. Er schreit auf und rennt hinterher.)

Brigitte: Da hast du die Strafe.

Willi: *(kommt zurück ohne seine Notizen)* Zu dumm, sie sind weg.

Susi: Willi, kannst du mir vor der Prüfung noch etwas helfen?

Willi: Ohne Notizen?

Susi: Ja, du bist doch ein Genie und weißt einfach alles.

Willi: Das stimmt zwar nicht, aber das höre ich gerne.

WÖRTER zur KOMMUNIKATION

Substantive

die Bibliothek, -en
der Frühling
das Frühjahr, -e
das Genie, -s
der Herbst
die Jahreszeit, -en
die Meinung, -en
die Nacht, ̈e
die Notiz, -en
die Prüfung, -en

der Sommer
der Sport
die Strafe, -n
der Streß
die Stunde, -n
die Treppe, -n
die Uhr, -en
der Wind, -e
der Winter
die Woche, -n

Verben

an·fangen (fängt an), fing an,
   angefangen
an·schauen
bestehen, bestand, bestanden
büffeln
hinterher·rennen, rannte hinterher, ist
   hinterhergerannt
lesen (liest), las, gelesen

pauken
schreien, schrie, geschrien
treiben, trieb, getrieben
vor·bereiten
vorbei·kommen, kam vorbei, ist
   vorbeigekommen
wehen

Ausdrücke

Das stimmt.
Ich bin deiner Meinung.
Ich bin todmüde.
Ich habe (etwas) bei mir.
ohne Notizen

selbstverständlich
Wie spät ist es?
Sport treiben
(Etwas) ist weg.
eine Prüfung bestehen

Andere Wörter

deprimiert
dumm
fleißig
hindurch
hinterher
lieber

stark
todmüde
ungefähr
vorige
weg
zuviel

UHRZEIT

Wie spät ist es?
Wieviel Uhr ist es?

Offizielle Zeit

Bus/Zug/Flugzeug/Fernsehen/
Radio/Zeitung/Geschäft

Inoffizielle Zeit

Unterhaltung

Es ist zweiundzwanzig
Uhr fünf. ▶

22.05 Uhr ▶

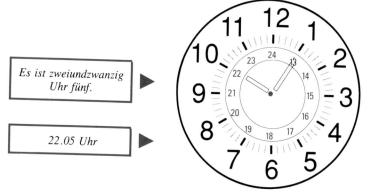

Es ist fünf Minuten
nach zehn. ▶

ES IST 20 UHR! SIE HÖREN NACHRICHTEN

Mitternacht bis Mittag

offiziell

Es ist null Uhr fünfundzwanzig.

Es ist sieben Uhr.
Es ist neun Uhr fünfzehn.
Es ist elf Uhr dreißig.

inoffiziell

Es ist fünfundzwanzig nach zwölf.
oder
Es ist fünf vor halb eins.
Es ist sieben Uhr.
Es ist Viertel nach neun.
Es ist halb zwölf.

Mittag bis Mitternacht

Es ist vierzehn Uhr.
Es ist fünfzehn Uhr fünfundvierzig
Es ist dreiundzwanzig Uhr fünf.

Es ist zwei Uhr.
Es ist Viertel vor vier.
Es ist fünf (Minuten) nach elf.

Auf deutsch!

MUSTER II

ZEITAUSDRÜCKE

Datum ━━━━━━━━━

Der wievielte ist heute?
  Heute ist der erste Mai.
Wann hast du Geburtstag?
  Ich habe im August Geburtstag.
  oder
  Ich habe am 5. (fünften) August
  Geburtstag.

PST!

Kein ,,für'' bei Zeitausdrücken!

Beispiel

Henry bleibt drei Tage an der Ostsee.
Er ist schon drei Tage hier.

,,Ich habe den ganzen Tag nur Pech gehabt!''

Zeitausdrücke ohne Präpositionen + Akkusativ ___

Wann?

Ich habe **jeden Tag** (*m*) Pech.
Kommst du **nächste Woche** (*w*)?
Dieses Jahr (*s*) fahren wir nach Deutschland.

Wie lange?

Wir haben **den ganzen Tag** (*m*) eine Prüfung.
Sie singt **die ganze Zeit** (*w*) unter der Brause.
Ihr lernt **das ganze Jahr** (*s*) Deutsch.

Zeitausdrücke mit Präpositionen + Dativ ___

Beispiele

in	(Monat, Jahreszeit, Jahr, Woche)
	Er studiert zweimal **in der Woche**.
	Sie hat **im Juni** Geburtstag.
an	(Tag, Tageszeit)
	Wir arbeiten **am Montag**.
	Sie hat **am 1. (ersten) Juni** Geburtstag.
vor	Goethe starb vor **150 Jahren**.
nach	**Nach einer Woche** hat er es gewußt.

MUSTER III

ZEITAUSDRÜCKE

Tageszeiten

morgens	am Morgen
vormittags	am Vormittag
mittags	am Mittag
nachmittags	am Nachmittag
abends	am Abend
mitternachts	**um** Mitternacht
nachts	**in der** Nacht

PST!

Bei 2 Zeitausdrücken kein „-s"!

heute morgen	vorgestern mittag
gestern vormittag	heute abend
morgen nachmittag	gestern nacht

aber

abends	früh
nachts	vormittags
nachmittags	morgens

Beispiele

Ich stehe morgens immer früh auf.
Er kommt nachmittags zum Kaffee.
Du gehst abends nach der Arbeit
joggen.
In der Nacht gibt es wenig Verkehr
auf der Autobahn.
Wir essen am Abend nur Salat.
Wir gehen heute mittag einkaufen.
Heute morgen hat es furchtbar ge-
regnet.

Die Woche

vorige Woche 19.–25. Juni 1990				
Montag	Dienstag	Mittwoch	Donnerstag	Freitag
vorgestern	gestern	heute	morgen	übermorgen
26. Juni	27. Juni	28. Juni	29. Juni	30. Juni
nächsten Monat 1.–31. Juli				
nächstes Jahr 1991				

Ich arbeite heute früh mit meinem Onkel.

Ich kaufe morgen früh einen Schirm.

Ich war gestern vormittag an der Uni.

Ich fahre morgen nachmittag zum Strand.

Ich schlafe heute nacht.

Ich gehe übermorgen abend zum Friseur.

Ich schreibe heute nachmittag.

Ich sang gestern nachmittag zwei Lieder.

Ich habe vorgestern abend nichts getan.

AUSPROBIEREN!

Muster I: Uhrzeit

1. (zu dritt) Malt drei Uhren mit drei Uhrzeiten. (offizielle + inoffizielle) „Wie spät ist es?"

2. Offizielle/ inoffizielle Zeit

    a. Wann beginnt der Deutschunterricht?
    b. Wann gehst du zur Mensa?
    c. Wann fängt das Kino an?
    d. Wann geht die Sonne auf?
    e. Wann geht die Sonne unter?
    f. Um wieviel Uhr fängt das Neue Jahr an?
    g. Wann gehst du ins Bett?
    h. Wie spät ist es?

offizielle/ inoffizielle Zeit

7.54/7.54   15.05/3.05   14.30/2.30   10.45/10.45

Muster II: Zeitausdrücke

2 Studenten interviewen einander über ihre Familiengeschichten (in, an, vor, nach).

> **Beispiel:** Wann hattest du Geburtstag?
> Ich hatte vor einem Monat Geburtstag.
> Ich hatte am ersten Juni Geburtstag.

Jahresplan (dies-, nächst-, vorig-, letzt-, jed-, d- ganz-,)

> **Beispiel:** Was hast du letzte Woche gemacht?
> Ich habe die ganze Woche gefastet.

SPRACHLICHE BESONDERHEITEN

schon/seit + Zeitausdruck

schon = subjektive Zeitspanne (Anfang nicht genannt)

die Minute   die Stunde   die Woche   die Monat   das Jahr

seit = Zeitpunkt oder Zeitspanne

APRIL

| 1 | 2 | 3 | 4 | 5 | 6 | 7 |
| MONTAG | DIENSTAG | MITTWOCH | DONNERSTAG | FREITAG | SAMSTAG | SONNTAG |

> *Seit* wann bist du hier?

> Wie lange bist du *schon* hier?

> Ich bin *seit* dem 1. (ersten) April in Berlin.

> Ich bin *schon* eine Woche hier.

Sie sind seit 8 Uhr hier.

Sie sind schon 8 Stunden hier.

Er ist seit 1944 in Amerika.

Er ist schon 44 Jahre hier.

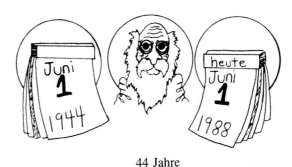

```
                        44 Jahre
←O─ 2 ─┼─ 6 ─┼─ 10 ─┼─ 18 ─┼─ 22 ─┼─ 26 ─┼─ 30 ─┼─ 34 ─┼─ 38 ─┼─ 42 ┼→
```

oder: Er ist seit 44 Jahren hier.

PST!

**Zeitausdrücke ohne Präposition:
Fast immer im Akkusativ**

Beispiele

1. Wir arbeiten schon 10 Minuten.
2. Wir arbeiten seit Montag.
3. Sie trinken schon den ganzen
   Tag.
4. Sie trinken seit heute vormittag.

Sprechübung: schon/seit

2 Studenten fragen, wie lange sie schon etwas haben.

Beispiel: **Wie lange hast du schon dein blaues Auto?
Ich habe es schon eine Woche.
Seit wann spielst du Fußball?
Ich spiele seit einem Jahr.**

WAS SAGT MAN DA?

Sich entschuldigen/darauf reagieren

Entschuldigung!
Entschuldige bitte!
Entschuldigen Sie!
Pardon!
Verzeihung!
Verzeihen Sie (mir) bitte!
Könnt ihr mir noch einmal verzeihen?
Das wollte ich (wirklich) nicht.
Ich habe es nicht so gemeint.
Ich tue es nie wieder.

Macht gar nichts.
Das macht nichts.
Schon gut!
Oh bitte!
Na ja!
Es war nicht so schlimm.
Es hat nicht (sehr) weh getan.
Es ist ja nichts passiert.
Nimm's nicht so ernst.
Mach dir keine Gedanken.

Rollenspiel (zu zweit)

Man entschuldigt sich und reagiert darauf.

a. In der Bibliothek
   Jemand hat 20 Bücher im Arm. Sie/er rennt gegen dich. (tritt dir auf den Fuß; eine Vase fällt herunter; Wasser kommt auf die Hose; sagt: ,,Dummkopf!'')
b. In der Straßenbahn
   Eine Person mit 5 Koffern und eine Person mit Rucksack. (tritt auf den Fuß; nimmt falschen Koffer; *usw.*)
c. Im Porzellan-Laden
   Verkäufer und Kunde, viel Porzellan. (eine Vase geht kaputt; vergißt zu bezahlen)

DEUTSCHES
M A G A Z I N

FAKTEN ODER VORURTEILE

Was wissen wir von Deutschland? Was sind Klischees und Stereotypen? Gibt es „typische Deutsche"?

Blickpunkt: DDR

Wörter ohne Wörterbuch

akzeptieren
der Alkohol
antiautoritär
apathisch
arrogant
die Bar, -s
blind
diskriminieren
extrem
das Faktum, die
   Fakten
finden
formal
der Hamburger, -
die Hausfrau, -en
die Hygiene
hypokritisch
informell
das Klischee, -s
kritisieren
natürlich
neurotisch
der Pazifist, -en
die Pazifistin, -nen
der Pilot, -en
die Pilotin
der Preis, -e
die Realität, -en
der Terrorist, -en
die Terroristin, -nen
tolerant
typisch
der Joghurt
die Zigarette, -n

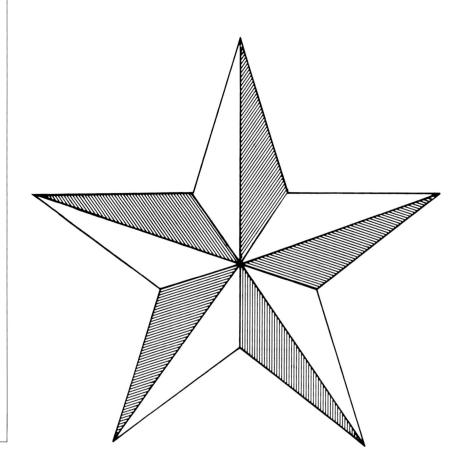

fahren kleine Autos	fahren große Cadillacs
haben alles aus natürlichem Material	haben alles aus Plastik
lassen sich Zeit	Alles muß schnell gehen.
drücken sich präzise aus	sprechen immer in Superlativen
man ist immer pünktlich	man ist oft unpünktlich
die Frauen sind nicht emanzipiert	die Männer sind Chauvinisten
bleiben im Urlaub drei Wochen am Strand oder in den Bergen	sehen im Urlaub zehn Länder in zehn Tagen
sind formell	sind informell
kritisieren ihre Nachbarn	kümmern sich nicht um ihre Nachbarn
die Kinder sind brav	die Kinder sind ungezogen und frech
essen Gemüse, Obst und Joghurt	essen zu viel Brot und Kuchen
schließen schnell Freundschaften	wählen Freunde vorsichtig aus
essen nur Hamburger	essen nur Sauerkraut
mögen Natur	arbeiten immer in geschlossenen Büros
sind kritisch	akzeptieren alles unkritisch
sind antiautoritär	verbieten alles
trinken guten Kaffee, gesunde Kräutertees und Wein	trinken Orangensaft
sind gründlich	sind oberflächlich
sind figurbewußt	sind dick
trinken Cola und Whisky zum Frühstück	trinken Schnaps und viel Bier zum Frühschoppen um elf Uhr vormittags
fahren mit der Straßenbahn oder mit dem Rad	fahren immer mit dem Auto und gehen nie zu Fuß
sind kultiviert	sind nicht kultiviert
essen dauernd Schokolade	kauen immer Kaugummi
haben schmutzige Stadtviertel	pflegen und schmücken Dörfer und Städte
sind Pazifisten	sind Militaristen

sind tolerant und haben Ausländer gern	diskriminieren gegen andere Menschen und schimpfen über Ausländer
sind fleißig	arbeiten nur, wenn sie müssen
sind schlampig, überall im Haus kriechen Kakerlaken	man kann vom Fußboden essen; sind Putzteufel mit Sauberkeitsfimmel
sind politisch apathisch; debattieren nur emotionell	sind politisch engagiert und informiert
haben keinen Geschmack in Kleidung—tragen nur Blue Jeans	legen viel Wert auf modische Kleidung
sind nicht prüde	sind sehr prüde
bringen Freunden fast nie Geschenke mit	bringen bei Einladungen Blumen mit
Es gibt überall Werbeplakate	es gibt überall Blumen und Parks
Hygiene ist nicht sehr stark beachtet	Hygiene ist übertrieben
sind wählerisch	„lieben" alles
machen Spaziergänge an der frischen Luft	sehen in der Freizeit fern und trinken Bier
kaufen jeden Tag frische Lebensmittel	essen nur Fertiggerichte
denken an Kultur	denken nur an Geld
sind mäßig	sind extrem

Übung

1. Finden Sie den Ausdruck typisch amerikanisch?
   Schreiben Sie ein „A" daneben.
   Finden Sie den Ausdruck typisch deutsch?
   Schreiben Sie ein „D" daneben.

Vergleichen Sie Ihre Wahl mit Ihrem Nachbarn. Diskutieren Sie die Unterschiede.

2. Wie sehen Sie die Deutschen?
   Wählen Sie 10 passende Ausdrücke.
   Wie sehen Sie die Amerikaner?
   Wählen Sie 10 passende Ausdrücke.

Vergleichen Sie Ihre Wahl mit Ihrem Nachbarn. Diskutieren Sie die Unterschiede.

3. Bitte beschreiben Sie 4 Personen (Freunde, Nachbarn, berühmte Leute).
   Wählen Sie je 10 passende Ausdrücke.
   Diskutieren Sie die Personen mit Ihren Nachbarn.

Deutschland und die Deutschen: Woran denken Sie?

A. Machen Sie eine Liste mit Wörtern und Gedanken, die Ihnen zu diesem Thema einfallen.

1. _____   5. _____   8. _____
2. _____   6. _____   9. _____
3. _____   7. _____   10. _____
4. _____

B. Ein Gespräch über Vorurteile. Sind Vorurteile . . .

gut	schlecht
fair	unfair
ungefährlich	gefährlich
wertvoll	wertlos
hilfreich	schädlich

Sind Menschen mit Vorurteilen. . . .

tolerant	intolerant
verständnisvoll	egozentrisch
geduldig	ungeduldig
weltoffen	kleinbürgerlich
flexibel	stur
vielseitig	einseitig
weitsichtig	kurzsichtig

Sprechen Sie mit Ihrem Nachbarn über sein/ihr Deutschlandbild.
Hat Ihr Nachbar Vorurteile? Was sind sie? Diskutieren Sie das Thema.

So sehen sich die Deutschen
Klischee und Vorurteil? ━━━━━━━━

Ostfriesen

nicht intellektuell
dumm
Witzfiguren

Hamburger/Bremer

kühl
arrogant

Preußen/Berliner

ordnungsliebend
militaristisch
arbeiten schnell
große Schnauze
meckern

Westfalen

stur
ausdauernd
Dickschädel

Rheinländer

fröhlich
trinken viel Wein
feiern gern

Hessen

blind
stur

Schwaben

sparsam
fleißig
häuslich
kleinkariert

Bayern

gemütlich
langsam
konservativ
tragen Dirndl und Lederhosen
trinken viel Bier

Sprechübung (zu dritt)

Vergleichen Sie:
a. einen Rheinländer und einen Preußen.
b. einen Rheinländer und einen Schwaben.

Wie sind Leute aus

a. Georgia?
b. New York?
c. Texas?
d. . . .

Kennen Sie jemand, der wie ein Westfale ist?
Wie ein Hamburger?
Beschreiben Sie ihn/sie!

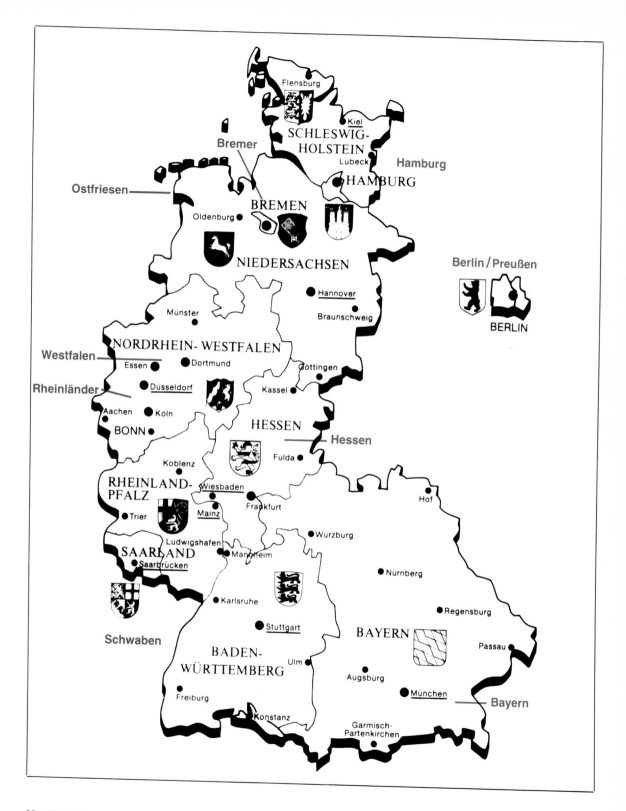

Bremer

Ostfriesen

SCHLESWIG-
HOLSTEIN

Flensburg
Kiel
Lübeck
Hamburg

HAMBURG

BREMEN

Oldenburg

NIEDERSACHSEN

Berlin / Preußen

BERLIN

Hannover
Braunschweig

Münster

NORDRHEIN- WESTFALEN

Westfalen

Rheinländer

Essen
Dortmund

Düsseldorf

Göttingen

Kassel

HESSEN

Aachen
Köln

BONN

Hessen

Koblenz
Fulda

RHEINLAND-
PFALZ

Wiesbaden

Mainz

Frankfurt

Hof

Trier

Würzburg

Ludwigshafen

SAARLAND

Mannheim

Saarbrücken

Nürnberg

Karlsruhe

Regensburg

Schwaben

Stuttgart

BAYERN

Passau

BADEN-
WÜRTTEMBERG

Ulm

Augsburg

München

Bayern

Freiburg

Konstanz

Garmisch-
Partenkirchen

Fakten oder Vorurteile?

Wer sind die Leute?*

1.

2.

3.

4.

5.

6.

*Antworten auf Seite 223.

Auf deutsch!

Können Sie von einem Bild auf einen Menschen schließen?

Beruf

Fernsehstar	Beamter	Tennisspieler
Terroristin	Künstler	Reiseführer
Sängerin	Pilot	Studentin
Politiker	Archäologin	Verkäuferin
Psychoanalytiker	Professor	Handwerker
Hausfrau	Installateur	Schauspieler

Fahrzeug

geht nur zu Fuß	Fahrrad	Camaro
Mercedes 450	Hubschrauber	Rolls Royce
Toyota	Jacht	Kinderwagen
Volkswagen	Untergrundbahn	Rollschuhe

Kleidung

die letzten Pariser Modelle

von der Heilsarmee

vom Kaufhof-Warenhaus

selbst genäht

von Neiman Marcus

vom Großvater geerbt

vom Altwarenhändler

immer mit der Mode

trägt immer Hut und Weste

Punk

sehr billige Kleidung

sehr teure Kleidung

salopp

konservativ

Allgemeines

A. in Deutschland berühmt oder nicht berühmt? (ja/nein)

B. Ist Ihnen die Person sympathisch oder unsympathisch? (ja/nein)

C. Würden Sie die Person zu einer Party einladen? (ja/nein)

Vokabularübung

Bild	Beruf	Fahrzeug	Kleidung	Allgemeines		
				A	B	C
1						
2						
3						
4a						
4b						
5						
6						

„Gastarbeiter"/Ausländer in der BRD

Günter Wallraff ist ein deutscher Schriftsteller. Verkleidet als Türke, erlebte er die Realität der „Gastarbeiter".

- Die größte Minderheit in der BRD sind ausländische Arbeiter und ihre Familien.
- 4,5 Millionen Ausländer
- In einigen Großstädten sind es mehr als 20% der Einwohner.
- Die meisten kommen aus der Türkei—1,6 Million
- Sie können oft nur als ungelernte Arbeiter Geld verdienen.
- Die BRD brauchte sie für die deutsche Wirtschaft.
- Heute gibt es weniger Arbeit, und die Regierung möchte, daß sie die BRD wieder verlassen.

- Besonders problematisch ist die Situation für die Kinder der „Gastarbeiter": sie stehen zwischen zwei Kulturen.
- Viele Jugendliche sind arbeitslos, und ihre Berufschancen sind gering.

Schreibübung

Suche Synonyme oder definiere diese Wörter auf deutsch:

Beispiel	Aufenthalt:	Zeit, in der man irgendwo bleibt.
	Gastarbeiter:	ein Arbeiter aus dem Ausland

Ausländer: _____   jugendliche: _____

Minderheit: _____   arbeitslos: _____

Einwohner: _____   Berufschancen: _____

Regierung: _____   Gaststätte: _____

verlassen: _____   gestatten: _____

Kleine Sprech-/Schreibübung (zu zweit)

Welche Sätze passen auf Axel A. und welche Sätze auf Käthe A.?

1. Ist Hausfrau/Hausmann.
2. Hausarbeit macht ihr/ihm Spaß.
3. Sie/er erzieht die Kinder und ist ganz für die Familie da.
4. Natürlich ist sie/er sehr schön und will ihrem Mann/ seiner Frau gefallen.
5. Ihr/ihm gefällt, daß sie/er so sensibel ist.
6. Sie/er redet etwas zu viel.
7. Sie/er ist unkommunikativ.
8. Sie/er interessiert sich nicht für Technik.
9. Sie/er ist leider etwas aggressiv.
10. Sie/er sorgt finanziell für die Familie.
11. Sie/er ist sehr intellektuell.
12. Sie/er hat ihre/seine Karriere für den/die Partner/-in aufgegeben.

Käthe A.: _____

Axel A.: _____

Leseübung: Sind dies Vorurteile? Stereotypen? Ja/Nein?

- Frauen sollten nur Hausfrau und Mutter sein.
- Kleine Kinder erziehen ist keine Männersache.
- Machos sind richtige Männer.
- Männer sind nicht sensibel.
- Frauen haben mehr Instinkt.
- Frauen verstehen nichts von Politik.
- Frauen haben keine Autorität.
- Frauen sprechen viel.
- Männer sind technisch begabt, Frauen nicht.
- Männer sind aggressiv.
- Frauen müssen schön sein. Intelligenz ist nicht wichtig.
- Die Frau sollte ihre Karriere für die Karriere ihres Mannes aufgeben.
- Der Mann sollte finanziell für die Familie sorgen.
- Haushaltsarbeit ist nicht für den Mann.

BLICKPUNKT

BERLIN (OST)

Tatsachen über Berlin

Einwohner: 1,2 Millionen
Partei: SED (Sozialistische Einheitspartei Deutschlands) Hauptsitz Berlin
Industrie: Elektronik, Elektrotechnik, Gerätebau, Maschinenbau, Lebensmittel

Ganz Berlin hat einen Sonderstatus. Während Westberlin in drei Sektoren aufgeteilt ist und nicht zur BRD gehört, ist Berlin (Ost) zwar ehemaliger sowjetischer Sektor, gleichzeitig aber auch Hauptstadt der DDR. Reisende brauchen ein Visum, um nach Berlin (Ost) zu fahren. Wenn man aus dem Westen kommt, muß man normalerweise mindestens 25 DM an der Grenze wechseln.

Reiseziele für Einzeltouristen: Brecht-Haus Berlin, Arbeits- u. Wohnräume von Bertolt Brecht und Helene Weigel. Chausseestr. 125, Tel. 2 82 99 16, Führungen halbstündlich: Di.—Fr. 10–12, Do. 17–19, Sbd. 9.30–12 u. 12.30–14 Uhr (Straßenbahnen: 18, 22, 24, 46, 63, 70, 71; Busse: 57, 59).

Berlin, die Hauptstadt der DDR, bietet unzählige Sehenswürdigkeiten und verfügt über eine landschaftlich reizvolle Umgebung.

Sehenswürdigkeiten

- die berühmte Straße „Unter den Linden" mit dem Brandenburger Tor, der Humboldt-Universität, der Deutschen Staatsoper, der Deutschen Staatsbibliothek, dem Museum für Deutsche Geschichte, dem Operncafé, der ehemaligen königlichen Bibliothek und der St. Hedwigs-Kathedrale
- der neugestaltete Alexanderplatz und in seiner Nähe der 365m hohe Fernsehturm mit dem Telecafé, die Marienkirche und der Neptunbrunnen
- der Marx-Engels-Platz mit dem Staatsratsgebäude, dem Palast der Republik, dem Alten Museum und dem Dom
- die Museumsinsel mit dem Pergamonmuseum (dazu gehören Kostbarkeiten wie der Pergamonaltar, die Babylonische Prozessionsstraße, das Markttor von Milet und Miniaturen des Islamischen Museums) und dem Bodemuseum (mit dem Münzkabinett und dem Ägyptischen Museum)
- die Nationalgalerie mit Meisterwerken des 19. und 20. Jh.
- das Märkische Museum, welches einen Einblick in die kulturhistorische Entwicklung Berlins vermittelt
- die 14 Theater der Hauptstadt, dazu zählen so berühmte wie die Deutsche Staatsoper, die Komische Oper oder das Berliner Ensemble, sowie der neuerbaute Friedrichstadtpalast
- der Platz der Akademie mit dem Französischen Dom und dem wiedererstandenen Schauspielhaus

Fernsehen

DDR 1

7.55 Englisch (Kl 8/sw/35. Sd)
8.25 Biologie (Kl 9)
9.10 Programm vorschau
9.15 Medizin nach Noten
9.25 Aktuelle Kamera
10.00 Der Haken, Fernsehfilm der DDR
11.00 Troika—Geschichten vom Sport
11.35 Liede und Tänze aus Mecklenburg
12.05 Hobbys, Tips—so wird's gemacht!
12.30 Nachrichten
12.45 Englisch (Kl 7/sw/ 8.Sdg) (bis 13.15)
15.25 Programmvorschau
15.30 Du wirst durch Gärten gehen, Polen 74, R: W. Podgorski; nach dem gleichnamigen Roman v. R. Binkowski
16.50 Medizin nach Noten
17.00 Nachrichten
17.10 Gewußt wie
17.15 Halbzeit, Intermezzo
18.45 Programmvorschau
18.50 Unser Sandmännchen
19.00 Abenteuer der Wildnis, 5. Im Tal der Königslachse
19.25 Das Wetter
19.30 Aktuelle Kamera
20.00 Neues übern Gartenzaun, 6. Brautleute
21.00 Rheuma—Krankheit mit hundert Gesichtern Bericht der Neuen Fernseh-Urania
21.30 Urania-Forum Sie fragen per Telefon— Experten antworten

DDR 1

22.00 Heirat auf sizilianisch (sw) It. 63, R: Marcello Andrei, D: Annette Stroyberg, Gerard Blain, Nina Castelnuoro u.a
   In einer italienischen Kleinstadt wirbelt eine Vergewaltigung viel Staub auf und wird durch Heirat gesühnt". Der Katholische Filmdienst hielt das Werk für „bedenklich"
23.30 Aktuelle Kamera
23.45 Gewinnzahlen der Tele-Lotto-Mittwoch-Ziehung Sendesschluß gegen
23.50 Uhr

DDR 2

7.55 Sendungen des Schulfernsehens
16.00 Ellentie, Filme, Spaß und sonst noch was (ab 6)
17.10 Lehrerinformation
17.30 Siehste, bei uns im 2.
17.35 Medizin nach Noten
17.45 Nachrichten
17.50 Unser Sandmännchen
18.00 Das Verkehrsmagazin
18.25 Lehrerinformation
18.45 Siehste, bei uns im 2.
18.50 Tele-Lotto-Mittwoch-Ziehung
18.55 Nachrichten
19.00 Wer der Wind sät (sw) USA 59. R: Stanley Kramer, D: Spencer Tracy, Frederic Marsh, Gene Kelley u. a.Ein Biologielehrer wird in der bigotten amerikanischen Provinz angeklagt, weil er seine Klasse die Darwinische Theorie lehrte.

DDR 2

21.30 Aktuelle Kamera
22.00 Der Turm Ungarn 83, R: Andras Rajnai, D: Jacint Jumasz, Atilla Nagy u. a. Aus der Reihe „Elektronische Märchen für Erwachsene". Sendesschluß gegen
23.15 Uhr

Gastronomie

Internationale Küche und landesübliche Spezialitäten z. B.

In Berlin: Eisbein mit Sauerkraut, Kasseler Rippespeer, Bockwurst, Pfannkuchen, Kartoffelpuffer;
Im Norden: Fisch;
Im Süden: Thüringer Rotwurst, Thüringer Rostbratl, Thüringer Klöße, Halberstädter Würstchen.
Preis für ein Mittag- oder Abendessen in einem guten Restaurant ca. 10,00 M.

PST!

In der DDR heißt das Geld Mark (M), in der BRD heißt es Deutsche Mark (DM)!

Sprechübung:

Was möchtest du in Berlin (Ost) sehen?
Warum ist die Straße ,,Unter den Linden" berühmt?
Warum ist Berlin für die DDR wichtig?
Gibt es auch amerikanische Filme im DDR-Fernsehen?
Wo wohnte Bertolt Brecht?
Was kann man in Berlin essen?

Lesen Sie diese Seite erst, wenn Sie die Übung auf Seite 216–17 gemacht haben!

Bild 1: Josef Beuys, Künstler, moderne Skulpturen, trägt immer Hut und Weste
Bild 2: Nina Hagen, Rocksängerin, Punk-Rock, lebte früher in der DDR, Kleidung: Punk-Stil
Bild 3: Gudrun Ensslin, Terroristin, gehörte zur Baader-Meinhof-Gruppe. Starb im Gefängnis durch Selbstmord.
Bild 4a: Helmut Schmidt, früherer Bundeskanzler, konservative Kleidung
Bild 4b: Loki Schmidt, Archäologin, Frau von Helmut Schmidt, Kleidung: salopp

Bild 5: Franz Beckenbauer, Fußballspieler (Haben Sie richtig geraten?) Kleidung: sportlich
Bild 6: Alexander Mitscherlich, Psychoanalytiker

Alle Bilder

In Deutschland sind alle die abgebildeten Personen berühmt oder berüchtigt. Es tut uns leid, aber wir konnten nicht alles über Kleidung und Autos in Erfahrung bringen.

Haben Sie alle Berufe richtig geraten? Sie sind große Menschenkenner!!

MINIDRAMA 10
Was heißt hier
Schönheitskönigin?

Jack amüsiert sich im
Universitäts-Schwimmbad.
Brigitte stellt ihre Freundin
Jane vor.

Jane: Tag Jack. Ich habe
schon viel von dir gehört.
Jack: Hoffentlich nur Gutes.
Brigitte: Es ist zu kalt heute.
Wo ist mein Handtuch? Ich
werde mich erkälten.
Jane: Ich freue mich schon
auf wärmere Tage. Ich
glaube, heute ist der kälteste
Tag des Monats.
Jack: Huh, ich werde mir

wohl meinen Pullover
anziehen müssen.

Brigitte: Du hast ja genau
den gleichen Pullover wie
ich! Mit einem Bild von der
Günderode vorne. (*nimmt
ihn*)

Jack: Erinnerst du dich nicht?
Der Pullover gehört dir; du
hast ihn mir geliehen. Aber
darf ich ihn jetzt haben? Ich
friere.

Brigitte: Na gut. Hier ist er.
Ich werde ihn wohl nie
wieder bekommen. Übrigens,
wie findet ihr meinen neuen

Badeanzug?

Jane: Oh, dieser Bikini ist
schöner als dein alter
Badeanzug.

Jack: Er ist sehr schick. Du
wirst noch einmal eine
Schönheitskönigin.

Jane: Aber Jack, du bist doch
kein Chauvinist! Du weißt,
das möchten heute nur
wenige Frauen. Wir wollen
viel lieber einen Beruf
ergreifen.

Brigitte: Ja, wir können
unser Geld besser durch
unsere Intelligenz verdienen.

Jack: Ihr verkennt mich.
Auch Männer können
Schönheitskönige sein!

Brigitte: Also komm,
Schönheitskönig. Gehen wir
Eis essen!

Jack: Gute Idee, aber wer
bezahlt?

WÖRTER zur KOMMUNIKATION

Substantive

der Badeanzug, ⸚e
der Beruf, -e
der Bikini, -s
der Chauvinist, -en
das Eis
das Handtuch, ⸚er

die Intelligenz
der Monat, -e
der Pullover, -
der Schönheitskönig, -e
die Schönheitskönigin, -nen
das Schwimmbad, ⸚er

Verben

sich amüsieren
an·ziehen, zog an, angezogen
bezahlen
ergreifen, ergriff, ergriffen
sich erinnern
sich erkälten
finden, fand, gefunden
sich freuen

frieren, fror, gefroren
gehören
hören
leihen, lieh, geliehen
mögen (mag), mochte, gemocht
verdienen
verkennen, verkannte, verkannt

Andere Wörter

alt
einmal
genau
gleich
kalt
schick

übrigens
vorne
warm
wenig
wieder

Ausdrücke

Erinnerst du dich nicht?
etwas Gutes
Ich friere.

Ich habe viel von dir gehört.
Ich werde mich erkälten.
jemand vorstellen

MUSTER I

KOMPARATIV

POSITIV	neu
KOMPARATIV	neu + er = neuer
SUPERLATIV	am neu + sten = am neusten

Dieses Mauseloch ist klein.
kleiner
am kleinsten
Diese Maus ist intelligent.
intelligenter
am intelligentesten

oft   Adjektive mit einer Silbe und a, o, u → + Umlaut

POSITIV	KOMPARATIV	SUPERLATIV
arm	ärmer	am ärmsten
jung	jünger	am jüngsten

Beispiele

Diese Falle ist billig (billiger/am bil- ligsten).
Sein Sessel ist groß (größer/am größten).
Die Mäuse laufen schnell (schneller/am schnellsten).

PST!

Adjektive mit ,,-t, -d, -s`` Endung: plus -e- im Superlativ

z.B. am lautesten

Besondere Adjektive und Adverben

hoch	höher	am höchsten
nah	näher	am nächsten
gut	besser	am besten
viel	mehr	am meisten
gern	lieber	am liebsten

Beispiele

Dieses Gewehr schießt gut (besser/am besten).
Seine Frau schaut gern (lieber/am liebsten) zu.

Einmalig: Deutschlands längste Skiabfahrt im Dammkar: 6,5 km!
zünftige Berggaststätte mit Sonnenterrasse, Liegestühle, geräumter Höhenweg
INFO: 0 88 23 / 84 80

Karwendelbahn
MITTENWALD
933 m   2244 m

MUSTER II

VERGLEICHE

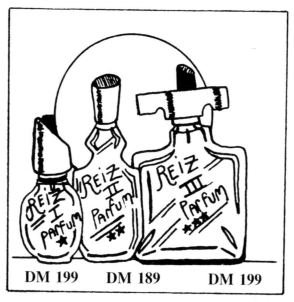

DM 199   DM 189   DM 199

---

so + Positiv + wie

z.B.   ,,Reiz I'' ist **so** teuer **wie** ,,Reiz III.''
         Das erste Parfum riecht **so** gut **wie** das zweite.

Komparativ + als

z.B.   ,,Reiz III'' ist teu**rer** als ,,Reiz II.''
         ,,Reiz II'' riecht stärk**er** als ,,Reiz I.''

am + Superlativ

z.B.   ,,Reiz II'' ist am billigsten.

Aber: vor Substantiven

Positiv	Die Frau hat schick**e** Kleider.
	schick + Adjektivendung
Komparativ	Aber diesen Winter gibt es schick**ere** Kleider.
	schick + er + Adjektivendung
Superlativ	Die schick**sten** Kleider sind aus Düsseldorf.
	schick + (e)st + Adjektivendung

Franziska Becker

Mit der-Wörtern

Ihre Kleidung hat nicht die **aktuellsten** Farben.
Die **meisten** Sachen gefallen ihr nicht.
Die **weiteste** Hose paßt nicht mehr.
Sie will nicht die **höchsten** Preise bezahlen.

Mit ein-Wörtern

Ein **schöneres** Kleid findet sie nicht im Schrank.
Sie sucht eine **modernere** Bluse.

Ohne der-/ein-Wörter

In diesem Winter trägt man **buntere** Mäntel.
Sie wartet auf **niedrigere** Preise.

MUSTER III

REFLEXIVPRONOMEN

Ich freue mich auf die Reflexivpronomen.

Akkusativ	Dativ
mich	mir
dich	dir
sich	sich
uns	uns
euch	euch
sich	sich

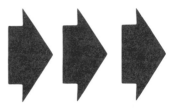

Beispiele: sich fühlen

Ich **fühle mich** kaputt.

Du **fühlst dich** kaputt.

Er **fühlt sich** kaputt.

Sie **fühlt sich** kaputt.

Es **fühlt sich** kaputt.

Wir **fühlen uns** kaputt.

Ihr **fühlt euch** kaputt.

Sie **fühlen sich** kaputt.

Eierköpfe

Eierkopf grüßt den kaputten Wolfgang M. Biehler!

Reflexivpronomen im Akkusativ: Ich wasche mich.

Reflexivpronomen im Dativ: Ich wasche mir die Haare.

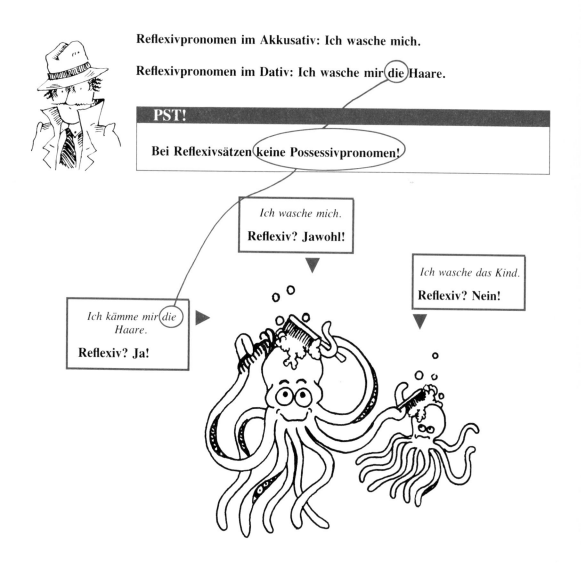

PST!

Bei Reflexivsätzen keine Possessivpronomen!

Ich wasche mich.
Reflexiv? Jawohl!

Ich wasche das Kind.
Reflexiv? Nein!

Ich kämme mir die Haare.
Reflexiv? Ja!

Immer reflexiv

sich amüsieren
     erinnern (an) + A.
     erkälten
     freuen (auf) + A.
     fürchten (vor) + D.
     interessieren (für) + A.
     kümmern (um) + A.
     unterhalten

AUSPROBIEREN!

Muster I und II: Komparativ/Vergleiche

1. Alles über mich (zu dritt)

> **Beispiele:** **Ich bin intelligent.**
> **Ich bin groß.**
> **Ich bin laut, aber sehr klug.**

groß	schlecht
klug	häßlich
reich	amüsant
gesund	kaltherzig
dumm	krank
interessant	ruhig
langweilig	*usw.*

2. Vergleicht euch gegenseitig.

> **Beispiele:** **Ich bin so ruhig wie du, aber ich bin klüger.**
> **Ihr seid vielleicht ruhig, aber ich bin am ruhigsten.**

3. Vergleicht euer Aussehen und eure Kleidung.

Muster III: Reflexivpronomen

1. Was machst du jeden Morgen? (zu dritt)

> **Eine Person spielt was vor, z.B. sich kämmen.**
> **Die zweite Person rät, ,,Du kämmst dich."**
> **Die dritte Person sagt, ,,Er/sie kämmt sich."**
> *usw.*

2. Erzählt eine Geschichte mit diesem Vokabular. (zu zweit)

> **Beispiele:** Ich amüsiere mich wahnsinnig gut, wenn ich in die Disco gehe.
> Ich erinnere mich besonders an eine tolle Jazzgruppe.

sich amüsieren

sich erinnern an

sich erkälten

sich freuen auf

sich fürchten vor

sich interessieren für

sich kümmern um

sich unterhalten

(immer mit Akkusativ)

SPRACHLICHE BESONDERHEITEN

Verben + Akkusativ

denken an

sich freuen auf

sich interessieren für

sich kümmern um

warten auf

Beispiele

Roberto **denkt** immer **an** seine Miete. Er **freut sich** nicht **auf** das Ende des Monats.
Als Filmemacher **interessiert er sich für** Stummfilme aus den 20er Jahren.

Seine Freundin Wilhelmine **kümmert sich** nicht genug **um** ihn.
Roberto **wartet** den ganzen Tag **auf** ihren Telefonanruf.

Verben + Dativ

danken

folgen

gefallen

gehören

glauben

gratulieren

Beispiele

Die Journalistin **folgt** den Kandidaten durch das ganze Land.
Der Werbefilm **gefällt** mir.
Natürlich **gehört** ihr dieser kapprige VW mit dem Lautsprecher.

Die Wählerin **glaubt** ihrem Kind und nicht den Politikern.
Franz **gratuliert** der Kandidatin zu ihrem Erfolg.
Der Politiker **dankt** seinem Publikum.

Eine kleine Blitzübung

Verben + Akkusativ

A sagt eine Präposition (*an, auf, für* oder *um*).
B sagt ein Verb dazu.
A macht einen Satz.
Beispiel   A: an. B: denken an.
A: Klaus denkt an seine Tante.

Verben + Dativ

A sagt das Verb.
B macht einen Satz.
Beispiel   A: gratulieren. B: Ich gratuliere dir zum Geburtstag.

WAS SAGT MAN DA?

Sich bedanken ━━━

Vielen Dank!
Ich danke Ihnen.
Ich möchte Ihnen danken.
Ich bin Ihnen sehr dankbar.
Das ist nett, daß (Sie mich mitnehmen).

Es ist nett, daß (Sie mich abholen).
Das finde ich sehr nett von Ihnen.
Das ist aber nett (lieb, freundlich).
Ich bin sehr froh, daß (Sie das machen).

Danke!
Danke sehr!
Danke schön!

Vielen Dank (für) . . .
Herzlichen Dank!
Besten Dank!

Auf Dank reagieren ━━━

Bitte!
Bitte schön!
Aber bitte!
Gern geschehen!

Keine Ursache!
Nichts zu danken!
Das ist doch selbstverständlich.

Rollenspiele

Autofahrer/in nimmt einen Anhalter mit.
Ein Kind hilft einer alten Frau über die Straße.
Ein Mann holt ein Buch für eine Freundin aus der Bibliothek.
Eine Frau gibt ihrer Nachbarin Blumen.
Ein Freund gibt dir eine Konzertkarte.

DEUTSCHES
M A G A Z I N

Wörter ohne Wörterbuch

der Alliierte, -n
das Ende, -n
fit
frisch
die Gitarre, -n
das Golf
das Interview, -s
das Instrument, -e
joggen
das Judo
klassisch
das Konzert, -e
die Musik
das Original, -e
der Partner, -
das Picknick, -e
die Porzellan-
   manufaktur, -en
schwimmen
der Ski, -er
der Sport
das Tennis
das Theater, -
das Wandern;
   wandern
der Wasserski, -er
das Windsurfing

FERIEN UND FREIZEIT

Viele Deutsche gehen gern spazieren. „Frische Luft" ist wichtig. Was machen sie im Urlaub und in der Freizeit? Es gibt ein breites Spektrum: Manche segeln, wandern und tanzen, andere stricken, lösen Kreuzworträtsel oder sitzen einfach herum. Es gibt viele private Sportklubs. „König Fußball" hat Millionen von Zuschauern—entweder im Stadion oder vor dem Fernsehapparat.

Blickpunkt: Dresden

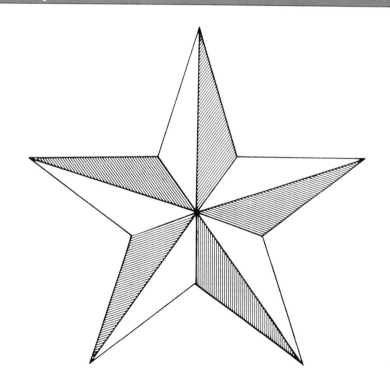

Martin Walser, geb. 1927 in Wasserburg am Bodensee. Romane, Dramen, Essays

Aus:

Martin Walser
Ein fliehendes Pferd

Novelle

Ja, also, seit drei Jahren kommen die auch schon hierher in Urlaub. Und wohnen draußen in Maurach. Also keinen Kilometer von uns weg, sagte Sabine. Sie, Sabine und Helmut, wohnten in derselben Richtung, schon elf Jahre lang. Sie, Hel und Klaus, hatten das Mittelmeer satt. Das ist wirklich lustig, daß sie seit drei Jahren nebeneinander Urlaub machen und einander nie gesehen haben. Also, wenn das nicht lustig ist, Helmut. Mensch, Helmut, wie findest du das? Doch, das findet er auch lustig. Hel und Klaus segeln viel. Sabine und Helmut liegen lieber faul am Wasser, dann sitzen sie herum.

Paß auf, ich gehe schnell in die Stadt und kauf uns Turnschuhe, Trainingsanzüge, Turnhosen, Turnhemden. Bitte, nicht lachen, nicht weinen, es hat alles keinen Sinn, wir müssen uns bewegen. Wenn du nicht baden willst, dann laufen wir eben. Laß uns auch einmal opportunistisch sein, Mensch. Volkslauf, Sabine. Gehst du mit in die Stadt? Wir könnten uns Fahrräder leihen. Bei Zürns. Würdest du das tun? Bitte, bitte, Sabine, sei so gut, frag, ob wir zwei Fahrräder kriegen, oder nein, wir kaufen welche, ja, endlich, jetzt flutscht es – zu spät, das Klaus-Buch-Wort war schon heraus, und Sabine hatte es als solches erkannt –, wir kaufen Räder, vorn, vis à vis vom *Löwen*, die blitzendsten Räder, die es gibt, dann fahren wir in die Stadt, dann kleiden wir uns ein, dann fahren wir mit den Rädern in die Wälder, dann stellen wir die Räder hin und machen einen Waldlauf. Komm.

Kleine Lesehilfe

der Urlaub: Ferien, wenn man nicht arbeitet

etwas satt haben: etwas nicht mehr mögen

das Turnen: Gymnastik, Sport

der Volkslauf: Laufen mit einer großen Gruppe von Leuten

das Rad: das Fahrrad

Leseübung—*Ja* oder *Nein*?

1. _____ Sabine und Helmut kommen schon drei Jahre hierher in Urlaub.
2. _____ Klaus fährt gern ans Mittelmeer.
3. _____ Sabine liegt gern faul am Wasser.
4. _____ Klaus und Hel segeln viel.
5. _____ Trainingsanzüge kann man in der Stadt kaufen.
6. _____ Helmut will mit dem Fahrrad in die Wälder fahren.
7. _____ Er möchte keinen Waldlauf machen.
8. _____ Martin Walser hat *Ein fliehendes Pferd* geschrieben.

Und was machst du in deiner Freizeit? _____

Golf spielen

segeln

auf Berge steigen

ins Theater gehen

tanzen

Skifahren

rudern

segeln

spazierengehen

Schlittschuh laufen

Judo lernen

reiten

ein Instrument spielen

ins Konzert gehen

Windsurfen

angeln

Schlittenfahren

sticken

Golf spielen

Fahrrad fahren

Drachenfliegen

Tennis spielen

schwimmen

stricken

einkaufen

Wasserskilaufen

ein
Museum
besuchen

Schreib- und Sprechübung

Interviewen Sie ihren Nachbarn/
ihre Nachbarin.
Wohin fahren Sie in den Ferien?
Was machen Sie am Liebsten?
Was machen Sie in ihrer Freizeit?
usw.

Formulieren Sie ihre Fragen:	Antworten:

Was gaben die Deutschen 1989 für Freizeit aus?		
	je Haushalt und Monat, DM	Und du?
Urlaub	154,81	_____
Bücher, Zeitungen, Zeitschriften	48,94	_____
Rundfunk, Fernsehen	45,95	_____
Kraftfahrzeug	61,50	_____
Sport und Camping	31,01	_____
Gartenpflege und Tierhaltung	38,43	_____
Spiele und Spielzeug	14,42	_____
Besuch von Bildungs- und Unterhaltungsstätten	12,30	_____
Fotografieren, Filmen	6,46	_____
Sonstiger Freizeitbedarf	52,57	_____

erradeln
erwandern
erleben!

Informationen:
Mühlenkreis,
PF 2580, 4950 Minden

Interview

Barbara: Sandra, was machst du in deiner Freizeit?

Sandra: Ich lese gerne und gehe in Konzerte.

Barbara: Hast du einen Lieblingssport?

Sandra: Nein, ich mache alles gerne. Aber ich hasse es zu joggen. Ich treibe gern Sport mit mehreren, z.B. Tischtennisspielen.

Barbara: Gewinnst du oft?

Sandra: Nein, in der Regel nicht.

Barbara: Warum spielst du dann?

Sandra: Weil es Spaß macht! Wir spielen gewöhnlich nicht um Punkte.

Barbara: Spielst du ein Instrument?

Sandra: Ja. Gitarre.

Barbara: Hast du dir das selber beigebracht?

Sandra: Teilweise. Ich habe klassische Gitarre spielen gelernt und habe viele Erfahrungen im Pop-Bereich im Zusammen-spiel mit Freunden gemacht.

Barbara: Ist Gitarren-Unterricht teuer in Deutschland?

Sandra: Es gibt staatliche Bildungseinrichtungen (Musikschulen), die ziemlich teuer sind. Im Augenblick sind alter-native Bildungswerke von der Szene (Subkultur) ziemlich gefragt, da diese ungefähr um die Hälfte billiger sind.

Barbara: Besuchst du Tanzkurse?

Sandra: Nein. Erstens, weil ich in der Schule einen besuchen mußte, wo wir Foxtrott, Walzer und Boogie gelernt haben. Zweitens, weil sie zu spießbürgerlich sind und drittens zu teuer.

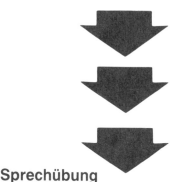

Sprechübung

Gruppenarbeit zu zweit:

A stellt die gleichen Fragen wie die Interviewerin, aber über die USA.

B gibt seine/ihre eigene Antwort.

Fit in den Sommer

ein Picknick machen ▶

Wieviel Sport verträgt ihr Körper?

In den Vereinigten Staaten haben Wissenschaftler die positiven Einflüsse der verschiedenen Sportarten auf den menschlichen Körper mit „Noten" versehen. Die Höchstnote beträgt 21 Punkte. Die letzte Zeile der Tabelle zeigt den Kalorienverbrauch bei einer halben Stunde Sport

Körperliche Form	Radfahren	Squash	Tennis	Wandern	Golf	Joggen	Schwimmen	Gymnastik
Herz-Atmungs-Widerstandsfähigkeit	19	19	16	13	8	21	21	10
Muskel-Widerstandsfähigkeit	18	18	16	14	8	20	20	13
Kraft	16	15	14	11	9	17	14	16
Gelenkigkeit	9	16	14	7	8	9	15	19
Gleichgewicht	18	17	16	8	8	17	12	15
Allgemeinzustand Gewicht	20	19	16	13	6	21	15	12
Muskulatur	15	11	18	11	6	14	14	8
Verdauung	12	13	12	11	7	13	13	11
Schlaf	15	12	11	14	6	16	16	12
Insgesamt	142	140	133	102	66	148	140	116
Betrag des Durchschnitts-Kalorienverbrauchs pro halbe Stunde (in Kalorien)	380	450	300	180	150	390	360	300

Radfahren

Ein Sport für jung und alt, für Mann und Frau. Jeder sollte dieses Frühjahr zur Radsaison erklären und kräftig in die Pedale treten. Hauptverletzungsgefahren beim Radfahren: Überanstrengung durch zu lange Touren, Kreislaufbeschwerden wegen Hitze und mangelnder Übung. Hier heißt es auch noch: Augen auf im Verkehr! Daher sollten Sie Ihre Radtour vorher planen und ruhige Wege abseits belebter Straßen aussuchen.

Leseübung—Richtig oder falsch?

_____ Radfahren ist nur für junge Leute.

_____ Jeder sollte dieses Frühjahr zur Skisaison erklären.

_____ Bei einem Picknick verbraucht man 600 Kalorien durch Kauen.

_____ Beim Radfahren muß man auf den Verkehr aufpassen.

_____ Beim Wandern verbraucht man 360 Kalorien pro $\frac{1}{2}$ Stunde.

Sprechübung

Sprechen Sie mit ihrem Nachbarn/ihrer Nachbarin über das Tanzen.

Holen Sie einen Partner. Jetzt versuchen Sie die verschiedenen Tanzschritte.

Passen Sie auf! Treten Sie nicht auf die Füße ihres Partners/ihrer Partnerin!

Vom ersten Schritt hängt alles Weitere ab.

Boogie-Schritt

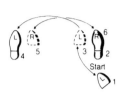

Quickstep-Schritt

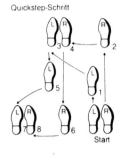

Samba-Schritt

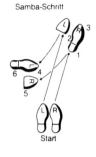

Beat-Schritt

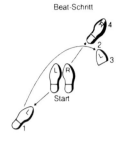

Latin-Swing-Hustle-Schritt

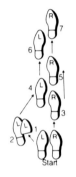

Langsamer Walzer-Schritt

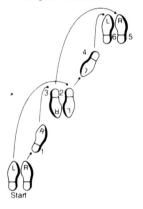

Memphis-Schritt

Jive-Schritt

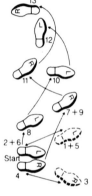

Cha-Cha-Cha-Schritt

Rumba-Schritt

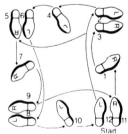

Blues-Schritt

Tango-Schritt

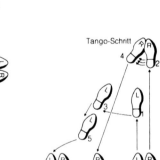

Übung

Welcher Tanz ist am einfachsten?
Welcher Tanz macht am meisten Spaß?
Welcher Tanz gefällt Ihnen am wenigsten?
Welche Tanzschritte sind am kompliziertesten?
Gehen Sie gern tanzen?
Haben Sie zwei linke Füße?

DRESDEN

- Stadt im 13. Jahrhundert gegründet.
- Eine der größten Städte der DDR. Einwohnerzahl: 513 000.
- Wichtig für Kultur und Tourismus. Eine wichtige Industriestadt.
- Dresden wurde kurz vor Ende des 2. Weltkrieges von den Aliierten fast völlig zerstört. Amerikanischer Roman über diese Zeit in Dresden: Kurt Vonnegut, *Slaughterhouse Five*.
- Attraktionen: Zwinger, Barockgebäude mit Gemäldegalerie (im Original wiederaufgebaut).
  Semper-Oper wurde 1985 neu eröffnet (auch im Original wiederaufgebaut).
- Nicht weit von Dresden: die weltberühmte Porzellanmanufaktur Meißen.

Kleine Sprechübung

1. Wer hat ein Buch über Dresden geschrieben?
2. Warum ist Dresden wichtig?
3. Wohin kann man gehen, um berühmte Malereien zu sehen?
4. Wo gibt es Teller und Tassen?
5. Wie heißt die Region nordöstlich von Dresden?

MINIDRAMA 11
Ausgerechnet Bananen

Susi und Brigitte sind bei Herrn Professor Doktor Breitmoser zu Besuch. Sie klopfen an die Tür.

Susi: Du, Herr Breitmoser ist gar nicht langweilig, sondern er kann sehr witzig sein. Ein wenig exzentrisch vielleicht, aber . . .

Brigitte: Ich werde ja gleich feststellen, ob das wahr ist.
(*Sie klopfen noch einmal.*)

Susi: Was machen wir, wenn niemand zu Hause ist? Hat er uns vergessen?

Brigitte: Seit ich diesen Georg Breitmoser kenne,

habe ich immer Pech!
(*nach einer Weile*)
Marianne Breitmoser:
(*macht die Tür auf*)
Entschuldigen Sie, daß es so
lange gedauert hat. Mein
Mann wollte die Tür
aufmachen, aber er ist auf
einer Bananenschale
ausgerutscht.
Susi und Brigitte: (*erschrocken*)
Oh, das tut uns aber leid.
Susi: Hoffentlich hat er sich
nicht verletzt?
Marianne Breitmoser: Nein,
nicht sehr, aber er liegt jetzt
auf dem Sofa. Als er das
letzte Mal hinfiel, war es viel
schlimmer. Aber kommen
Sie doch bitte herein.

(*Sie gehen durch den Flur ins
Wohnzimmer.*)
Brigitte: (*leise zu Susi*) Ich
frage mich, weshalb sie so
viele Bananen hier herum-
liegen haben?
Susi: Habe ich dir das nicht
gesagt? Sie lehren einen
Affen sprechen, weil das
noch keiner kann.
Brigitte: Mensch, Susi! Hier
hockt auch ein Papagei, und
überall liegen Sonnen-
blumenkerne! Ich wundere
mich jetzt aber wirklich!
Exzentrisch!
Papagei: ,,Ausgerechnet
Bananen, Bananen verlangt
sie von mir.''
Herr Breitmoser: Guten

Tag, meine Damen. Was
halten Sie von dem Fort-
schritt meiner lieben Tiere?
Ist das nicht großartig?
Brigitte: (*in Schock, leise zu
Susi*) Das halte ich nicht aus!
Warum hast du mir das nicht
vorher gesagt!
Susi: Phantastisch, Herr
Professor!
Frau Breitmoser: Nun zu
Tisch! Ich freue mich schon
auf den Kaffeeklatsch.
Georg, hast du dich schon
erholt?
Herr Breitmoser: Es wird
schon gehen.

WÖRTER zur KOMMUNIKATION

Substantive

der Affe, -n
die Banane, -n
die Bananenschale, -n
der Besuch, -e
der Flur, -e
der Fortschritt, -e
der Kaffeeklatsch, -e
der Papagei, -en
das Pech

der Schock, -s
das Sofa, -s
der Sonnenblumenkern, -e
das Tier, -e
die Weile
das Wohnzimmer, -

Verben

aus·halten (hält aus), hielt aus,
    ausgehalten
aus·rutschen
beibringen, brachte bei, beigebracht
dauern
sich erholen
fest·stellen
sich fragen
halten (hält), hielt, gehalten
herum·liegen (liegt herum), lag
    herum, herumgelegen
hin·fallen (fällt hin), fiel hin, ist
    hingefallen

hocken
herein·kommen (kommt herein), kam
    herein, ist hereingekommen
klopfen
lehren
schockieren
vergessen (vergißt), vergaß,
    vergessen
verlangen
sich verletzen
sich wundern

Andere Wörter

ausgerechnet
erschrocken
exzentrisch
hoffentlich
niemand

schlimm
seitdem
vorher
witzig

Neue Ausdrücke

zu Besuch sein bei
Pech haben
nach einer Weile
das letzte Mal
noch einmal
Das halte ich nicht aus.

Wir gehen zu Tisch.
Es wird schon gehen.
Hast du dich erholt?
Entschuldigen Sie.
Was hältst du von . . . ?

SUBORDINIERENDE KONJUNKTIONEN

als, bis, bevor, da, damit, da, ehe, indem, nachdem, ob, obgleich, obwohl, seitdem, sobald, solange, sooft, während, weil, wenn

PST!

Diese Konjunktionen stehen am Anfang von Nebensätzen.

Weißt du, **ob** heute Wahltag ist?
Meine Nachbarn möchten sich informieren, **ehe** sie wählen.
Indem die Grünen etwas gegen Umweltverschmutzung tun, werden sie immer populärer.
Nachdem Frau Schulze gewählt hatte, lachte sie.

Versteht ihr die subordinierenden Konjunktionen aus dem Kontext?

Wählerlisten liegen hier aus

Seitdem Egbert wieder in Deutsch- land ist, geht er immer zum Fußballplatz.

Sobald die Sportschau anfängt, sitzt er vor dem Fernseher.

Er ist glücklich, **solange** seine Mannschaft Tore schießt.

Während ich arbeite, denkt er nur an Sport.

Ich weiß nicht, **ob** Borussia in Dortmund spielt.

Wenn der FC Bayern kommt, ist Egbert sicher der erste im Stadion.

Weißt du, **ob** morgen langer
Samstag ist?

Obwohl es sehr früh ist, kaufen
viele Leute ein.

Als ich ins Fotogeschäft gehen wollte,
kam ich nicht durch die Tür.

Da es viele Sonderangebote gibt,
war das Geschäft sehr voll.

Ich mußte lange warten, **bevor**
ich meine Video-Kassette bekam.

MUSTER II

WORTFOLGE IN NEBENSÄTZEN

Hauptsätze:
Sie fährt mit dem Fahrrad.
Es regnet nicht.

I. Hauptsatz + Komma + Konjunktion/Nebensatz (Verb am Ende)

Sie fährt mit dem Fahrrad, weil es nicht regnet.

II. Konjunktion/Nebensatz (Verb am Ende) + Komma + Hauptsatz (Verb + Subjekt)

Weil es nicht regnet, fährt sie mit dem Fahrrad.

PST'

Subordinierende Konjunktionen stehen am Anfang von Nebensätzen!

Noch mehr Beispiele:

1. Es ist warm. Sie trägt eine warme Bluse.

   Nebensatz am Anfang:
   Obgleich es warm ist, trägt sie eine warme Bluse.

   Nebensatz am Ende:
   Sie trägt eine warme Bluse, obgleich es warm ist.

2. Sie fährt gerne durch diese Straße.
   Es gibt schöne Häuser hier.

   Nebensatz am Anfang:
   Weil es hier schöne Häuser gibt, fährt sie gern durch diese Straße.

   Nebensatz am Ende:
   Sie fährt gerne durch diese Straße, weil es hier schöne Häuser gibt.

AUSPROBIEREN!

Muster I-II:

Kleine Sprechübung (zu zweit)

denn/weil   **Warum machst du das?**

2 Studenten formen je einen Satz mit ,,denn''. Der Satz wird vom anderen nochmal gesagt, aber mit ,,weil''. (Achtung! Wortfolge ändert sich.)

Kleine Sprechübung (zu fünft)

Jeder formt einen Satz mit 2 Kon- junktionen.

als   bevor   da   nachdem   obwohl   seitdem   sobald
während   weil   wann

Beispiel: Als ich in Deutschland war, lernte ich viel Deutsch, obwohl ich nur 2 wochen dort war.

SPRACHLICHE BESONDERHEITEN

Supersubstantive

Viele deutsche Substantive werden aus mehreren Wörtern geformt.

PST!

Welcher Artikel? Vom letzten Wort!
z. B. das Leder, *die* Hose: *die* Lederhose

die Stadt + der Plan = der Stadtplan
das Land + die Karte = die Landkarte
die Reise + das Büro = das Reisebüro
das Auto + waschen + die Anlage = die Autowaschanlage
der Aufenthalt + die Genehmigung + das Formular = das Aufenthaltsgenehmigungsformular
die Donau + der Dampf + das Schiff + die Fahrt + die Gesellschaft + der Kapitän
= der Donaudampfschiffahrtsgesellschaftskapitän (Oh, oh!)

Kleine Vokabularübung

der Winter	das Wasser
die Not	der Wagen
der Sport	die Kapelle
die Bar	die Fahrerin
der Ski	das Bein
der Gips	der Urlaub
das Mineral	der Stuhl
der Tanz	der Arzt
das Telefon	der Klub
die Nacht	die Nummer

So was nennt man Urlaub!

Setzen Sie ein Supersubstantiv ein.

Frank fuhr mit seinem S_____ zum W_____, um Ski zu fahren. Dort traf er die S_____ Agathe. Sie gingen zusammen in den N_____, wo eine italienische T_____ spielte. Der Kellner brachte zwei M_____. Agathe forderte Frank zum Tanzen auf. Beim Aufstehen stolperte er über den B_____. Au! Der N_____ war in fünf Minuten da. Zwanzig Minuten später schrieb Agathe ihre T_____ auf sein frisches G_____. Dann tanzte sie mit Alfons.

WAS SAGT MAN DA?

Mit jemandem telefonieren.

Telefon (Apparat): Wo ist bitte Ihr Telefon? Bleiben Sie bitte am Apparat.
telefonieren (mit/nach): Ich telefoniere mit [Hans]. Er telefoniert nach [Hamburg].
Telefonbuch: Der Name steht im Telefonbuch.
Telefonnummer: Seine Nummer ist [373 6134].
Vorwahl: Die Vorwahl für [München] ist [089-].
Auskunft: Ich habe die Nummer nicht. Ich rufe die Auskunft an.
Telefonzelle: Bitte, gibt es hier eine Telefonzelle? Ich muß mal telefonieren.
Ortsgespräch: Sie wohnt hier in der Stadt. Ein Ortsgespräch ist nicht teuer.
Ferngespräch: Er wohnt 100 km von hier. Du mußt ein Ferngespräch führen.
Inlands-, Auslandsgespräch: Wohnt sie hier in Deutschland oder in New York? In New York. Es ist ein Auslandsgespräch.

Nummer wählen: Er wählte die falsche Nummer.

sprechen (mit): Könnte ich (mit) [Herrn K.] sprechen?

verbinden: Sekretärin: Augenblick, ich verbinde Sie mit Herrn K.

geben: Sekretär: Moment, ich gebe Ihnen meinen Kollegen.

akustische Probleme: Ich verstehe Sie sehr schlecht. Ich kann Sie nicht gut hören.

besetzt: Ich kann nicht mit meiner Mutter sprechen. Ihr Telefon ist besetzt.

klingeln: Das Telefon klingelt. Bitte, Hans, geh an den Apparat!

sich melden, wenn jemand anruft: Breitmoser.

sich vorstellen, wenn man jemanden anruft: Hier ist Thomas Ost, guten Tag.

Rollenspiel (zu dritt)

Zwei Leute wollen ein Zimmer im Hotel Fantasia bestellen.
Sie suchen eine Telefonzelle.
Sie fragen nach einem Telefonbuch.
Sie rufen die Auskunft an. (3. Student/in spielt ,,Auskunft'')
Es ist ein Ferngespräch. Sie brauchen die Vorwahl.
Der Portier verbindet Sie. (3. Student/in spielt den Portier)
Sie verstehen nichts am Telefon.
Sie wählen noch einmal.

Andere Situationen

Eine Familie zu Hause. Sie führen ein Ferngespräch nach San Franzisko. Die Nummer ist besetzt.

Angestellte/r und Chef. Ein Kunde ruft an.

„Wie oft soll ich dir noch sagen, daß du mich nicht bei der Arbeit stören sollst!"

DEUTSCHES
MAGAZIN

KITSCH ODER KUNST?

Kunst wird in Deutschland groß geschrieben. Aber es gibt auch Kitsch—ausgestellt und bewundert. Und wie ist es mit dem deutschen Bierkrug auf eurem Regal? Ist der nicht auch ein bißchen kitschig?

Blickpunkt: Österreich

Wörter ohne Wörterbuch

antik
basieren
der Champagner
die Demokratie, -n
der Gentleman,
   -men
das Gold
ideal
intellektuell
interessant
der Kitsch
kreativ
die Lampe, -n
die Mumie, -n
das Musical, -s
negativ
neutral
die Nostalgie
perfekt
das Plastik
politisch
positiv
der Pudel, -
sozial
die Statue, -n
super
der Tourismus
der Ventilator, -en

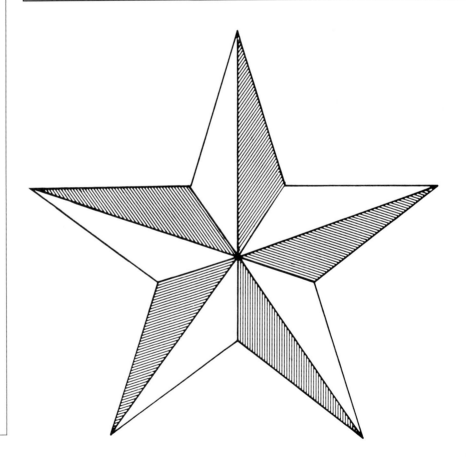

Kitsch oder Kunst?

Wer hat Geschmack? ———————————

Kleine Übung:

Fragt eure Nachbarn, wie sie Bilder oder Dinge finden.

Positiv ————————————————————

hervorragend
schön
modern
perfekt
niedlich
kreativ
aufregend
entzückend
antik
interessant
großartig
super
kunstvoll

Was hältst du von diesen Bildern?

Ich finde sie kitschig.

Ich finde die griechische Statue wunderschön.

Negativ ————————————————————

schlecht
häßlich
unmodern
mangelhaft
albern
stereotyp
langweilig
furchtbar
nachgemacht
uninteressant
scheußlich
mittelmäßig
kitschig

Positiv

. . . gefällt mir
. . . möchte ich haben
. . . ideal für meinen Garten
. . . etwas für mich
. . . kaufe ich mir
. . . schaue ich gern an
. . . toller Einfall
. . . universelle Schönheit
. . . einfach herrlich
. . . regt mich auf
. . . will ich haben

Oh, die Gartenzwerge sind ideal für unseren Garten!

Gartenzwerge sind einfach mies!

Negativ

. . . gefällt mir nicht
. . . möchte ich nicht haben
. . . kommt mir nicht ins Haus
. . . nichts für mich
. . . kaufe ich mir nie
. . . kann ich nicht leiden
. . . ohne Phantasie
. . . nur für Leute ohne Geschmack
. . . einfach mies
. . . läßt mich kalt
. . . nie im Leben

Vokabular- und Sprechübung: Kitsch oder kein Kitsch?

1. Macht ein „x" bei kitsch.
2. Diskutiert eure Wahl mit euren Nachbarn.

1. _____ Hummelfiguren
2. _____ Mona-Lisa-Handtücher
3. _____ James-Bond-Filme
4. _____ Freiheitsstatue aus Plastik als Lampe
5. _____ Bo-Derek-Plakat
6. _____ Bilder auf Samt mit leuchtenden Farben
7. _____ Cadillac
8. _____ Gartenzwerge
9. _____ VW
10. _____ Porzellankatze als Keksdose
11. _____ Porzellankuh als Butterdose
12. _____ Andy-Warhol-Bilder
13. _____ Kuckucksuhr
14. _____ Lederhosen
15. _____ Bierkrug mit Bild vom Hofbräuhaus
16. _____ Musicals
17. _____ Disneyworld

18. ____ bayerische Blasmusik
19. ____ Wagner-Oper: Die Walküre
20. ____ Albrecht-Dürer-Gemälde
21. ____ Garfield-Kalender
22. ____ Plastik-Statuen vom Papst
23. ____ Arzt-Roman
24. ____ Mount-Rushmore-Präsidenten
25. ____ Babyfarben: rosa für Mädchen, blau fur Jungen
26. ____ Lorelei-Lied
27. ____ Muskelmänner in Malibu
28. ____ Karl-May-Romane
29. ____ Melodramen
30. ____ Punk-Kleidung und -Frisuren
31. ____ Schloß Neuschwanstein
32. ____ Andenken (Souvenirs)
33. ____ Lawrence-Welk-Champagner-Musik
34. ____ Golden-Gate-Brücke

Wörter zum Nachschlagen

Sammler
Wohnungen

sammeln
Ecke

Das ist leicht zu verstehen

liebenswert = man kann es lieben
verleihen = geben
Zehnmarkschein = Papiergeld für 10 DM
Preislagen = viele Preise
anheimelnd = gemütlich
gut erhalten = alt, aber nicht kaputt

Interview mit deinen Nachbarn

1. Was sammelst du?
2. Wieviel kostet deine Sammlung?
3. Ist deine Sammlung alt?

Erzähle jetzt, was du gehört hast.

Wörter, die wir schon kennen

Nostalgie   Lampe
Charme   Porzellan
Preis   Figuren

Rollenspiel

Herr und Frau Lohenstein sind im Antiquitätengeschäft, oder ist es ein
Souvenirladen? Spielt die Rollen von dem Verkäufer und Frau Lohenstein.

der Ventilator

der Wandteppich

der Dolch

ansehen

der Schmuck

die Statue

die Lampe

der Perlenvorhang

Ist er ehrlich?

Ist sie reich?

ihr Ehemann

die Urne

DON'T TOUCH
TU NICHT
TATSCHEN

die ägyptische Mumie

die Kundin

der Verkäufer

die S

„Ich kann Ihnen einen antiken
Herrenring verkaufen, Madame,
auf dem ein Fluch ruht . . .!"

Winnetous Tod!

Ich wandte mich Winnetou zu und kniete neben ihm nieder.
"Wo ist mein Bruder getroffen?" fragte ich.
"Ntsage teche—hier in die Brust", antwortete er leise, die Linke auf die rechte Seite der Brust legend, die sich von seinem Blut rötete.
Noch immer lag der Apatsche bewegungslos. Die braven Railroaders, die sich so wacker gehalten hatten, und die Settlers mit den Ihrigen bildeten um uns stumm und tief ergriffen einen Kreis. Da endlich schlug Winnetou die Augen auf.
"Hat mein Bruder noch einen Wunsch?" wiederholte ich. Winnetou nickte und bat leise:
"Mein Bruder Scharlih, führe die Männer in die Gros-Ventre-Berge! Am Metsur-Fluß liegen solche Steine, wie sie suchen. Sie haben es verdient."
"Was noch, Winnetou?"
"Mein Bruder vergesse den Apatschen nicht. Er bete für ihn zum großen, guten Manitou.—Können diese Gefangenen mit ihren wunden Gliedern klettern?"
"Ja", meinte ich, obgleich ich sah, wie die Hände und Füße der Settlers unter den schneidenden Fesseln gelitten hatten.
"Winnetou bittet sie, ihm das Lied von der Königin des Himmels zu singen!"
Es ging ein Zucken und Zittern durch seinen Körper, ein Blutstrom quoll aus seinem Mund. Der Häuptling der Apatschen drückte nochmals meine Hände und streckte seine Glieder. Dann lösten sich seine Finger langsam von den meinigen.—

Wörter zum Nachschlagen

kniete = knien
getroffen = treffen
Brust
Blut
lag = legen
bilden
Kreis
Wunsch
nicken
führen
Steine
verdienen
vergessen
beten
Gefangene
Glieder = Arme + Beine
klettern
Fesseln
Häuptling

Richtige Satzfolge

Welcher Satz ist Nr. 2, 3, 4 usw.?

Die Settlers leiden. Sie waren in Fesseln.
Die Settlers suchen Steine (Gold).
Winnetou ist auf der rechten Seite seiner Brust von einer Gewehrkugel getroffen.
Winnetou sagt ihnen, wo diese „Steine" sind.
Winnetou stirbt.
Winnetou hat einen Wunsch.
Man soll für Winnetou ein religiöses Lied singen.
Die Railroaders und Settlers stehen um ihn herum.
Blut kommt aus dem Mund des Häuptlings.
Man soll für Winnetou zum Großen Manitou beten.

1. Winnetou ist auf der rechten Seite seiner Brust von einer Gewehrkugel getroffen.
2.
3.
4.

ÖSTERREICH

Geschichte

Das Haus Habsburg: größte politische Macht der westlichen Welt (13.–20. Jahrhundert).
Einige bekannte Habsburger: Rudolph, Maximilian, Maria Theresia, Franz Joseph.

Politisches

neutral, soziale Demokratie, Parteien: SPÖ, ÖVP, KPÖ

Allgemeines

Die Wirtschaft basiert auf Tourismus, z. B. 1985 wurden rund 106 Milliarden Schilling eingenommen ($1.00 = 17 ÖS).
Export—Wein
Einwohnerzahl: 7,6 Millionen
Höchster Berg: Groß Glockner

Salzburg

Sprache (Dialekt)

Servus = Grüß dich
pfüad di = Tschüs
gemma = gehen wir
na = nein
Piefke = negative Bezeichnung
   für einen Deutschen
gel? = nicht wahr?

Bundesländer

Wien, Salzburg, Tirol, Steiermark,
Kärnten, Voralberg, Burgenland,
Oberösterreich, Niederösterreich

Attraktionen

Edelweiß: unter Naturschutz
Hahnenkammskirennen: Kitzbühel
Gletscherskifahren: Stubeital
Schwimmen und Bootfahren: Wörthersee
Theater und Musik: Salzburger Festspiele; Wiener
 Philharmoniker; Burgtheater, Wien
Lodenjacken und Dirndl einkaufen: Salzburg
Bergsteigen: Kaisergebirge

Was ißt man, wenn man in Österreich ist?

Mozartkugeln, Sachertorte (mit Schlag), Salzburger Nockerln, Knödel,
Kaiserschmarrn, Wiener Schnitzel, Apfelstrudel

Einige weltbekannte Österreicher

Sigmund Freud (Psychoanalytiker); Ludwig Wittgenstein (Philosoph);
Johann Strauß, Wolfang Amadeus Mozart, Arnold Schönberg
(Komponisten); Arthur Schnitzler, Hugo von Hofmannsthal, Robert
Musil, Ingeborg Bachmann, Peter Handke, Thomas Bernhard, Elfriede
Jelinek (Schriftsteller).

Kleine Schreibübung:

Was wißt ihr über Österreich?
Macht eine Liste!

Leid

> *Die Tiroler sind lustig,*
> *die Tiroler sind froh.*
> *Sie verkaufen ihre Betten*
> *und schlafen auf Stroh.*

MINIDRAMA
„Würfelspiel"

MUSTER UND MODELLE
Passiv

SPRACHLICHE BESONDERHEITEN
schwache Substantive,
  Substantive mit -heit, -keit,
  -ung

WAS SAGT MAN DA?
Angst, Sorgen und
  Traurigkeit ausdrücken

DEUTSCHES MAGAZIN
Musik macht munter
Blickpunkt: Wien

MINIDRAMA 12
Würfelspiel

Brigitte geht zum Studentenzentrum. Sie betritt den Billiard-Saal. Jack sitzt in einer Ecke und würfelt. Er sieht böse aus. Brigitte geht auf ihn zu.

Brigitte: Servus Jack, was machst du denn hier?

Jack: Servus Brigitte. Hast du vergessen, daß wir uns verabredet haben? Heute wird doch Skat gespielt!

Brigitte: Nein, das wurde mir nicht gesagt.

Jack: Setz dich! Noch ist der dritte Mann nicht hier. Inzwischen kannst du mir ja etwas

über das Studium in Deutschland erzählen.

Brigitte: Na gut. Der Unterschied ist sehr groß. In der BRD wird zum Beispiel den ganzen Tag studiert. Frag Willi, er weiß es auch.

Willi: (*kommt in diesem Moment herein*) Wovon wird hier gesprochen? Ah, Würfel! Mein Schicksal liegt in eurer Hand!

Brigitte: Sprich vom Teufel! Jetzt glaube ich an Telepathie!

Jack: Hier wird über das leidige Studium diskutiert. Bei uns in den Staaten werden die Bücher nur zehn Minuten am Tag gelesen. Hört und staunt!

Willi: (*nimmt Jacks Glas*) Darauf trinke ich, prost!

Jack: Und Hausaufgaben müssen bei uns überhaupt nicht gemacht werden.

Brigitte: Ehrlich? Wie werden bei euch denn die Zensuren gegeben?

Willi: Einfach! Jacks Professor hat es verraten: Am Ende des Semesters wird gewürfelt. Und wer die höchste Zahl würfelt, bekommt die beste Note.

Brigitte: Das ist ja toll. Von wem wird das Studium aber bezahlt?

Jack: . . . von den armen Eltern . . .

Willi: . . . weil die amerikanische Mittelklasse so viel Geld hat.

Brigitte: In Deutschland müssen die Kosten von der Regierung übernommen werden.

Willi: Ja, aber da wird gewürfelt, um festzustellen, wer die Steuern bezahlen muß.

Brigitte: Ich bin froh, daß du Humor hast!

Jack: Wie ist es nun mit Skat?

Willi: Zuerst werde ich euch einen echten Witz erzählen.

WÖRTER zur KOMMUNIKATION

Substantive

der Billiardsaal, -säle
die BRD (die Bundesrepublik
  Deutschland)
die Ecke, -n
die Eltern (*pl*)
das Glas, ¨er
die Hausaufgabe, -n
der Humor
die Kosten (*pl*)
die Mittelklasse, -n
die Note, -n
die Regierung, -en

das Schicksal, -e
der Skat
das Studium, die Studien
die Telepathie
der Teufel, -
der Unterschied, -e
die Vereinigten Staaten
der Witz, -e
das Würfelspiel, -e
die Zahl, -en
die Zensur, -en

Verben

an·fangen (fängt an), fing an,
  angefangen
aus·sehen (sieht aus), sah aus,
  ausgesehen
bezahlen
diskutieren
ein·sammeln
erzählen
fest·stellen

sich setzen
staunen
übernehmen (übernimmt),
    übernahm, übernommen
sich verabreden
verraten (verrät), verriet, verraten
würfeln

Andere Wörter

arm
echt
ehrlich
froh

inzwischen
leidig
toll
überhaupt

Ausdrücke

Das ist ja toll!
auf ihn zugehen
Jemand böse ansehen
Was machst du denn hier?

Servus!
zum Beispiel (z.B.)
Prost!

MUSTER I

PASSIV PRÄSENS

werden konjugiert + Partizip Perfekt
werden + [von + Dativ] + Partizip Perfekt

Aktiv

Das Auto fährt.
> Das Subjekt tut etwas.
> Es ist aktiv.

Passiv

Das Auto wird gewaschen.
> Das Subjekt tut nichts.
> Es ist passiv.

Passiv

Das Auto wird [von dem Mann] gewaschen.
> Das Objekt macht etwas mit dem Subjekt.

PST!

Die Präposition ist meistens ,,von"!

VON AKTIV ZU PASSIV

Aktiv   Mein Freund serviert den Wein.
Passiv Der Wein wird von meinem Freund serviert.

	Subjekt		**Objekt**
Aktiv	Mein Freund	serviert	den Wein.
	↑ Nominativ		↑ Akkusativ
Passiv	Der Wein wird	von	meinem Freund serviert.
	↑ Nominativ		↑ Dativ

Aktiv	**Passiv**
Wir feiern seinen Geburtstag.	Sein Geburtstag wird von uns gefeiert.
Der Nachbar holt den Kuchen.	Der Kuchen wird von dem Nachbarn geholt.

Ich esse die Geburtstagstorte. ▶

Präsens	Die Geburtstagstorte	wird	gegessen.	
Imperfekt	"	"	wurde	"
Perfekt	"	"	ist	"	worden.
Futur	"	"	wird	"	werden.

Beispiele

Ein Lied wird von den Gästen
gesungen. (Präsens)
Viele Flaschen wurden von ihnen
getrunken. (Imperfekt)
Das Essen ist vom Neffen gekocht
worden. (Perfekt)
Ein Minidrama wird von den Kindern gespielt werden. (Futur)

AUSPROBIEREN!

Muster I, II: Passiv

5 in der Gruppe unterhalten sich
Wir malen ein Bild
Passivsätze: 1. im Präsens, 2. im Imperfekt, 3. im Perfekt

> **Beispiel** **Das Papier wird von mir gekauft.**
> **Papier—kaufen, bezahlen, nach Hause bringen,**
> **schneiden, falten, auf den Tisch legen, einen Vogel**
> **zeichnen, den Kopf blau malen, den Körper grün malen,**
> **das Bild für 500 DM verkaufen.**

Wir bauen ein Haus

> **Beispiel** **Die Pläne werden heute von uns gemacht.**
> **Pläne machen, einen Bauplatz suchen, Geld von der Bank**
> **holen, Materialien kaufen, sie mit dem LKW herbringen,**
> **noch mehr Geld borgen, weniger Steaks essen, Möbel**
> **besorgen, eine reiche Frau/einen reichen Mann heiraten,**
> **Tag und Nacht arbeiten, gemütlich feiern, ein**
> **Wochenendhaus planen, *usw*.**

Gruppe zu dritt.
Findet wenigstens 3 Passivsätze:

> **Beispiel** **Was wird mit einem Ball gemacht? Der Ball wird**
> **geworfen.**
> **Was wird mit einem faulen Studenten gemacht?**
> **Was wird mit einem Steak gemacht?**
> **Was wird mit kriminellen Leuten gemacht?**
> **(1. Präsens, 2. Imperfekt, 3. Perfekt)**

Schwache Substantive (männlich)

Einige männliche Substantive haben schwache Endungen -(e)n
im Singular Akkusativ, Dativ und Genitiv und im Plural.

<table>
<tr><th colspan="3">normale Substantive</th><th colspan="2">schwache Substantive</th></tr>
<tr><td>Nominativ</td><td>der Mann</td><td></td><td>der Herr</td><td>der Pilot</td></tr>
<tr><td>Akkusativ</td><td>den Mann</td><td></td><td>den Herrn</td><td>den Piloten</td></tr>
<tr><td>Dativ</td><td>dem Mann</td><td></td><td>dem Herrn</td><td>dem Piloten</td></tr>
<tr><td>Genitiv</td><td>des Mannes</td><td></td><td>des Herrn</td><td>des Piloten</td></tr>
<tr><td>Plural</td><td>die Männer</td><td></td><td>die Herren</td><td>die Piloten</td></tr>
</table>

Beispiele

Student	Nachbar
Photograph	Präsident
Tourist	Philosoph
Junge	Anthropologe

Substantive mit -uns, -heit, -keit

Alle Substantive mit -ung, -heit, -keit sind weiblich!

Beispiele

die Zeitung	die Wohnung
die Freiheit	die Kindheit
die Gemütlichkeit	die Einsamkeit

Eine kleine Übung

Formt Sätze mit den schwachen Substantiven und mit den Substantiven
mit -ung, -heit, -keit.

Angst, Sorgen, Traurigkeit ausdrücken

Hoffentlich ist nichts passiert.

Hoffentlich kommt [kein Sturm].

Ich habe Angst.

Das macht mir Angst.

Es macht mir Angst, daß . . .

Ich fürchte mich davor.

Ich mache mir Sorgen, weil . . .

Ich habe Probleme, weil . . .

Es geht mir gar nicht gut.

Ich bin sehr traurig, weil . . .

Rollenspiel (zu dritt)

Studenten aus Deutschland, aus USA und aus Österreich machen eine Wanderung in den Alpen. Es fängt an zu donnern, und es wird dunkel und kalt. Haben alle drei Angst? Was sagen sie?

Sprechhilfe: der Blitz, das Gewitter, der Hagel, gefährlich, der Abgrund, der steile Felsen, die Lawine, erfrieren, verhungern, der Wind, die Geier, Tod und Teufel, die Hölle.

DEUTSCHES
M A G A Z I N

Wörter ohne Wörterbuch

aggressiv
banal
blond
brutal
chic
die Dekadenz
depressiv
desillusionieren
die Emanzipation
der Feminismus
die Figur, -en
der Finger, -
die Hand, ¨e
der Horizont, -e
der Komponist, -en
die Komponistin,
   -nen
nervös
die Oper, -n
die Position, -en
professionell
die Psychoanalyse
der Rhythmus, die
   Rhythmen
der Sex
singen
die Struktur, -en
die Subkultur, -en
die Symphonie, -n
der Text, -e
thematisieren
der Trend, -s
unästhetisch

MUSIK MACHT MUNTER

Ohne Musik geht es nicht. Doch welche Musik? Die einen hören gern „New Wave" im Auto, andere lieber ein Streichquartett in der Philharmonie, und wieder andere genießen Kaufhausmusik beim Zahnarzt. Der amerikanische Einfluß ist groß, aber man singt immer noch die alten Volkslieder.

Blickpunkt: Wien

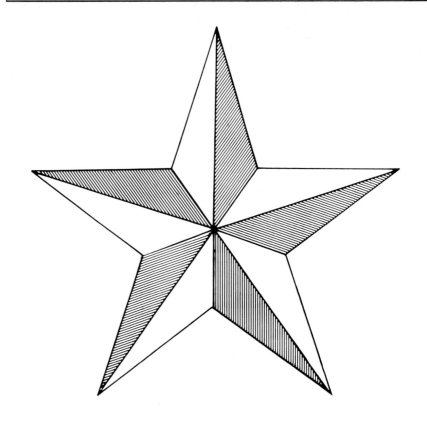

1. Georg Philipp Telemann (1681–1767)
2. Johann Sebastian Bach (1685–1750)
3. Johann Stamitz (1717–1757)
4. Franz Joseph Haydn (1732–1809)
5. Wolfgang Amadeus Mozart (1756–1791)
6. Ludwig van Beethoven (1770–1827)
7. Carl Maria von Weber (1786–1826)
8. Franz Schubert (1797–1828)
9. Robert Schumann (1810–1856)
10. Clara Schumann (1819–1896)
11. Richard Wagner (1813–1883)

12. Anton Bruckner (1824–1896)
13. Johann Strauß (1825–1899)
14. Johannes Brahms (1833–1897)
15. Richard Strauß (1864–1949)
16. Arnold Schönberg (1874–1951)
17. Anton Webern (1883–1945)
18. Alban Berg (1885–1935)
19. Paul Hindemith (1895–1963)
20. Carl Orff (1895–1982)
21. Hans Werner Henze (*1926)

Wer ist das? Suchen Sie die Komponisten auf den Bildern.

600 Lieder sind von ihm. (8)

Er ist ein Barock-Komponist. (1)

Er hat die Londoner Symphonien Nr. 93 bis 104 komponiert. (4)

Der Rosenkavalier ist eine Oper von ihm. (15)

Sie komponierte und war Klaviervirtuosin. (10)

Er war ein Wunderkind. (5)

In Bayreuth gibt es jedes Jahr ein Fest für ihn. (11)

Er spielte sehr gut Klavier. (5)

Er ist in Österreich geboren. (4)

Seine Oper *Tristan und Isolde* ist aus dem Jahre 1859. (11)

Er kannte J.S. Bach. (1)

Wann ist J.S. Bach geborn? Er ist am _____.

Was ist in Bayreuth? _____.

Was konnte Mozart gut? _____.

Wen kannte Telemann? _____.

Wo ist Haydn geboren? _____.

Was trägt Schubert? _____.

Wer ist unbekannt geblieben? _____.

KINDER

Sind so kleine Hände
winzige Finger dran.
Darf man nie drauf schlagen
die zerbrechen dann.

Sind so kleine Füße
mit so kleinen Zehn.
Darf man nie drauf treten
könn' sie sonst nicht gehn.

Sind so kleine Ohren
scharf, und ihr erlaubt.
Darf man nie zerbrüllen
werden davon taub.

Sind so schöne Münder
sprechen alles aus.
Darf man nie verbieten
Kommt sonst nichts mehr raus.

Sind so klare Augen
die nach alles sehn.
Darf man nie verbinden
könn' sie nichts verstehn.

Sind so kleine Seelen
offen und ganz frei.
Darf man niemals quälen
gehn kaputt dabei.

Ist so'n kleines Rückgrat
sieht man fast noch nicht.
Darf man niemals beugen
weil es sonst zerbricht.

Grade, klare Menschen
wär'n ein schönes Ziel.
Leute ohne Rückgrat
hab'n wir schon zuviel.

Bettina Wegner (1978)

Substantive

d____ Hand
d____ Finger
d____ Fuß
d____ Zehe
d____ Ohr
d____ Mund
d____ Auge
d____ Seele
d____ Rückgrat
d____ Mensch
d____ Ziel

Verben

schlagen
zerbrechen
treten
brüllen
verbieten
verbinden
verstehen
quälen
beugen
dürfen

Welches Verb + welcher Buchstabe?

1. Hände darf man nicht _____, _____
2. Auf Füße darf man nicht _____, _____
3. Münder darf man nicht _____, _____
4. Augen darf man nicht _____, _____
5. Seelen darf man nicht _____, _____
6. Das Rückgrat darf man nicht _____, _____

A. weil es sonst zerbricht.
B. sie können sonst nicht gehn.
C. sie gehn kaputt dabei.
D. es kommt sonst nichts mehr raus.
E. sie können sonst nichts verstehn.
F. die zerbrechen dann.

Interview mit Bettina Wegner

Frage: Wie kamst du zum Singen, wie wird man in der DDR Liedermacherin?

Bettina Wegner: So ab vierzehn hatte ich begonnen, eigene Lieder zu schreiben. Zumeist Liebeslieder, sehr romantisch und sehr traurig, wie man sie in diesem Alter immer schreibt. Mit einem Lehrbuch brachte ich mir einige Grifftechniken auf der Gitarre bei.

Frage: Wolltest du damals schon professionell Musik machen?

Bettina Wegner: . . . ich bekam ein Jahr lang klassische italienische Gesangsausbildung, Klavier- und Tanzunterricht, theoretischen Unterricht usw. usf. Die Ausbildung war eigentlich nur für Schlagersänger, ich sang aber nur meine eigenen bzw. alte jiddische Lieder, was auch toleriert wurde. . . . seither arbeite ich als freiberufliche Sängerin, besser gesagt Liedermacherin.

Frage: Hast du in deinem Liedschaffen bestimmte Schwerpunkte, Themen bzw. Lieder, die dir besonders wichtig sind?

Bettina Wegner: Ja, Kinderlieder. Sie nehmen quantitativ zwar nicht den ersten Platz ein, aber mir persönlich sind sie die wichtigsten. Das hängt einmal damit zusammen, daß ich selbst drei Kinder habe; ein weiterer Grund ist die allgemeine Situation der Kinder.

Frage: Einen wichtigen Teil in deinem Liedschaffen nehmen die Frauenlieder ein. Wie sieht es mit der Gleichberechtigung der Frau in der DDR aus?

Bettina Wegner: Auch unsere Gesellschaft ist noch immer vorrangig eine Männergesellschaft. Vergleichen wir nur einmal, wieviele leitende Positionen von Männern ausgefüllt werden. . . .

Frage: Was tun die Frauen in der DDR dagegen? Gibt es da ähnliche Bewegungen wie in der Bundesrepublik, etwa Analogien auch zum sexistischen Feminismus?

Bettina Wegner: Zwar gibt es hier keine der Bundesrepublik vergleichbare Frauenbewegung, aber die Frauen diskutieren dieses Problem mittlerweile immer offener und immer offensiver, sei es in der Literatur, im Betrieb oder zu Hause.

Frage: Viele deiner Lieder gehen weit über individuelle Problematiken hinaus, sie thematisieren gesellschaftliche Strukturen und Verhältnisse, sind aktuell bezogene politische Lieder . . .

Bettina Wegner: Alle meine Lieder sind politisch. Es sind Lieder gegen die Unterdrücker und für die Unterdrückten. . . . Solange Menschen über Menschen Macht haben, wird es ein Unten und ein Oben geben und ich werde immer gegen die Oben und für die Unten singen.

Kleine Leseübung

Bettina Wegner hat Interesse an

A. Gitarre
B. Lieder
C. Kinder
D. Politik
E. Frauenemanzipation
F. Unterdrückte

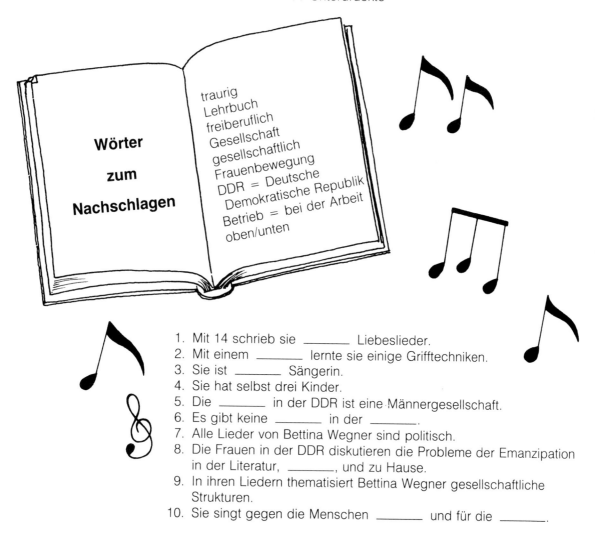

Wörter zum Nachschlagen

traurig
Lehrbuch
freiberuflich
Gesellschaft
gesellschaftlich
Frauenbewegung
DDR = Deutsche Demokratische Republik
Betrieb = bei der Arbeit
oben/unten

1. Mit 14 schrieb sie _____ Liebeslieder.
2. Mit einem _____ lernte sie einige Grifftechniken.
3. Sie ist _____ Sängerin.
4. Sie hat selbst drei Kinder.
5. Die _____ in der DDR ist eine Männergesellschaft.
6. Es gibt keine _____ in der _____.
7. Alle Lieder von Bettina Wegner sind politisch.
8. Die Frauen in der DDR diskutieren die Probleme der Emanzipation in der Literatur, _____, und zu Hause.
9. In ihren Liedern thematisiert Bettina Wegner gesellschaftliche Strukturen.
10. Sie singt gegen die Menschen _____ und für die _____.

Nina Hagen

Am Strand von Tanger
in der glühendheißen Sonne
liegen sie narkotisiert
am Rand der Wüste
der Sand ist heiß
kein Schatten weit und breit
die Cola kocht
man liegt im eigenen Schweiß
der Horizont rückt näher
und was keiner weiß
jeder denkt das eine
doch dafür ist's zu heiß
Sex—Sex in der Wüste.
Ideal „Sex in der Wüste"

Unter „Neuer Musik" versteht man einen neuen musikalischen Trend („Neue deutsche Welle"), der musikalisch beeinflußt ist durch die Punkmusik Englands, Ska- und Reggae- Musik. Die musikalischen Stilmittel sind bewußt sehr einfach und unkompliziert gehalten—2,3 Akkorde und ein einfacher Rhythmus zum „Mitgehen" reichen aus. Wichtiger ist der Inhalt oder die Atmosphäre, die durch die Texte ausgedrückt werden. Sie richten sich gegen die Wohlstandsgesellschaft, drücken die Aussichtslosigkeit für die Gesellschaft—„no Future"— aus, verherrlichen eine neue unästhetische, zum Teil aggressive Subkultur. Neue Musik ist ein Sprachrohr für die verarmte Jugend in Deutschland, ist Bestandteil ihrer politischen Aktionen (z.B. Häuserbesetzungen). Dieser eigentlich sehr depressiven Richtung in der Musik steht eine andere gegenüber, die sogenannte „Neue deutsche Fröhlichkeit". Die Musik ist ähnlich wie die „Neue deutsche Welle", aber die Texte sind witzig, banal, beziehen sich auf die kleinen Ereignisse des Lebens. Diese Art Musik ist sehr energiegeladen, nicht desillusionierend und deswegen beliebter.
von Sandra Eusterbrock

UDO LINDENBERG

Wörter

zum

Nachschlagen

die Welle
beeinflussen
bewußt
Inhalt
ausreichen
ausdrücken
Wohlstandsgesellschaft
Aussichtslosigkeit
verherrlichen
Sprachrohr
Besetzung
Fröhlichkeit
Ereignisse

Sprechübung (zu zweit)

1. Welche Musik gefällt euch?
2. Welche Gruppen gefallen euch?

WIEN

Wien—Stadt des Traumes und der Wirklichkeit

Hauptstadt der Psychoanalyse
Sigmund Freud
Zwei Tiroler: ,,Warum spielen die Wiener nicht Versteck?"
,,Warum?" ,,Weil sie niemand sucht."
,,Oh Donau so blau, so blau, so blau,
Fließt ruhig dahin, grüß mir mein Wien."
Heuriger Wein
,,Jedermann"
,,Liebelei"
,,Geschichten aus dem Wiener Wald"
,,Die Klavierspielerin"

Konkrete Poesie
Wiener Walzer, 12-Tonmusik
Prater, Wiener Volkspark
Dekorative und engagierte Malerei
Dekadenz, Avantgarde
Kaiserresidenz der Habsburger—Schloß Schönbrunn
Kaffeehäuser, Sachertorte
Hauptstadt von Österreich
Einwohnerzahl: ca. 1.500.000
Schiffsverkehr auf der Donau—größter Fluß Österreichs
Touristenattraktion: die Lokale in der Vorstadt Grinzing
Schriftsteller: Hugo von Hofmannsthal, Arthur
Schnitzler, Ödon von Horvath, Elfriede Jelinek, Ernst
Jandl
Stadt der Musik: Johann Strauß, Schubert, Schönberg
repräsentative Ringstraßenarchitektur
Maler: Gustav Klimt und Friedensreich Hundertwasser
Tradition, Konservativismus
sozialdemokratische Regierung
Regierungssitz
Hotel Sacher

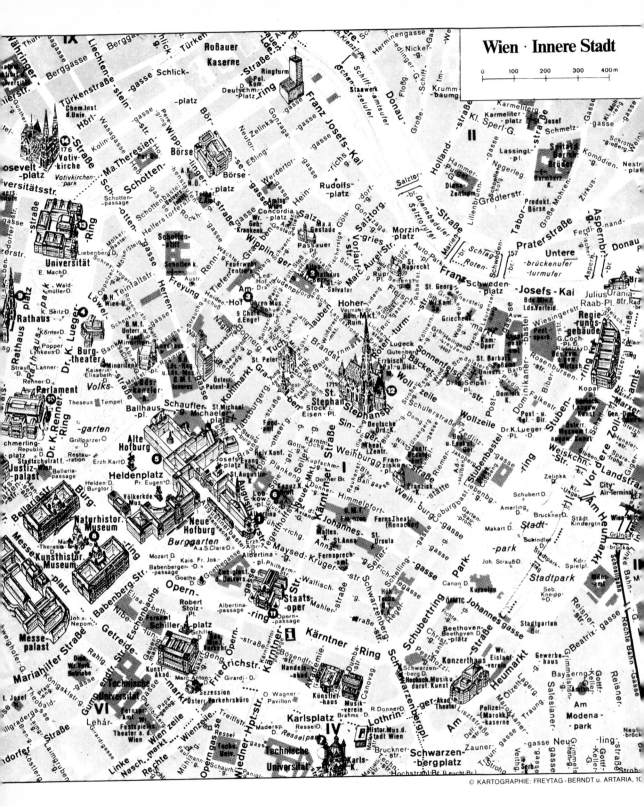

Wien · Innere Stadt

© KARTOGRAPHIE: FREYTAG-BERNDT u. ARTARIA, 1

Sehenswürdigkeiten im Zentrum (Auswahl)

① **Albertina**
Das 1781 erbaute, später erweiterte und veränderte Palais beherbergt die berühmte graphische Sammlung, die nach ihrem Gründer, Herzog Albert von Sachsen-Teschen, benannt ist.

② **Altes Rathaus**
Seit 1316 im Besitz der Stadt Wien, mit prachtvollem Portal (um 1700). Im Hof Andromeda-Brunnen von Raphael Donner (1741). An der Rückseite die gotische Salvator-Kirche aus dem 14. Jhdt.

③ **Am Hof**
Größter Platz der Innenstadt: auf ihm stand ursprünglich die Burg der Babenberger. Kirche „Zu den 9 Chören der Engel" mit großangelegtem Portal und Balkon.

⑤ **Hofburg**
Weiträumiger, in seinen Teilen aus dem 13.–20. Jhdt. stammender Gebäudekomplex: umfaßt außer berühmten Sammlungen (z. B. Weltliche und Geistliche Schatzkammer, Museum für Völkerkunde, Nationalbibliothek) auch die Spanische Reitschule und die Präsidentschaftskanzlei.

Stephansdom
Zwischen 1263 und 1511 (Spätromanik, Gotik) entstanden. Eines der sakralen Hauptbauwerke Mitteleuropas. Südturm 137 m hoch; im unausgebauten Nordturm die „Pummerin" (größte Glocke Österreichs, ca. 21 000 kg schwer).

⑥ **Kapuzinerkirche (Kaisergruft)**
In der Kirchengruft wurden von 1633–1916 140 Mitglieder der Dynastie Habsburg (-Lothringen) bestattet. Insgesamt 10 Grufträume, darunter die Maria Theresien-Gruft mit großartigem Doppelsarkophag.

⑦ **Karlskirche**
Hervorragender Barockbau mit 72 m hoher Kuppel, flankiert von zwei 33 m hohen Säulen: erbaut 1716–39 aufgrund eines Gelübdes Karls VI.

⑧ **Kunst- und Naturhistorisches Museum**
1871–91 in symmetrischer Anordnung zueinander erbaut, dazwischen das Maria Theresien-Denkmal (1887).

Staatsoper
1861–69 in französischer Neurenaissance erbaut, im Zweiten Weltkrieg schwer beschädigt und 1946–55 mit neugestaltetem Zuschauerraum wieder hergestellt.

⑨ **Rathaus**
1872–83 erbaut; markanter Hauptturm (inkl. „Rathausmann" 104 m hoch). Im Inneren sieben Höfe, darunter der große Arkadenhof (Sommerkonzerte).

⑩ **Parlament**
In Anlehnung an den griechischen Baustil errichtet (1873–83). Reicher plastischer Schmuck an der Ringstraßenseite, dort auch der Athene-Brunnen (1898–1902). Im Inneren zentrale Säulenhalle.

Burgtheater
1874–78 in Neurenaissance erbaut, nach schweren Bombenschäden mit Veränderungen im Zuschauerraum 1956 wiedereröffnet. Das alte Burgtheater stand von 1776–1889 am Michaelerplatz.

⑬ **Universität (Hauptgebäude)**
In einem der italienischen Renaissance nachempfundenen Baustil 1873–83 erbaut. Im Innenhof zahlreiche Professorenbüsten.

⑭ **Votivkirche**
In französischer Neugotik zweitürmig (je 99 m hoch) 1856–79 erbaut; reiche Chorgliederung.

Kleine Vokabular- und Tatsachenübung

Wien ist die _____ von Österreich. Der berühmte Fluß _____ fließt durch die Stadt. Er inspirierte den bekannten Operettenkomponisten _____ zu dem Walzer _____.

Um 1900 war die Stadt Wien für ihre Extravaganz und _____ bekannt. Der Schriftsteller und Arzt _____ schrieb die provokativen Stücke „Der Reigen" und „Liebelei" in der Zeit.

„Kultur" war schon immer ein wichtiger Aspekt der Stadt Wien. Heute malt der Maler _____ Bilder über Umweltprobleme. Die Schriftstellerin Elfriede Jelinek kritisiert die Wiener Tradition in ihrem Roman _____ (1983). Doch die Wiener denken noch immer gern an ihre Monarchen. Sie bewundern die alte _____, Schloß Schönbrunn, obwohl sie in einer modernen Demokratie leben. Es gibt noch viele schöne alte Traditionen: z.B. ein Nachmittag in einem _____ mit einer Tasse Kaffee und einem Stück _____.

MINIDRAMA 13
Der neue Tutor

Jack, Willi und Brigitte treffen sich bei den Getränke-und Süßigkeitsautomaten. Brigitte zieht eine Tafel Schokolade heraus, Willi nimmt natürlich einen nahrhaften Müsli-Riegel und Fruchtsaft. Jack will eine Coca-Cola trinken. Er sucht nach Kleingeld in seinen Hosentaschen. Er geht hin und her. Plötzlich fällt ihm etwas ein:

Jack: Schaut mich an! Hier steht der phantastische Mensch, der gerade Tutor geworden ist.

Willi: (*sarkastisch*) Hurra,

das ist ein Beruf, auf den du stolz sein kannst: Drei Dollar dreißig die Stunde!

Brigitte: (*auch etwas ironisch*) Hast du auch alles gelernt, was man an deutscher Grammatik wissen muß?

Jack: (*etwas beleidigt*) Ich weiß nicht, von wem ihr sprecht? (*Er zieht seine Jacke aus.*) Seht her! Wie gefällt euch mein neues T-Shirt? Extra für die Tutor-Stunden!

Willi: (*spöttisch*) Ohhh, das ist ja Spitze! Freunde, ihr habt einen Mann vor euch,

dessen Vater die kitschigsten Hemden der USA finanziert.

Jack: (*lacht, geht um Willi herum*) Paß bloß auf, was du sagst, Willi, sonst landest du noch im Krankenhaus!

Brigitte: Du liebe Güte, diese Männer! Gibt es denn keinen Tag, an dem ihr nicht eure Aggressionen loswerden müßt?

Jack: (*ärgerlich*) Ach Unsinn! Hast du Wechselgeld? Der verflixte Automat nimmt mein Geld nicht an. Es fällt immer wieder heraus.

Brigitte: Du mußt nur heftig

dagegentreten, dann geht es schon!

Jack: Also wer ist nun aggressiv? Wir oder du?

WÖRTER zur KOMMUNIKATION

Substantive

die Aggression, -en
der Automat, -en
der Fruchtsaft, ⁼e
das Getränk, -e
das Hemd, -en
die Hosentasche, -n
das Kleingeld
das Krankenhaus, ⁼er

das Müsli, -s
der Riegel, -
die Schokolade
die Süßigkeit, -en
die Tafel, -n
der Unsinn
das Wechselgeld
die Grammatik, -en

Verben

an·nehmen (nimmt an), nahm an,
    angenommen
dagegen·treten (tritt dagegen), trat
    dagegen, dagegengetreten
ein·fallen (fällt ein), fiel ein,
    eingefallen
finanzieren
heraus·fallen (fällt heraus), fiel
    heraus, ist herausgefallen

heraus·ziehen, zog heraus,
    herausgezogen
lachen
landen
los·werden (wird los), wurde los, ist
    losgeworden
suchen

Andere Wörter

aggressiv
ärgerlich
beleidigt
bloß
extra
heftig
ironisch
kitschig

nahrhaft
plötzlich
sarkastisch
sonst
spöttisch
stolz
verflixt

Ausdrücke

Er geht hin und her.
Mir fällt etwas ein.
Das ist Spitze.

Paß bloß auf!
Du liebe Güte!
Es geht schon.

MUSTER I

RELATIVPRONOMEN UND RELATIVSÄTZE

Relativpronomen

	m	s	w	pl
N	der	das	die	die
A	den	das	die	die
D	dem	dem	der	denen
G	dessen	dessen	deren	deren

Erinnert Ihr euch an die Wortfolge bei Konjunktionen in Nebensätzen?

 Ja!

Gut! Bei Relativpronomen benutzt man die gleiche Wortfolge.

 Beispiel: Wo ist der Fisch, **der** heute nicht in der Schule war?

Ich weiß, daß das Verb im Nebensatz am Ende steht!

Was bedeuten die Relativpronomen?

Sie stehen im Nebensatz für ein Substantiv im Hauptsatz.

 z.B.: Wo ist der Fisch, **der** nicht in der Schule war?
↑
der = der Fisch

 Warum ist ,,der'' im Nebensatz männlich?

… weil ,,Fisch'' im Hauptsatz männlich ist.

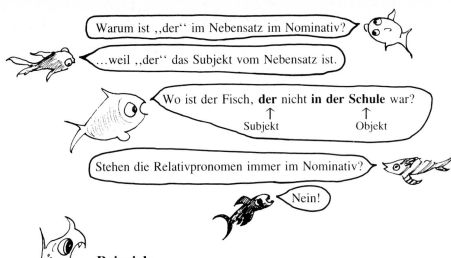

Warum ist ,,der'' im Nebensatz im Nominativ?

...weil ,,der'' das Subjekt vom Nebensatz ist.

Wo ist der Fisch, **der** nicht **in der Schule** war?
↑ Subjekt　　　↑ Objekt

Stehen die Relativpronomen immer im Nominativ?

Nein!

Beispiele

männlich

a Wo ist der Fisch, **den ich** noch nicht kenne?
↑ Akkusativobjekt　↑ Subjekt

d Wo ist der Fisch, **dem ich** das deutsche Lehrbuch gab?
↑ Dativobjekt　↑ Subjekt

g Wo ist der Fisch, **dessen** Noten sehr schlecht sind?
↑ Genitiv

weiblich

n Kennst du **die Forelle, die** schlecht schwimmt?
a Ich habe **die Forelle** gern, **die** ich auf meinem Teller sehe.
d Hier ist **die kluge Forelle, der** es in der Schule gefällt.
g Siehst du **die Forelle, deren** Farbe an einen Regenbogen erinnert?

sächlich

n Wir schwimmen mit **dem Seepferd, das** uns gerade besucht.
a Hier ist **das kleine Seepferd, das** ihr gestern gesucht habt.
d Dort schwimmt **das schnelle Seepferd, dem** wir kaum folgen können.
g Wer reitet auf **dem Seepferd, dessen** Vater aus Texas kommt?

Plural

n Was machen **die Krebse, die** rückwärts laufen?
a Ißt du die Krebse, **die** ich gestern gefangen habe?
d Seht ihr die Krebse, **denen** eine Schere fehlt?
g Es gibt Krebse, **deren** Schale beim Kochen rot wird.

PST! ACHTUNG!

Aufpassen bei Relativpronomen im Genitiv

Beispiele: Hier ist die Frau, deren Tochter *w* . . .

. . . die Frau, deren Sohn *m* . . .

. . . die Frau, deren Auto *s* . . .

. . . die Frau, deren Eltern *pl* . . .

Wie formt man Relativsätze mit Präpositionen?

Einfach!

z.B.: Ich traf heute den Haifisch, **über den** du gestern gesprochen hast.

Bitte zeige mir die Fische, **mit denen** du oft spielst.

Sind das die Heringe, **aus denen** ihr Rollmöpse gemacht habt?

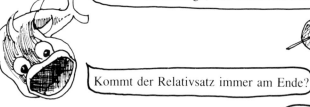

Kommt der Relativsatz immer am Ende?

Nein!

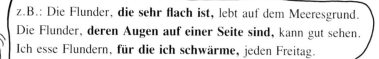

z.B.: Die Flunder, **die sehr flach ist,** lebt auf dem Meeresgrund.

Die Flunder, **deren Augen auf einer Seite sind,** kann gut sehen.

Ich esse Flundern, **für die ich schwärme,** jeden Freitag.

AUSPROBIEREN!

Muster I: Relativpronomen, Nominativ

Wer sind die Prominenten? (zu dritt)

Kennst du eine Schauspielerin, die _____
die _____
die _____
die _____

Kennst du einen Rocksinger, der _____
der _____
der _____
der _____

Kennst du ein Wunderkind, das _____
das _____
das _____
das _____

Wer hat die interessanteren Verwandten?

Ich habe eine Schwester, _____
Ich habe einen Onkel, _____
Ich habe eine Tante, _____
Ich habe einen Vater, _____
Ich habe eine Schwägerin, _____
Ich habe zwei Cousinen, _____
Ich habe ein Kind, _____
Ich habe drei Schwestern, _____

Muster II und III: Relativpronomen (Akkusativ, Dativ, Genitiv und mit Präpositionen)

Was hast du zu Weihnachten geschenkt? (zu dritt)

Ich habe eine Freundin, _____ ich eine Armbanduhr geschenkt habe.
Ich habe ein Haustier (*s*), _____
Ich habe einen Bruder, _____
Ich habe eine Tante, _____
Ich habe zwei Nachbarn, _____
usw.

Wo sind die Dinge?

Wo ist der Rucksack, _____ ich gestern noch hatte?
Wo ist die Tasche, _____ auf dem Tisch lag?

Wo ist das Schreibheft, _____
Wo sind die zehn Dollar, _____
usw.

Wer kennt die Leute?

Kennst du den Polizisten, mit _____ ich gesprochen habe?
Kennst du die Professorin, von _____ ich ein A bekommen habe?
Kennst du die Studenten (*pl*), für _____
Kennst du den Angestellten, ohne _____
usw.

SPRACHLICHE BESONDERHEITEN

Infinitivsätze

I. . . . zu + Infinitiv (wie im Englischen)

In einem Alptraum bat ich meine Freundin,
langsamer **zu** fahren.

Wir hofften, bald einige Freunde
zu treffen.

II. . . . , um . . . zu + Infinitiv

Wir fuhren ins Tal. Wir suchten
einen See.

Wir fuhren ins Tal, **um** einen See
zu suchen.

III. . . . , ohne . . . zu + Infinitiv

Meine Freundin fuhr auf der engen Straße.
Sie hatte keine Angst.

Meine Freundin fuhr auf der engen Straße,
ohne Angst **zu** haben.

IV. . . . , anstatt . . . zu + Infinitiv

Ich aber schaute auf die Straße.

Eigentlich wollte ich die Berge
bewundern.

Ich schaute auf die Straße, **anstatt**
die Berge **zu** bewundern.

Noch mehr Beispiele

Wir hatten ein Boot dabei, **um** zu
  einer Insel **zu** fahren.

Wir sind losgefahren, **ohne** den Weg
  zu kennen.

Warum haben wir nur die
  Landstraße gewählt, **anstatt** auf
  der Autobahn **zu** fahren!

PST!

Bei Verben mit trennbaren Präfixen steht „zu" in der Mitte.
z.B. . . . um abzufahren

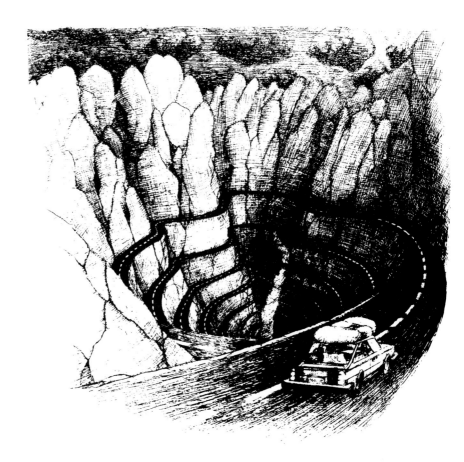

Eine kleine Übung mit Infinitivsätzen (zu dritt)

Jede/r schreibt 2 Sätze auf. Alle Sätze beginnen mit „Frau Moritz."
Macht dann einen Staz mit *um zu, ohne zu,* oder *anstatt zu* aus den 2 Sätzen.

> **Beispiel** Frau Moritz fährt 120 km in der Stunde.
> Frau Moritz kommt schnell zum Krankenhaus.
> Frau Moritz fährt 120 km in der Stunde, um schnell zum
> Krankenhaus zu kommen.

WAS SAGT MAN DA?

Meinungen/Ansichten äußern

Ich finde, . . .

Ich finde das [nicht richtig].

Ich finde es [nicht gut], wenn . . .

Ich finde es [besser].

Ich glaube . . .

Ich denke . . .

Ich würde sagen . . .

Ich sehe das so . . .

Ich habe den Eindruck, daß . . .

Ich habe das Gefühl, daß . . .

Ich stehe auf dem Standpunkt, daß . . .

Mir scheint, daß . . .

Partei nehmen

(Das) stimmt.

Das ist wahr.

(Das ist) richtig.

So ist es.

Genau!

Natürlich!

Freilich!

Selbstverständlich!

Allerdings!

Konsens/Dissens äußern ━━━━━━━━━

Ich bin für/gegen . . .

Ich bin dafür/dagegen.

Ich bin der gleichen Meinung wie . . .

Ich bin der gleichen Ansicht . . .

Wählen oder nicht wählen?
Rollenspiel (zu dritt)

A ist für Wählen. B + C sind dagegen.

A findet Kandidat Schlaufuchs am besten.

B möchte lieber Kandidat Großkopf.

C nimmt Partei für A.

DEUTSCHES MAGAZIN

LEBEN IN DER UMWELT

„Natur ist alles!" sagte Goethe. Nicht nur in Amerika gibt es Probleme mit der Umwelt, sondern auch in deutsch-sprachigen Ländern. Auch hier muß man für den „Fortschritt" teuer bezahlen. Bäume und Seen sterben. Die Luft ist nicht mehr so, wie sie einmal war. Ist es zu spät, die Natur zu retten?

Blickpunkt: Die Schweiz

Wörter ohne Wörterbuch

die Atmosphäre, -n
biologisch
die Chemie
der Fisch, -e
das Grundwasser, ¨
die Industrie, -n
das Insekt, -en
kanalisieren
die Katastrophe, -n
der Kilometer, -
die Natur
der Nerv, -en
neutral
die Nordsee
das Öl, -e
das Problem, -e
die Schokolade, -n

SOMMER

Im Sommer ißt man grüne Bohnen,
Pfirsiche, Kirschen und Melonen.
In jeder Hinsicht schön und lang,
bilden die Tage einen Klang.

Durch Länder fahren Eisenbahnen,
auf Häusern flattern lust'ge Fahnen.
Wie ist's in einem Boote schön,
umgeben von gelinden Höhn.

Das Hochgebirge trägt noch Schnee,
die Blumen duften. Auf dem See
kann man mit Glücklichsein und Singen
vergnügt die lange Zeit verbringen.

Reich bin ich durch ich weiß nicht was,
man liest ein Buch und liegt im Gras
und hört von üb'rall her die dummen
unnützen Mücken, Fliegen summen.

Robert Walser
1878 Biel—1956 Herisau/Schweiz

Vokabularübung. Sommer ist . . .

Welche Substantive und Verben in Robert Walsers Gedicht sind
für euch „Sommerwörter"?
Welche anderen Wörter assoziiert ihr mit Sommer?

Verben   **Substantive**

> **Eine Pflanze braucht
> Sonne, um Pflanze zu wer-
> den, ein Mensch braucht
> Liebe, um Mensch zu
> werden.**
> *aus: Sponti-Sprüche Nr. 3*

Unsere Umwelt kaputt? ━━━━━━━

Das sind die zehn Hauptsünden gegen unsere Umwelt

Eine Zeitschrift fragte 49 Wissenschaftler und Politiker, welche Umweltsünden unser Leben am meisten bedrohen. Gift in der Luft, verseuchte Flüsse, Lärmbelästigung, Zerstörung der Landschaft?

1. Verseuchte Flüsse

Auf Platz eins kam, 40mal von den Experten genannt, die Verschmutzung unserer Flüsse. Fäkalien und chemische Abwässer von Gemeinden und Betrieben lassen viele Gewässer, wie zum Beispiel die Saar, biologisch sterben.

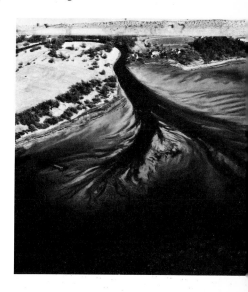

2. Verpestete Luft

wurde 35mal genannt und erhielt den zweiten Rang. Autos und Kraftwerke, Fabriken und Heizungen belasten die Luft. Das kann zu Smog führen. Der ,,saure Regen" tötet Wälder.

3. Zerstörte Landschaft

steht auf Platz drei der Rangliste
mit 27 Punkten. Schnellstraßen
und Bergbahnen, Flughäfen und
Kanalbauten zerstören die Landschaft, fressen Grund und Boden
auf. Viele fürchten, langsam
eingemauert zu werden.

4. Trockengelegte Wiesen

Moore, feuchte Wiesen und
Sumpfgebiete werden für die
Landwirtschaft entwässert, für die
Industrie trockengelegt. Die
Folge ist: Es sterben Bäume,
seltene Pflanzen und Tiere.

5. Öl und Säure in den Meeren

Endet die Nordsee als Totes
Meer? Tankerunfälle, Dünnsäure,
Öl und Schmutz aus vielen
Flüssen können eine biologische
Katastrophe auslösen. Auch die
Ostsee läuft allmählich voll
Dreck.

6. Zuviel Chemie im Boden

Wenn ein Bauer seine Felder vor
Unkraut und Insekten schützen
will, versprüht er Schädlings-
bekämpfungsmittel—oft im
Übermaß. Rückstände dieser
Chemikalien gelangen in Boden,
Grundwasser und Nahrung.

7. Krankes Grundwasser

Abfall und giftige Schwermetalle aus Klärschlamm, Chemiedünger und Industrie bedrohen Grundwasser und Ackerböden.

8. Zuviel Lärm

Auch Lärm, speziell von Autos, Flugzeugen und Mopeds, ist eines der größten Umweltprobleme. Lärm macht schwerhörig und schädigt die Nerven.

9. Pfusch an der Natur

Wo Hecken und Feldgehölze, Tümpel und krumme Bäche wegrationalisiert wurden, fehlt vielen Arten von Wildtieren der angestammte Lebensraum.

10. Gerade Flüsse

Seit 1945 wurden bei uns 40 000 Kilometer Bäche und Flüsse begradigt und kanalisiert. Nicht nur alte Auenwälder gingen ein, auch zahlreiche Fisch- und Vogelarten starben aus.

Diskussionsübung (zu zweit)

Umweltsünden auch hier?

1. Welche ,,Umweltsünde" finden Sie am größten? Warum?
2. Gibt es in Ihrem Staat in den USA auch Umweltsünden?
   a.
   b.
   c.
   d.
   e.
3. Soll Washington etwas für den Umweltschutz tun? [ja] [nein]
4. Wer soll etwas gegen die Umweltverschmutzung tun?
   a.
   b.
5. Was können Sie gegen die Umweltsünden tun?
   a.
   b.

Kleine Vokabularübung

a. Fische sterben in der Elbe.
b. Green Peace ist gegen Atomabfall im Meer.
c. Bäume sind wichtig für unsere Umwelt.
d. Eine Blume ist Symbol für das Leben.
e. Insekten sterben durch Chemikalien.

Welche Umweltsünden?

1. _____
2. _____
3. _____
4. _____
5. _____

Naturschutz-Werbung: „Zumindest so wichtig wie atomare Rüstungsbegrenzung"

"Daß es uns den halben Sommer verpißt, ist schon deprimierend genug, aber der Gedanke, daß das vielleicht alles Glykol ist, was da oben runter kommt, macht mich total wahnsinnig!"

Sprech- und Schreibübung (zu zweit)

Kritik an der Umwelt

Frau Pessimistin und Frau Negativ machen eine Reise durch die Bundesrepublik.
Was sehen sie an den folgenden Orten?
Was sagen sie?

	Frau Pessimistin	Frau Negativ
1. Im Wald	_____	_____
2. Am Strand	_____	_____
3. Auf der Autobahn	_____	_____
4. Im Stadtzentrum	_____	_____
5. Auf dem Picknickplatz	_____	_____

Substantive	Verben	Adjektive
die Augen	tränen	laut
die Ohren	stinken	schmutzig
die Luft	verbrauchen	frisch
der Abfall	schmecken nach	schrecklich
der Teer	schwimmen	verpestet
der Fisch	(nicht mehr) geben	verseucht
das Auto	spazierengehen	furchtbar
das Benzin	sterben	tot
die Äpfel	genießen	kaputt
die Chemikalien	picknicken	gefährlich
die Bäume	sehen	gespritzt
die Abgase	hören	ungesund
usw.	*usw.*	*usw.*

Beispiel	**Frau Pessimistin:**	„Hier stinkt es!"
	Frau Negativ:	„Ja, die Luft ist verpestet."

DIE SCHWEIZ

Tatsachen über die Schweiz ——————

Sprachen: Hochdeutsch, Französisch, Italienisch, Schweizer Deutsch, Rätoromanisch
Einwohnerzahl: 6 347 000
Hauptstadt: Bern
Höchster Berg: Matterhorn
Produkte: Uhren, Käse, Schokolade
Wichtig für den Welthandel: Banken

Falsche Gerüchte über die Schweiz ——————

Die ,,Schweizer Garde" ist die Nationalarmee.
(Sie ist die Polizei im Vatikanstaat.)
Wilhelm Tell ist der einzige Nationalheld.
  (Es gibt viele.)
Kuckucksuhren werden hier hergestellt.
  (Nein, die werden im Schwarzwald hergestellt.)

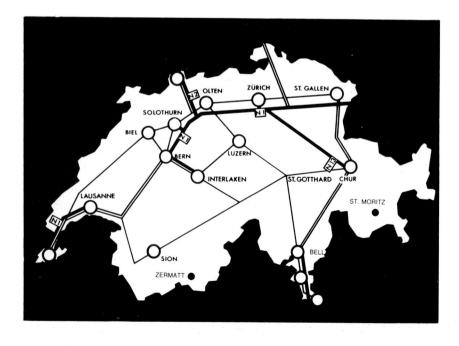

Nur Johanna Spyris „Heidi" wird gelesen.
  (Nein, auch Gottfried Keller, Max Frisch und Friedrich Dürrenmatt
  werden gelesen.)
Albert Schweitzer ist Schweizer.
  (Nein, er ist Deutscher.)

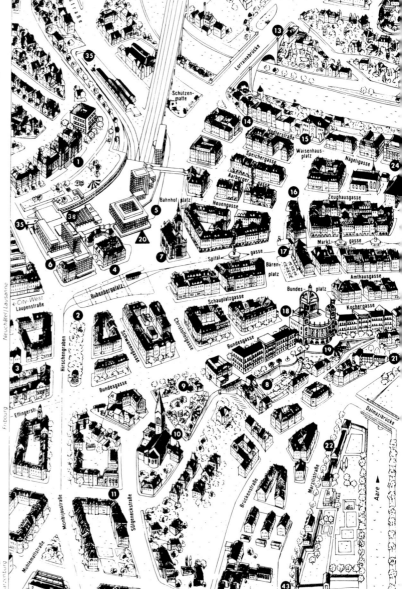

	Deutsch		Français
1	Universität	**1**	Université
2	Bubenberg-Denkmal	**2**	Monument de Bubenberg
3	Hallenbad	**3**	Piscine couverte
4	Burgerspital	**4**	Hôpital des Bourgeois
5	Hauptbahnhof	**5**	Gare de Berne
6	Hauptpost	**6**	Poste principale
7	Heiliggeist-Kirche	**7**	Eglise du Saint-Esprit
8	Drahtseilbahn Marzili	**8**	Funiculaire du Marzili
9	Weltpost-Denkmal	**9**	Monument de l'Union postale universelle
10	Dreifaltigkeits-Kirche	**10**	Eglise Sainte-Trinité
11	Synagoge	**11**	Synagogue
12	Gewerbeschule	**12**	Ecole des arts et métiers
13	Botanischer Garten	**13**	Jardin botanique
14	Kunstmuseum	**14**	Musée des beaux-arts
15	Stadtpolizei (altes Waisenhaus)	**15**	Police (ancien orphelinat)
16	Metro-Parking	**16**	Metro-Parking
17	Käfigturm	**17**	Tour des Prisons
18	Parlamentsgebäude	**18**	Palais du Parlement
19	Bundesterrasse	**19**	Terrasse du Palais fédéral
20	Offiz. Verkehrsbureau	**20**	Office du tourisme
21	Jugendherberge	**21**	Auberge de la Jeunesse
22	Aarebad	**22**	Bains de l'Aar
23	Kursaal und Minigolf	**23**	Kursaal et Minigolf
24	Stadttheater	**24**	Théâtre municipal
25	Gewerbemuseum Schweizerisches Gutenbergmuseum Kornhauskeller	**25**	Musée des arts et métiers Musée suisse Gutenberg Grande Cave
26	Zytgloggeturm	**26**	Tour de l'Horloge
27	Bellevue-Parking	**27**	Bellevue-Parking
28	Casino	**28**	Casino
29	Schulwarte	**29**	Schulwarte
30	Schweizerisches Alpines Museum Schweiz. PTT-Museum	**30**	Musée alpin suisse Musée suisse des PTT
31	Kunsthalle	**31**	Galerie d'art
32	Bernisches Historisches Museum	**32**	Musée d'histoire de Berne
33	Schweizerisches Schützenmuseum	**33**	Musée suisse des carabiniers
34	Naturhistorisches Museum	**34**	Musée d'histoire naturelle
35	Bahnhof-Parking	**35**	Parking de la Gare
36	Schweizerische Landesbibliothek	**36**	Bibliothèque nationale suisse
37	Tierpark Dählhölzli	**37**	Parc zoologique Dählhölzli
38	Postautostation Bus Airport Zürich	**38**	Autocars PTT Bus Airport Zürich
39	Rathaus, Parking Christkatholische Kirche	**39**	Hôtel du Gouvernement, Parking Eglise cath. chrétienne
40	Münster	**40**	Cathédrale
41	Rosengarten	**41**	Jardin des Roses
42	Bärengraben	**42**	Fosse aux ours
43	Jugendzentrum	**43**	Centre de la jeunesse
44	Schweizerisches Bundesarchiv	**44**	Archives fédérales suisses

Information / Reservation:
Offizielles Verkehrsbüro Bern   Im Bahnhof, Postfach 2700
Office du tourisme de Berne   **3001 Bern / Schweiz**
Ufficio turistico di Berna   Telephon (031) 22 76 76
Official Tourist Office Berne   Telex 32 823

ED WEBER, GRAFIKER, BERN 1972   PRINTED IN SWITZERLAND BY KÜMMERLY + FREY, BERN

	Italiano	English
1	Università	University
2	Monumento a Bubenberg	Bubenberg Memorial
3	Piscina coperta	Indoor swimmingpool
4	Ospedale dei borghesi	Citizens' Home
5	Stazione principale	Main Station
6	Posta principale	General Post Office
7	Chiesa Santo Spirito	Holy Ghost Church
8	Funicolare Marzili	Marzili cable-railway
9	Monumento dell'Unione postale universale	Universal Postal Union Memorial
10	Chiesa della Trinità	Holy Trinity Church
11	Sinagoga	Synagogue
12	Scuola d'arti e mestieri	Technical school
13	Giardino botanico	Botanic Gardens
14	Museo delle belle arti	Art Museum
15	Polizia (il vecchio orfanotrofio)	Police headquarters (the former orphanage)
16	Autorimessa Metro	Metro-Parking
17	Torre delle prigioni	Prison Tower
18	Palazzo del Parlamento	Houses of Parliament
19	Terrazza del Palazzo Federale	Terrace of the Houses of Parliament
20	**Ufficio turistico**	**Official Tourist Office**
21	Ospizio per giovani	Youth Hostel
22	Stabilimento balneare sull'Aar	River baths
23	Kursaal e Minigolf	Kursaal and Minigolf
24	Teatro municipale	Municipal Theatre
25	Museo d. arti e mestieri Museo svizzero Gutenberg Il Cantinone	Industrial Museum Swiss Gutenberg Museum Cornhouse Cellar
26	Torre dell'orologio	Clock Tower
27	Autorimessa Bellevue	Bellevue-Parking
28	Casino	Casino
29	Schulwarte	Schulwarte
30	Museo alpino svizzero Museo svizzero dei PTT	Swiss Alpine Museum Swiss PTT Museum
31	Galleria d'arte	Art Gallery
32	Museo storico bernese	Berne Historical Museum
33	Museo svizzero di tiro	Swiss Rifle Museum
34	Museo di storia naturale	Natural History Museum
35	Autorimessa stazione	Parking main station
36	Biblioteca nazionale svizzera	Swiss National Library
37	Giardino zoologico Dählhölzli	Zoological Garden Dählhölzli
38	Automobili Postali Bus Airport Zurigo	Postal Coach Terminal Bus Airport Zürich
39	Municipio, Autorimessa Chiesa cattolica cristiana	Town Hall, Parking Christ-catholic Church
40	Cattedrale	Cathedral
41	Giardino delle rose	Rose Gardens
42	Fossa degli orsi	Bear-Pit
43	Centro della gioventù	Youth centre
44	Archivio federale svizzero	Swiss Federal Archives

Stadtrundgang, Beschreibung umstehend
Tour de ville, description au verso
Giro della città, descrizione a tergo
Sightseeing walk, for description p. t. o.

Information (Plan/map/pianta)   ☀ Aussichtspunkt; point de vue; belvedere; view-point

KAPITEL 14

AUF DEUTSCH!

MINIDRAMA 14
Die Überraschung

Brigitte klingelt bei Willi. Er
ruft ,,herein.'' Sie schütteln
sich die Hände.

Willi: Wie kommt es, daß du
heute so gute Laune hast?
Brigitte: Das ist leicht zu
verstehen. Gestern war
Zahltag. Mein Bankkonto
macht mich glücklich.
Willi: Dann kannst du ja mal
was spendieren. Wie wäre es
mit einer Party? Jack hat
morgen Geburtstag. Wollen
wir ihn überraschen?
Brigitte: Großartige Idee. Ich
muß zwar Geld für einen
neuen Farbfernseher sparen,

aber ein bißchen habe ich übrig. Können wir die Party bei dir feiern? Du hast doch die tolle Stereoanlage.

Willi: Gerne. Mein Wohnzimmer ist zwar etwas klein, aber wenn wir tanzen wollen, gehen wir einfach auf den Korridor. Die Musik hören wir auch dort.

Brigitte: Hast du schöne Tanzmusik?

Willi: Nein. Könntest du deine Platten aus deiner Wohnung holen?

Brigitte: Na gut, inzwischen solltest du hier etwas aufräumen. Hier ist alles so unordentlich.

Willi: Wenn ich immer

saubermachte, hätte ich nie Zeit, über Philosophie nachzudenken.

Brigitte: Gut, Sokrates. Aber hast du genug Teller, Tassen, Gläser, Löffel, Gabeln und Messer in der Küche?

Willi: Nein, ihr müßt euch mit Papier und Plastiksachen begnügen. Wenn ich so reich wie du wäre, kaufte ich natürlich Meißener Porzellan.

Brigitte: Du gehörst eben zum Studentenproletariat. Jetzt an die Arbeit. Wir können nicht feiern, ohne deine Bude etwas zu dekorieren.

Willi: Ich könnte ein paar witzige Bilder malen.

Brigitte: Lieber nicht! Schau

doch mal im Keller nach, ob du etwas Bier oder Limonade findest. Hier, nimm den vollen Aschenbecher mit zur Mülltonne. Hier riecht es ja furchtbar nach Zigarettenrauch.

Willi: Schimpfe nicht! Du bist beinahe wie meine Mutter. Sage mir lieber, was wir Jack schenken können. Wenn er Interesse an Literatur hätte, würde ich ihm ein Buch über Liebeslyrik des Mittelalters schenken.

Brigitte: Du bist wohl von Sinnen! Warum denn gerade das Buch?

Willi: Na ja, ich habe zwei davon.

WÖRTER zur KOMMUNIKATION

Substantive

der Aschenbecher, -
das Bankkonto, -konten
die Bude, -n
der Farbfernseher, -
die Gabel, -n
der Geburtstag, -e
das Glas, ⸚er
das Interesse, -n
der Keller, -
der Korridor, -e
die Küche, -n
die Laune, -n
die Liebeslyrik
die Limonade
der Löffel, -
das Messer, -

das Mittelalter
die Mülltonne, -n
das Papier, -e
die Party, -s
die Plastiksachen (*pl*)
die Platte, -n
das Porzellan
die Stereoanlage, -n
das Studentenproletariat
die Tanzmusik
der Teller, -
die Überraschung, -en
die Wohnung, -en
der Zahltag, -e
der Zigarettenrauch

Verben

auf·räumen
begnügen
dekorieren
feiern
klingeln
malen
nach·denken über (+ Akk), dachte
    nach, nachgedacht
riechen, roch, gerochen

sauber·machen
schenken
schimpfen
schütteln
sparen
spendieren
überraschen

Andere Wörter

furchtbar
glücklich
reich
übrig

unordentlich
voll
witzig

Ausdrücke

bei jemandem klingeln
sich die Hände schütteln
Wie kommt es?
gute Laune haben

sich abfinden mit
von Sinnen sein
Lieber nicht.

MUSTER I

KONJUNKTIV

Franziska Becker

Konjunktiv

Wenn ich in Berlin **wäre**, **würde** ich berühmte Filme **machen**.

> *Aber sie wohnt nicht in Berlin.*

Indikativ

Ich **wohne** in Gainesville und **knipse** eine Butterblume.

MUSTER II

KONJUNKTIV GEGENWART

Schwache Verben

Konjunktiv (identisch mit Imperfekt)	
ich machte	wir machten
du machtest	ihr machtet
er, es, sie machte	sie, Sie machten

Verbendungen im Konjunktiv

-e	-en
-est	-et
-e	-en

Beispiele

Wenn er nur ein Kompliment **machte**!

Wenn er sie nur **liebte**!

Wenn er nur kein Theater **machte**!

Der undressierte Mann

Starke Verben

Imperfekt-Stamm + (Umlaut) + Konjunktiv-Endung

Imperfekt-Stamm + Konjunktiv-Endung
↓

sprechen	sprach	
Konjunktiv	ich spräch*e*	wir spräch*en*
	du spräch*est*	ihr spräch*et*
	er, es, sie spräch*e*	sie, Sie spräch*en*

Beispiel

Wenn sie nur lauter spräche!

Man sagt meistens würde- + Infinitiv

ich würde	wir würden
du würdest	ihr würdet
er, es, sie würde	sie, Sie würden

Beispiele

Wenn er nur kein Theater machen würde!
Wenn sie nur lauter sprechen würde!

PST!

bei *haben*, *sein*, *wissen* und den Modalen benützen wir nie ,,würde"!

MUSTER III

Wann benützt man Konjunktiv?

1. Bei Wünschen

Wenn es nur regnen würde!

Wenn es nur regnete!

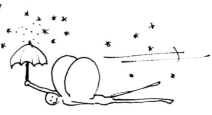

Wenn es nur schneite!

Wenn ich nur nicht so viel Arbeit hätte!

Wenn sie nur pünktlich wäre!

Wenn der Zug nur bald käme!

2. Bei höflichen Bitten

Oft mit Modalen, mit „würde" oder mit „hätte".

Könnten Sie mir Auskunft geben?

Dürfte ich um den Zucker bitten?

Würden Sie mir bitte die Butter reichen?

Hätten Sie heute abend etwas Zeit?

Würden Sie mit mir ausgehen?

Dürfte ich Ihr Auto leihen?

3. Im Konditionalsatz (Präsens)

Wenn + (. . .) + Verb im Konjunktiv + , + würde + (. . .) +
Infinitiv.

Beispiele

Wenn ich ein Auto **hätte, würde** ich
dich heute **besuchen**.
Wenn ich nach Hause **ginge, würde**
ich dich **treffen**.

oder:
Ich **würde** dich **treffen, wenn** ich
nach Hause **ginge**.

oder ohne ,,wenn'':
Ginge ich nach Hause, **würde** ich
dich **treffen**.

Noch mehr Beispiele

Wenn es **regnete, würde** ich **arbeiten**.
Wenn die Sonne **schiene, würde** ich **spazierengehen**.
Wenn ich ein Vogel **wäre, würde** ich **fliegen**.

PST!

Aber:
Wenn ich reich wäre, hätte ich ein Schloß.
Wenn ich viel Geld hätte, wäre ich glücklich.

MUSTER IV

KONJUNKTIV VERGANGENHEIT

wäre/hätte + Partizip (Perfekt) ————————

ich wäre	wir wären
du wärest	ihr wäret
er, es, sie wäre	sie, Sie wären
ich hätte	wir hätten
du hättest	ihr hättet
er, es, sie hätte	sie, Sie hätten

Diese Formen sind noch einfacher!
Es gibt nur eine Vergangenheit für diesen Konjunktiv

Konjunktiv ————————————————

Wenn es gestern geregnet hätte, wäre ich zu Hause geblieben.

Indikativ ————————————————

Aber gestern schien die Sonne, und er ist nicht zu Hause geblieben.

Noch mehr Beispiele

Wenn es heute früh kälter gewesen wäre, hätte ich Handschuhe angezogen.

Wenn du mich besucht hättest, wäre ich nicht in die Alpen gefahren.

unschön!!

Wenn du mir einen Brief geschrieben hättest, hätte ich dich angerufen.

besser:

Hättest du mir einen Brief geschrieben, hätte ich dich angerufen.

oder:

Ich hätte dich angerufen, wenn du mir einen Brief geschrieben hättest.

PST!

**Auch Präsens + Vergangenheit in einem Konditionalsatz:
Wenn es geregnet hätte, wäre ich jetzt nicht hier.**

AUSPROBIEREN!

Muster I–IV: Konjunktiv

**Das Verb in der Antwort immer im Konjunktiv.
Jedes Verb nur einmal benützen!
Zu dritt, jede/r gibt eine andere Antwort.**

Wunschträume für . . . (Präsens)
  Optimisten
  Pessimisten
  Politiker
  Raucher
  Dicke
  Studenten

> **Beispiel   Wenn ich Nichtraucher *wäre*, *würde* ich gesund *bleiben*.**

Was würdet ihr machen, wenn . . .
  ihr 20,000 DM auf der Straße fändet?
  morgen die Welt unterginge?
  ihr Präsident der Vereinigten Staaten wäret?
  der Doktor das Rauchen verböte?
  ihr noch 40 kg zunähmet?
  die Professoren nur gute Noten gäben?

Vergangenheit: Die Bahnfahrt
Zu dritt, jede/r gibt eine andere Antwort.

Was wäre passiert, wenn . . .

> der Zug nicht in München gehalten hätte?
> ein schöner Mann/eine schöne Frau eingestiegen wäre?
> du im Zug eingeschlafen und zu weit gefahren wärest?
> dein Nachbar im Nichtraucherabteil eine Zigarette angezündet hätte?
> ein Mann dich um Geld gebeten hätte?
> wir im falschen Zug gesessen hätten?

SPRACHLICHE BESONDERHEITEN

Wo- und da-Verbindungen

PST!

da- und wo-Verbindungen nicht bei Personen:
Der Gast spricht von der Suppe.
Er spricht *davon*.

Der Gast spricht nicht von dem Koch.
Er spricht nicht *von ihm*.

---

wo(r) + Präposition

Womit ißt der Gast?	woran	wofür
(mit einem Löffel)	worauf	womit
Worüber spricht er?	woraus	wovor
(über die Qualität der Suppe)	wodurch	*usw.*
Wonach schmeckt die Suppe?		
(nach Ochsenschwanz)		

da(r) + Präposition

Er ißt damit.	daran	darin
Er spricht darüber.	darauf	daneben
Sie schmeckt danach.	daraus	darüber
	dabei	darunter
	dafür	davor
	dehinter	*usw.*

Worum bittet der Gast?
   (um eine Verspeise)
Er bittet darum.

Womit ißt der Gast?
   (mit einem Löffel)
Er ißt damit.

Woran denkt er?
   (an das Essen)
Er denkt daran.

Worüber spricht er?
   (über die Qualität der Suppe)
Er spricht darüber.

Wonach schmeckt die Suppe?
   (nach Ochsenschwanz)
Sie schmeckt danach.

Beispiele

Wofür interessierst du dich?
Ich interessiere mich **dafür**.

Worauf warten sie?
Sie warten **darauf**.

Wovon halten sie nichts?
Sie halten nichts **davon**.

WAS SAGT MAN DA?

Vorschläge zum gemeinsamen Handeln erbitten ──

Was machen wir heute abend?

Was sollen wir jetzt machen?

Was möchtet ihr gern tun?

Wohin gehen wir? Hast du 'ne Idee?

Gehen wir ins Restaurant?

Wissen Sie, was man hier machen kann?

Mach einen Vorschlag!

Was könnte man noch machen?

Rollenspiele (zu zweit)

Ein neuer Student an Ihrer Universität will die Stadt kennenlernen.
Ihre reiche Tante kommt zu Besuch.
Sie lernen einen netten Mann/eine nette Frau im Supermarkt kennen.
Sie finden alles langweilig.
Erfinden Sie selbst ein Rollenspiel.

DEUTSCHES MAGAZIN

DEUTSCHLAND, EINE FANTASIE?

Leute im Ausland sehen oft nur ein Deutschland wie im Märchen: Burgen, Schlösser, Bergsteigen, Skifahren und das Münchner Oktoberfest.

Blickpunkt

Wörter ohne Wörterbuch

die Brezel, -n
das Golf
legendär
das Oktoberfest, -e
das Paar, -e
die Persönlichkeit,
    -en
die Rakete, -n
surfen
das Team, -s
die Toleranz
die Tradition, -en

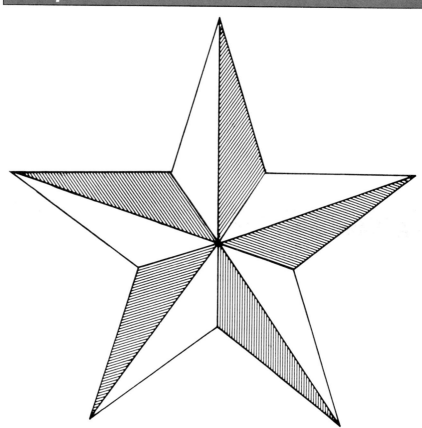

Ludwig II (1864–86) nahm 1866 am Krieg gegen Preußen teil, vollzog aber 1870/71 den Eintritt Bayerns in das Deutsche Reich. Ludwig holte Richard Wagner eine Zeit lang nach München und interessierte sich leidenschaftlich für seine Kunst.

Er ließ das Festspielhaus in Bayreuth bauen. Er ließ auch viele Schlösser in den bayrischen Bergen bauen (Herrenchiemsee, Neuschwanstein, Linderhof) und stürzte sich in Schulden, die er nicht bezahlen konnte. Er wurde geisteskrank und fand (zusammen mit dem Irrenarzt) den Tod im Starnberger See.

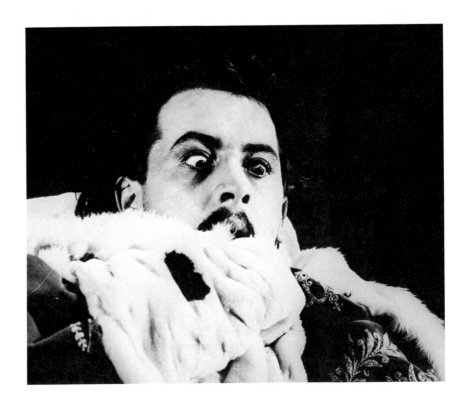

Auf deutsch!

Schreibübung

Schreiben Sie eine Postkarte an einen Freund/eine Freundin über Ludwig II!

Es war, als ob König Ludwig noch lebte!

Es war als ob König Ludwig noch lebte!

DEUTSCHLAND: DEINE FANTASIE

1. Stelle eine Collage zusammen.

Thema: „Wie siehst du Deutschland?"

Finde Bilder, kurze Texte (Sätze), usw. für dein persönliches Deutschlandbild.

Was sind deine Informationsquellen?

Zum Beispiel: Verwandte, Fernsehen, Film, Reisen, Musik, Geschichte, usw.

2. Zeige die Collage in der Gruppe und beschreibe dein Deutschlandbild. Vergleiche dein Bild mit den Bildern der anderen in der Gruppe.

OKTOBERFEST

Im Jahre 1986 haben Oktoberfestgäste 452,452 Hähnchen, 34 Ochsen und 398,423 Paar Würstchen gegessen und 37,012 Hektoliter (977,784 Gallonen) Bier getrunken! Und wieviele Brezeln weiß niemand!

Rollenspiel (zu zweit)

Frau Moser und Frau Huber treffen sich auf dem Oktoberfest und unterhalten sich. Was haben sie auf dem Oktoberfest gemacht, gegessen, getrunken. Sie erzählen von ihrer Familie. Frau Huber hat Geburtstag, und Frau Moser gratuliert.

TITEL?

von Wolf Biermann

Wolf Biermann liest aus seinem Werk ▶

Es war einmal ein kleiner älterer Herr, der hieß Herr Moritz und hatte sehr große Schuhe und einen schwarzen Mantel dazu und einen langen schwarzen Regenschirmstock, und damit ging er oft spazieren.

Als nun der lange Winter kam, der längste Winter auf der Welt in Berlin, da wurden die Menschen allmählich böse.

Die Autofahrer schimpften, weil die Straßen so glatt waren, daß die Autos ausrutschten. Die Verkehrspolizisten schimpften, weil sie immer auf der kalten Straße rumstehen mußten. Die Verkäuferinnen schimpften, weil ihre Verkaufsläden so kalt waren. Die Männer von der Müllabfuhr schimpften, weil der Schnee gar nicht alle wurde. Der Milchmann schimpfte, weil ihm die Milch in den Milchkannen zu Eis gefror. Die Kinder schimpften, weil ihnen die Ohren ganz rot gefroren waren, und die Hunde bellten vor Wut über die Kälte schon gar nicht mehr, sondern zitterten nur noch und klapperten mit den Zähnen vor Kälte, und das sah auch sehr böse aus.

An einem solchen kalten Schneetag ging Herr Moritz mit seinem blauen Hut spazieren, und er dachte: „Wie böse die Menschen alle sind, es wird höchste Zeit, daß wieder Sommer wird und Blumen wachsen."

Und als er so durch die schimpfenden Leute in der Markthalle ging, wuchsen ganz schnell und ganz viel Krokusse, Tulpen und Maiglöckchen und Rosen und Nelken, auch Löwenzahn und Margeriten. Er merkte es aber erst gar nicht, und dabei war schon längst sein Hut vom Kopf hochgegangen, weil die Blumen immer mehr wurden und auch immer länger.

Da blieb vor ihm eine Frau stehn und sagte: „Oh, Ihnen wachsen aber schöne Blumen auf dem Kopf!"

„Mir Blumen auf dem Kopf! sagte Herr Moritz, „so was gibt es ja gar nicht!"

„Doch! Schauen Sie hier in das Schaufenster, Sie können sich darin spiegeln. Darf ich eine Blume abpflücken?"

Und Herr Moritz sah im Schaufensterspiegelbild, daß wirklich Blumen auf seinem Kopf wuchsen, bunte und große, vielerlei Art, und er sagte: „Aber bitte, wenn Sie eine wollen . . ."

„Ich möchte gerne eine kleine Rose", sagte die Frau und pflückte sich eine.

„Und ich eine Nelke für meinen Bruder," sagte ein kleines Mädchen, und Herr Moritz bückte sich, damit das Mädchen ihm auf den Kopf langen konnte. Er brauchte sich aber nicht so sehr tief zu bücken, denn er war etwas kleiner als andere Männer. Und viele Leute kamen und brachen sich Blumen vom Kopf des kleinen Herrn Moritz, und es tat ihm nicht weh, und die Blumen wuchsen immer gleich nach, und es kribbelte so schön am Kopf, als ob ihn jemand freundlich streichelte, und Herr Moritz war froh, daß er den Leuten mitten im kalten Winter Blumen geben konnte. Immer mehr Menschen kamen zusammen und lachten und wunderten sich und brachen sich Blumen vom Kopf des kleinen Herrn Moritz, und keiner, der eine Blume erwischt hatte, sagte an diesem Tag noch ein böses Wort.

Aber da kam auf einmal auch der Polizist Max Kunkel. Max Kunkel war schon seit zehn Jahren in der Markthalle als Markthallenpolizist tätig, aber so was hatte er noch nicht gesehn! Mann mit Blumen auf dem Kopf! Er drängelte sich durch die vielen lauten Menschen, und als er vor dem kleinen Herrn Moritz stand, schrie er: „Wo gibt's denn so was! Blumen auf dem Kopf, mein Herr! Zeigen Sie doch mal bitte sofort Ihren Personalausweis!"

Und der kleine Herr Moritz suchte und suchte und sagte verzweifelt: „Ich habe ihn doch immer bei mir gehabt, ich hab ihn doch in der Tasche gehabt."

Und je mehr er suchte, um so mehr verschwanden die Blumen auf seinem Kopf.

„Aha", sagte der Polizist Max Kunkel, „Blumen auf dem Kopf haben Sie, aber keinen Ausweis in der Tasche!"

Und Herr Moritz suchte immer ängstlicher seinen Ausweis und war ganz rot vor Verlegenheit, und je mehr er suchte—auch im Jackenfutter—, umso mehr schrumpften die Blumen zusammen, und der Hut ging allmählich wieder runter auf den Kopf! In seiner Verzweiflung nahm Herr Moritz seinen Hut ab, und siehe da, unter dem Hut lag in der abgegriffenen Gummihülle der Personalausweis.

. . . . (Wie endet diese Geschichte wohl?)

Sprechübung

Gebt viele spontane Antworten auf die folgenden Fragen:
1. Warum wachsen dem kleinen Herrn Moritz Blumen auf dem Kopf?
2. Warum verliert der kleine Herr Moritz die Blumen wieder?

Schreibübung

1. Schreibt ein Ende für die Geschichte.

2. Gebt der Geschichte einen Titel.

Sprechübung (Rollenspiel zu dritt)

Am nächsten Tag trifft Herr Moritz den Polizisten Kunkel wieder. Sie unterhalten sich. Ein/e Journalist/in macht Notizen und erzählt später den anderen, was die beiden gesagt haben.

Schreiben Sie das Gedicht um!
Sagen Sie das Gegenteil!

Im traurigen Monat November war's,
Die Tage wurden trüber,
Der Wind riß von den Bäumen das Laub,
Da reist' ich nach Deutschland hinüber.

Und als ich an die Grenze kam,
Da fühlt' ich ein stärkeres Klopfen
In meiner Brust, ich glaube sogar,
Die Augen begannen zu tropfen.

Und als ich die deutsche Sprache vernahm,
Da war mir seltsam zu Mute;
Ich meinte nicht anders, als ob das Herz
Recht angenehm verblute.

aus: *Deutschland, ein Wintermärchen*
von Heinrich Heine (1797–1856)

Sprechübung (zu zweit)

In welchem Monat reist der Dichter Heine?
Wohin reist er?
Wie fühlt er sich?
Hat er Heimweh?
Wonach hat er Heimweh?
Wann hat Heine gelebt?

Bekommst du Heimweh, wenn du reist?
Benütze einige Ausdrücke.

> Spaß machen, im Ausland zu wohnen
> sehr gern reisen
> die Familie nur zweimal im Jahr sehen
> nicht gern nach Hause fahren
> nie Heimweh bekommen
> gern neue Dinge ausprobieren
> die Familie oft besuchen
> nie im Ausland wohnen
> furchtbar Heimweh bekommen
> nie im Ausland gewesen
> Angst haben

Wie ist es für euch, von zu Hause wegzugehen?
Was vermißt ihr am meisten?

DEUTSCHE IN USA

Wußtet ihr, daß 28% der Amerikaner deutscher Abstammung sind?

Marlene Dietrich
Filmschauspielerin und Sängerin

Mies van der Rohe
*Architekt und Leiter des
Bauhauses*

Paul Tillich
Theologe

Erich Maria Remarque
Autor von ,,Im Westen nichts Neues''

Auf deutsch!

Wernher von Braun
Physiker und
Raketenspezialist

Lotte Lenya
Sängerin

Walter Gropius
Architekt, Gründer der
Bauhaus-Schule

Otto Klemperer
Dirigent

Kurt Weill
Komponist der ,,Dreigroschenoper''

MINIDRAMA 15
Alles unter Kontrolle!

Unsere Freunde, Willi,
Brigitte, Jack und Susi sind
gerade am Flughafen Miami
angekommen. Es ist sehr voll
in der Schalterhalle. Die vier
Studenten haben ihren Urlaub
auf den Bahamas verbracht.
Tiefseetauchen hat ihnen viel
Spaß gemacht. Sie stehen am
Fließband der Gepäckausgabe.

Susi: Wir müssen noch Flug-
karten kaufen. Am Schalter
steht man Schlange. Jack,
willst du dich schon
anstellen?
Jack: Wenn's sein muß.
Dann muß ich aber leider

wieder durch die Kontrolle.

Brigitte: Na und? Du siehst ja auch wie ein Terrorist aus.

Jack: Ach, hör auf!

Susi: Warum hast du dir auch die komische Uniform gekauft!

Jack: Macht euch nur lustig über mich. Mir gefällt sie jedenfalls.

(*Er geht zum Schalter der Lufthansa.*)

Willi: Wenn wir den Anschluß nicht schaffen, mieten wir einfach ein Auto bei Avis.

Brigitte: Du hast Nerven. Wenn ich nicht fliegen kann, fahre ich per Anhalter.

Willi: Hier ist endlich meine Reisetasche. Gehört dir der grüne Rucksack?

Susi: Ja, gib ihn mir bitte.

Jack: (*kommt zurückgerannt*) Die haben mich von oben bis unten durchsucht!

Brigitte: Habt ihr alles? Gut. Nun zur Zollkontrolle.

Zollbeamter: Haben Sie etwas zu verzollen?

Brigitte: Nein, gar nichts.

Zollbeamter: Alkoholische Getränke?

Susi: Ja, ich habe eine Flasche Schwarzwälder Kirschwasser.

Zollbeamter: Eine Flasche ist zollfrei. (*zu Willi*) Und was ist das?

Willi: (*zitternd*) Das ist für mein Kopfkissen.

Zollbeamter: Seit wann schläft man mit sowas im Kopfkissen?

Willi: Wieso? Das sind doch Federn!

WÖRTER zur KOMMUNIKATION

Substantive

der Anschluß, die Anschlüsse
die Feder, -n
die Flasche, -n
das Fließband, ⸚er
der Flughafen, ⸚
die Flugkarte, -n
die Gepäckausgabe, -n
die Kontrolle, -n
das Kopfkissen, -
die Reisetasche, -n

der Rucksack, ⸚e
der Schalter, -
die Schalterhalle, -n
die Schlange, -n
das Schwarzwälder Kirschwasser
das Tiefseetauchen
die Uniform, -en
der Urlaub
die Zollkontrolle, -n

Verben

sich an·stellen
durchsuchen
mieten
schaffen

tauchen
verbringen, verbrachte, verbracht
verzollen

Andere Wörter

eben
jedenfalls

komisch
zollfrei

Ausdrücke

Du hast Nerven!
Hör auf!
per Anhalter fahren
Schlange stehen

sich lustig machen über
von oben bis unten
Wenn's sein muß.

AUFFRISCHUNG: VERBFORMEN

Schwache Verben

Präsens:	Ich **zähle** meine Freunde.
Imperfekt:	Ich **zählte** mein Geld.
Perfekt:	Ich **habe** die Tage **gezählt**.
Futur:	Ich **werde** nie wieder Geld **zählen**.

Starke Verben

Ich **schreibe** zehn Briefe.

Ich **schrieb** einen Protestbrief.

Ich **habe** in mein Tagebuch **geschrieben**.

Ich **werde** einen Roman **schreiben**.

Imperfekt

ich	-te		ich	-
du	-test		du	-st
er/es/sie	-te		er/es/sie	-
wir	-ten		wir	-en
ihr	-tet		ihr	-t
sie/Sie	-ten		sie/Sie	-en

Perfekt

haben } + ge- t
sein

haben } + ge- en
sein

Futur

werden + Infinitiv
ich   werde
du   wirst
er/sie/es wird
wir   werden
ihr   werdet
sie/Sie   werden

PST!

Verben mit ,,-ieren" ohne ,,ge" im Perfekt
Ich telefoniere nie.
Ich habe nie telefoniert.

Erweiterung

Verben mit untrennbaren Präfixen

Typische untrennbare Präfixe: **ent-, be-, er-, ge-, zer-, ver-**

Beispiele

bestellen, besuchen, gewinnen, erzählen
Untrennbare Präfixe haben kein ,,ge-" im Perfektpartizip.
Ich **bekomme** die Rolle als Vampir. Ich habe die Rolle als Vampir
bekommen.
aber: Trennbare Präfixe: Wir sind in Hollywood an**ge**kommen.

Schwache/starke Verben

kennen	kannte	hat gekannt
rennen	rannte	ist gerannt
denken	dachte	hat gedacht
bringen	brachte	hat gebracht

Ausnahmen

AUFFRISCHUNG: IMPERATIV

Indikativ

du gibst
du fährst
du bestellst
ihr gebt
Sie singen

Imperativ

Gib!

Fahr! (kein Umlaut bei „a")

Bestelle! (bei mehr Silben: meist
  mit „-e"-Endung)

Gebt!

Singen Sie! (nur bei formellem
  Imperativ auch das Pronomen)

Franziska Becker

Erweiterung

Plusquamperfekt

Plusquamperfekt = Vergangenheit vor einer anderen Vergangenheit

Perfekt: haben/sein + Partizip
Plusquamperfekt: hatten/waren + Perfektpartizip

Perfekt: Sie hat das Spiel gewonnen.
Plusquamperfekt: Sie hatte das Spiel gewonnen.

Beispiele

Du warst schon lange gegangen, als ich deinen Schlüssel fand.
Es fing an zu schneien, nachdem sie die Skier verkauft hatten.
Wir hatten drei Stunden gewartet, bis er endlich kam.

VERGANGENHEIT	
Plusquamperfekt (früher)	Imperfekt (später)

AUSPROBIEREN!

Muster I: Verbformen

Ein schnelles Spiel (zu fünft)

Jede/r in der Gruppe bekommt eine Nummer von 1–5.
Jemand sagt ein Substantiv, eine Zeitform und eine Nummer (1–5).
Ein/e andere/r Student/in mit dieser Nummer macht schnell einen Satz.
Er/sie wählen ein Wort dieses Satzes und eine andere Zeitform und eine andere Nummer. Ein neuer Satz wird gemacht, usw.

Beispiel	Nr. 1 sagt: ,,Blume, Imperfekt, Nummer 5" Nr. 5 antwortet: Violetta schenkte dem Vater eine Blume." Nr. 5 sagt: ,,schenken, Plusquamperfekt, Nr. 4" Nr. 4 antwortet: ,,Brigitte und Jack hatten Willi ein Buch von Knigge geschenkt." usw.

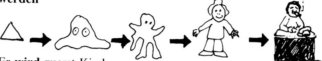

SPRACHLICHE BESONDERHEITEN

werden/bekommen

werden

Er **wird** zuerst Kind.

Dann **wird** er Student.

bekommen

Ich **bekomme** ein Geschenk.

Er **bekommt** einen Brief.

Beispiele

Sie wird Lehrerin.
Er wird alt.
Wir werden Ärzte.

Du bekommst eine gute Note.
Ihr bekommt ein neues Auto.
Was hast du zum Geburtstag bekommen?

,,4 Kilo?!''

Übung: werden/bekommen

1. Er _____ vier Kinder.
2. Die Frau _____ einen Blumenstrauß.
3. Vati _____ nervös.
4. Was _____ sie zum Geburtstag?
5. Das Krankenhaus _____ 8000 DM.
6. Die Kinder (*pl*) _____ so schön wie der Vater.
7. ,,Kinder, ihr _____ sehr reich werden.''
8. Die Krankenschwester _____ wenig Geld.

Zur Eile drängen

Schnell!

Mach schnell!

Wird's bald?

Machen Sie endlich!

Ich habe es eilig.

Bitte beeil dich!

Du mußt dich beeilen!

Sind Sie endlich fertig?

Wo bleiben Sie denn?

Wie lange soll ich noch warten?

Rollenspiel

Drei Studenten wohnen zusammen.
Sie fliegen um 10.00 Uhr nach
München. Es ist 8.00 Uhr und sie
sind noch zu Hause. Ein Student
wartet auf andere Studenten.
Sie müssen noch
    Koffer packen
    duschen
    Frühstück essen
    ein Taxi bestellen
    mit den Nachbarn telefonieren
    die Katze füttern

DEUTSCHES MAGAZIN

MÄRCHEN, ALT UND NEU

Alle kennen die Märchen der Brüder Grimm. Sie sammelten sie im 19. Jahrhundert in Deutschland. Diese alten, mythologischen Geschichten zeigen innere Zusammenhänge unserer Gesellschaft. Viele moderne Schriftstellerinnen und Schriftsteller interpretieren und schreiben die Märchen neu.

Blickpunkt: Namen aus Wissenschaft und Kultur

Wörter ohne Wörterbuch

der Bakteriologe, -n
der Fingernagel, ¨
die Infektion, -en
die Kommune, -n
komponieren
der Kuß, die Küsse
materialistisch
mythologisch
der Philosoph, -en
die Philosophin,
  -nen
der Physiker, -
die Physikerin, -nen
der Pianist, -en
die Pianistin, -nen
der Prinz, -en
die Prinzessin, -nen
der Sozialismus
die Spindel, -n
das Steak, -s
der Theologe, -n
die Theologin, -nen
der Wagen, -

MÄRCHEN VON DORNRÖSCHEN

moderne Version von Irmtraud Morgner
(1977)

aus: Leben und Abenteuer der Trobadora Beatriz

Beatriz de Dia war die Gattin von Herrn Guilhem de Poitiers, eine schöne und edle Dame.

[. . . die Comtessa, beschloß . . .]

. . . die mittelalterliche Welt der Männer zu verlassen. Auf unnatürlichem Wege, Persephone verlangte pro Schlafjahr 2920 Arbeitsstunden. Die Trobadora nannte die größte Zahl, die ihr bekannt war. Das Versprechen reichte für achthundertzehn Schlafjahre. Als sie Persephone das Versprechen ehrenwörtlich bekräftigt und sich mit einer Spindel in den Finger gestochen hatte, begann der Zauber zu wirken. Nur bei ihr. Gatte und Gesinde starben gewöhnlich, wie vereinbart. Eine Rosenhecke umwuchs das Schloß. Solange es noch sichtbar war, versuchten wiederholt Raubritter, die Dornenhecke zu durchbrechen. Später hielt man es für einen unwegsamen Hügel und umging ihn. Im Frühling 1968 beschloß ein Diplomingenieur, der mit dem Bau einer Autobahn für die Gegend beauftragt war, das Hindernis wegzusprengen.

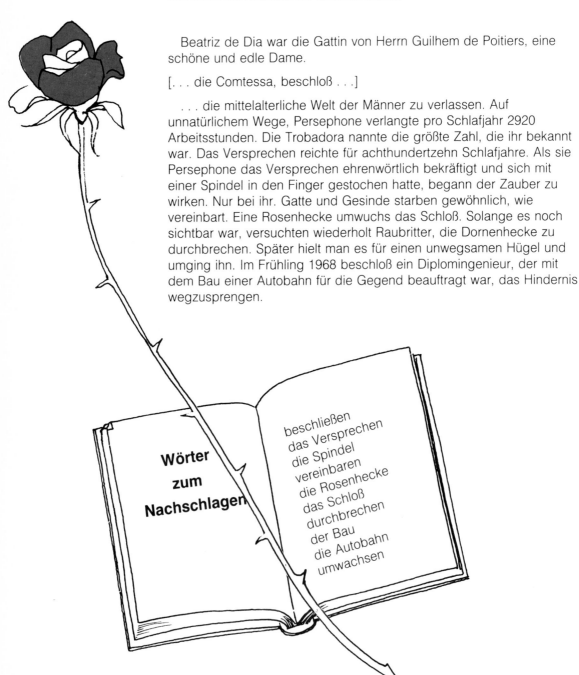

Wörter zum Nachschlagen

beschließen
das Versprechen
die Spindel
vereinbaren
die Rosenhecke
das Schloß
durchbrechen
der Bau
die Autobahn
umwachsen

Mittelalter—Jahre von 500–1300
verlassen—weggehen
Persephone—eine mythologische Figur
Zahl—Nummer
bekannt—die sie kennt
Schlafjahre—Jahre zum Schlafen
ehrenwörtlich bekräftigen—zustimmen
gestochen—stechen (z.B. Biene, Spindel)
der Zauber—die Magie
Gatte—der Ehemann
sterben—am Ende des Lebens stirbt man
sichtbar—man kann es sehen

Kleine Leseübung zu „Dornröschen"
Gehören die Sätze zum „alten", zum „neuen" oder zu beiden Märchen?

	neu (Morgner)	alt (Grimm)	beide
1. Sie schlief 100 Jahre.	____	____	____
2. Sie stach sich in den Finger.	____	____	____
3. Nach 810 Jahren wachte sie auf.	____	____	____
4. Die Leute, die mit ihr zusammen waren, schliefen auch.	____	____	____
5. Die Leute, die mit ihr zusammen waren, schliefen nicht.	____	____	____
6. Eine Rosenhecke umwuchs das Schloß.	____	____	____
7. Ein Prinz kam durch die Rosenhecke.	____	____	____
8. Ein Diplomingenieur sprengte die Rosenhecke weg.	____	____	____
9. Sie war eine Königstochter.	____	____	____
10. Sie hieß Comtessa Beatriz de Dia.	____	____	____
11. Sie war verheiratet.	____	____	____
12. Sie war unverheiratet.	____	____	____

KINDER- UND HAUSMÄRCHEN*

*gesammelt von 1812 bis 1822
von den Brüdern Grimm*

Wörter

zum

Nachschlagen

der Bettler
berühren
der Frosch
die Ohrfeige
auseinander
vergnügt

Vokabularübung

1. Um das Schloß wuchs/en
   a. eine Lilienhecke.
   b. Bäume.
   c. eine Dornenhecke.
   d. Tomaten.

2. Nach langen Jahren kam
    a. ein Bettler.
    b. ein Diplomingenieur.
    c. ein Monster.
    d. ein Königssohn.
3. In dem Schloß
    a. schlief eine Königstochter.
    b. spielten Troubadoure Musik.
    c. war eine Kommune.
    d. gab es ein gutes Restaurant.
4. Die Blumen
    a. haben den Königssohn gestochen.
    b. bestellen ein Zimmer in dem Schloß.
    c. ließen den Königssohn durch.
    d. hat der Königssohn gekauft.
5. Als er sie mit einem Kuß berührte,
    a. war ein Frosch da.
    b. schlief sie weiter.
    c. gab sie ihm eine Ohrfeige.
    d. erwachte sie.
6. Sie lebten
    a. in New York.
    b. vergnügt bis an ihr Ende.
    c. bei den Brüdern Grimm.
    d. im Jahre 1968.

Dornröschen—Schneewittchen—Rotkäppchen

Verben

schlafen	aussprechen
haben	springen
fragen	sein (2x)
sagen	wohnen
kommen (3x)	bekommen
verfluchen	mitnehmen
schneiden	rufen
treffen	einladen
fressen (2x)	finden
schicken	besuchen
machen (3x)	geben
essen	leben
sehen	gehen

Wörter zum **Nachschlagen**

die Stiefmutter
die Königin
der Jäger
der Korb
der Bauch
der Wunsch
der Fluch

die Fee
giftig
verfluchen
schneiden
fressen
aussprechen
einladen

Welches Verb/Welches Märchen?

Im Imperfekt (Verbliste von Seite 349)

I. Die Königstochter soll sich in ihrem 15. Jahr an einer Spindel stechen und tot hinfallen.

Ein König und eine Königin _____ ein Kind und _____ ein großes Fest. Sie _____ zwölf weise Frauen _____. Nachdem die elfte weise Frau ihre Wünsche für das Kind _____, _____ plötzlich die 13. weise Frau an, die böse war. Sie _____ das Kind: „Sie wird tot hinfallen!" Aber die 12. Fee _____ den Fluch milder und _____: „Es soll aber kein Tod sein, sondern ein hundertjähriger tiefer Schlaf, in welchen die Königstochter fällt." So _____ die Prinzessin 100 Jahre lang.
Wer war das? _____

II. „Spieglein, Spieglein an der Wand, wer ist die Schönste im ganzen Land?"

„Frau Königin, ihr seid die Schönste hier, aber _____ ist tausendmal schöner als ihr."

Dieses Kind _____ eine böse Stiefmutter, eine Königin. Die Stiefmutter _____ unglücklich, weil ihre Stieftochter schöner _____ als sie. Die Königin _____ einen Jäger mit dem Kind in den Wald, um sie zu töten. Aber der Jäger _____ es nicht. Sieben Zwerge _____ die Stieftochter und _____ sie _____ nach Hause. Da _____ sie, bis sie eines Tages eine alte Frau _____. Die alte Frau _____ ihr einen giftigen Apfel. Sie _____ den Apfel. Wer war das? _____

III. „Ei, Großmutter, was hast du für große Ohren!"
„Daß ich dich besser hören kann."

„Ei, Großmutter, was hast du für große Augen!"
„Daß ich dich besser sehen kann."

„Ei, Großmutter, was hast du für große Hände!"
„Daß ich dich besser packen kann."

Dieses Mädchen _____ ihre Großmutter, die im Wald _____. Eines Tages _____ sie durch den Wald mit einem kleinen Korb. Ein Wolf _____ sie. Er _____ zum Haus der Großmutter und _____ die alte Frau. Einige Stunden später _____ das Mädchen an die Tür. Der Wolf _____: „Komm herein, mein Kind." Das Mädchen _____ zum Bett hinüber und _____: „Aber, Großmutter, was hast du für ein großes Maul (Mund)!" „Daß ich dich besser fressen kann." Der Wolf _____ sie. Bald darauf _____ ein Jäger. Er _____ den Bauch des Wolfes auf, und es _____ die Großmutter und das Kind heraus.
Wer war das? _____

Wilhelm Busch
der Vater der „Comic Strips"

Jedermann im Dorfe kannte
Einen, der sich Böck benannte.—

„Max und Moritz", 1865

Wilhelm Buschs bekanntestes
Buch ist in 121 Sprachen
und Dialekte übersetzt.

—Alltagsröcke, Sonntagsröcke,
Lange Hosen, spitze Fräcke,
Westen mit bequemen Taschen,
Warme Mäntel und Gamaschen—
Alle diese Kleidungssachen
Wußte Schneider Böck zu machen.—
Oder wäre was zu flicken,
Abzuschneiden, anzustücken,
Oder gar ein Knopf der Hose
Abgerissen oder lose—
Wie und wo und was es sei,
Hinten, vorne, einerlei—
Alles macht der Meister Böck,
Denn das ist sein Lebenszweck.—
—Drum so hat in der Gemeinde
Jedermann ihn gern zum Freunde.—
—Aber Max und Moritz dachten,
Wie sie ihn verdrießlich machten.—

Max und Moritz, gar nicht träge,
Sägen heimlich mit der Säge,
Ritzeratze! voller Tücke,
In die Brücke eine Lücke.—

,,He, heraus! du Ziegen-Böck!
Schneider, Schneider, meck, meck, meck!!''—
—Alles konnte Böck ertragen,
Ohne nur ein Wort zu sagen;
Aber wenn er dies erfuhr,
Ging's ihm wider die Natur.

Schnelle springt er mit der Elle
Über seines Hauses Schwelle,
Denn schon wieder ihm zum Schreck
Tönt ein lautes: ,,Meck, meck, meck!!''

Und schon ist er auf der Brücke,
Kracks! die Brücke bricht' in Stücke;

Beide Gänse in der Hand,
Flattert er auf trocknes Land.—

Hoch ist hier Frau Böck zu preisen!
Denn ein heißes Bügeleisen,
Auf den kalten Leib gebracht,
Hat es wieder gut gemacht.—

—Bald im Dorf hinauf, hinunter,
Hieß es: Böck ist wieder munter!!

Mein eigener Comic Strip heißt: _____

Namen aus Wissenschaft und Kultur ──────

Immanuel Kant

(1724–1804) Philosoph, Denker der Aufklärung, *Kritik der reinen Vernunft*. Die Menschen sollen ihren Verstand ohne Leitung anderer benutzen.

Karl Marx

(1818–1883) Philosoph, Begründer des „materialistischen Sozialismus", „Manifest der Kommunistischen Partei" (1848), *Das Kapital*. Kritik der bürgerlich-kapitalistischen Gesellschaft.

Friedrich Nietzsche

(1844–1900) Philosoph, Kulturkritiker, *Also sprach Zarathustra, Der Wille zur Macht*. Er lehnt die christliche Ethik, aber auch den Sozialismus ab.

Robert Koch

(1843–1910) Arzt, Bakteriologe, Entdecker der Tuberkel- und Cholera-Bazillen (1883/4). Lehre von der Entstehung der Infektions-krankheiten.

Wilhelm Röntgen

(1845–1923) Physiker, Entdecker
der X-Strahlen (Radium
Röntgenstrahlen 1895), erster
Nobelpreisträger für Physik.

Albert Schweitzer

(1875–1965) Theologe, Arzt,
Missionsarzt in Afrika,
Friedensnobelpreis 1952.

Margarete Mitscherlich-Nielsen

(*1917) Psychoanalytikerin,
Mitbegründerin des Sigmund-
Freud-Instituts, Frankfurt am
Main, *Die friedfertige Frau,*
(1985).

Alice Schwarzer

Publizistin, veröffentlicht die
feministische Zeitschrift *EMMA.*
Journalistische Arbeiten und
Bücher.

Kleine Leseübung

1. Was sind Röntgenstrahlen auf Englisch?
2. Gibt es eine Wissenschaftlerin auf der Liste?
3. Von wem wissen wir von der Entstehung der Infektionskrankheiten?
4. Wer hat *Das Kapital* geschrieben?
5. Was ist Aufklärung?
6. Wer war Kulturkritiker?
7.–13. Was steht im Lexikon über: Max Planck, Arthur Schopenhauer, Wernher von Braun, Paul Tillich, Sophie und Hans Scholl, Albert Einstein?

MINIDRAMA 16
„Tor"

Unsere Freunde Willi und Jack spielen schon seit vielen Jahren Fußball. Heute spielt ihr Verein, die Münster Kickers, gegen seinen schlimmsten Gegner, Borussia Sopchoppy. Das Spiel läuft in der zweiten Halbzeit. Es steht zwei zu null für Borussia Sopchoppy.

Jack: (*schreit*) Lauf schneller, Willi! Wir wollen doch unser erstes Spiel gewinnen!

Willi: Ich renne ja so schnell wie ich kann! Schieß den Ball her.

Jack: Paß auf, fall nicht auf deine große Nase!

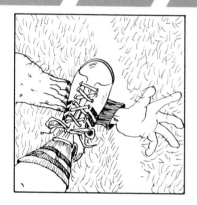  

Willi: *(fällt hin)* Auuuu! Du stehst auf meinem linken Arm.

Trainer: *(ruft von der Seite)* Du bist ein furchtbarer Fußballspieler. Vorwärts laufen, nicht rückwärts!

Schiedsrichter: Foul! Das war die linke Ecke!

Jack: Mensch Willi! Was machst du denn bloß? Du schießt ja den Ball in unser eigenes Tor!

Brigitte: *(auf der Zuschauertribüne, zu Susi)* Schau mal, Susi, wie Willi aussieht. Sein rotes Trikot ist schon ganz grün geworden. Er fällt immer hin.

Susi: Drück lieber die Daumen, daß wir gewinnen.

Brigitte: Wenn unsere Mannschaft so weitermacht, können wir einpacken.

Susi: Hurrah! Jack schießt ein Tor!

Brigitte und Susi: Münster Kickers! Münster Kickers! Los! Los! Los!

Willi: Es wäre ja gelacht, wenn wir es nicht schaffen. Her mit dem Leder!

Jack: Prima, Willi, das war ein Schuß! Jetzt steht es zwei zu zwei.

Willi: Wenigstens unentschieden! Jetzt schaffen wir

es. Wie lange dauert das Spiel noch?

Jack: Es dauert noch zwei Minuten. Los Willi, lauf! An dem dicken Otto kommst du leicht vorbei.

Brigitte und Susi: Willi, Willi, Willi!

Brigitte: Er hat den Ball! Jetzt schießt er!

Alle: Tor! Toooooooooor! Gewonnen! Willi, laß dich umarmen! Du bist unser Held!

Willi: Euer Held hat Hunger. Ich gehe jetzt Mittag essen.

WÖRTER zur KOMMUNIKATION

Substantive

der Ball, -̈e
der Daumen, -
der Fußball, -̈e
der Fußballplatz, -̈e
der Gegner, -
die Halbzeit, -en
der Held, -en
der Hunger
das Leder
die Mannschaft, -en

das Mittagessen, -
die Nase, -n
der Schuß, die Schüsse
die Seite, -n
das Spiel, -e
das Tor, -e
das Trikot, -s
der Verein, -e
die Zuschauertribüne, -n

Verben

auf·passen
aus·sehen (sieht aus), sah aus,
   ausgesehen
dauern
drücken
ein·packen
gewinnen, gewann, gewonnen
hin·fallen (fällt hin), fiel hin, ist
   hingefallen
laufen (läuft), lief, gelaufen

rufen, rief, gerufen
schaffen
schießen, schoß, geschossen
schreien, schrie, geschrieen
spielen
stehen, stand, gestanden
umarmen
vorbei·kommen (kommt vorbei),
   kam vorbei, ist vorbeigekommen
weiter·machen

Andere Wörter

dick
eigen
leicht
link
null

rückwärts
unentschieden
vorbeikommen
vorwärts
wenigstens

Ausdrücke

Es steht zwei zu null.
Schau mal!
Wir können einpacken.
Wir schaffen es.
Was machst du denn bloß?
Drück die Daumen!

Los, los, los!
Es wäre gelacht.
Her damit.
Laß dich umarmen.
ein Tor schießen

AUFFRISCHUNG: PRONOMEN

Pronomen stehen für Substantive!

Interrogativpronomen
Possessivpronomen
Relativ- und Demonstrativpronomen
Reflexivpronomen
Personalpronomen

Interrogativpronomen ▬

Dinge:	was
Menschen, Haustiere:	wer
	wen
	wem
	wessen

Beispiele

Wer ist der Mann mit der Couch?
Der Psychoanalytiker. (*N*)
Was trägt er auf dem Rücken? Die
Couch. (*A*)
Wen besucht er? Dich. (*A*)
Wem erzählst du deine Träume?
Dem Psychoanalytiker. (*D*)

Possessivpronomen

vor Substantiven
mein, dein, sein, sein, ihr, unser, euer, ihr, Ihr

PST!

Das sind ein-Wörter.

Beispiel

Nominativ: ,,sein(e)'' (Freuds)

Sein Geburtsort ist Wien. *m*
Sein Werk ist berühmt. *s*
Seine Tochter heißt Anna. *w*
Seine Patienten haben Probleme. *pl*

Hier ist das Possessivpronomen *männlich.* Aber die Endungen sind verschieden:
m (Geburtsort), *s* (Werk), *w* (Tochter), *pl* (Patienten)

MUSTER II

AUFFRISCHUNG: REFLEXIVPRONOMEN

Akkusativ und Dativ:
mich/mir, dich/dir, sich, uns, euch, sich

Beispiel

Akkusativ: Ich wasche *mich.*
(ein Objekt)
Dativ: Ich wasche **mir** *die Haare.*
(zwei Objekte)

Noch mehr Beispiele

Ihr kauft **euch** *ein neues Haus.* (D)
Sie zieht **sich** *die Schuhe* an. (D)
Du kämmst *dich.* (A)

PST!

3. Person Singular und 3. Person Plural SICH

Diese Verben sind reflexiv (plus Akkusativ):

sich amüsieren	sich erinnern an
sich freuen auf	sich vorstellen
sich kümmern um	sich interessieren für
sich beeilen	sich merken

Beispiele

Freust du dich auf das Fest?
Ja, aber er freut sich nicht.

Noch mehr Beispiele

Warum wäschst du dir schon wieder
die Haare?
Ich schminke mich jeden Tag.
Sie schaut sich im Spiegel an.

Marie Marcks

Erweiterung

Pronominaladjektive im Plural

> **PST!**
>
> Wiederholt die *der*- und *ein*-Wörter in Kapitel 4.

Alle: Endungen wie bei *der*-Wörtern

Beispiele

All**e** groß**en** Familien brauchen zwei Badezimmer.
Dies**e** groß**en** Familien verbrauchen viel Wasser.

Diese Wörter haben Endungen wie Adjektive:

einige
mehrere
andere
viele
wenige
manche
} Endungen wie bei Adjektiven ohne der-/ein-Wörter

Beispiele

Einig**e** groß**e** Familien haben viel Spaß.
Groß**e** Familien haben viel Spaß.

MUSTER III

PRONOMEN

Possessivpronomen

	m	s	w	pl
Nominativ	meiner	meins	meine	meine
Akkusativ	meinen	meins	meine	meine
Dativ	meinem	meinem	meiner	meinen
Genitiv		(selten)		

Diese Endungen auch bei: dein, ihr, sein, unser, euer, ihr.

Beispiele

N „Ist dies dein Pullover (*m*) oder Marias?"
„Es ist **ihrer** (*N*)."

D „Von welcher Uhr (*w*) sprichst du?"
„Ich spreche von **deiner** (*D*)."

A „Wäschst du Martins Mantel (*m*)?"
„Ja, ich wasche **seinen** (*A*)."

A pl „Putzt du deine Schuhe (*pl*)?"
„Ja, ich putze **meine** (*A*)."

Demonstrativpronomen

	m	*s*	*w*	*pl*
Nominativ	der	das	die	die
Akkusativ	den	das	die	die
Dativ	dem	dem	der	denen
Genitiv		(selten)		

PST!

Diese Pronomen sind genau so wie die Relativpronomen!

Beispiele

Akkusativ: „Hast du den Film im Hansa schon gesehen?"
„Nein, **den** habe ich noch nicht gesehen."

„Möchtest du die Uhr haben?"
„Ja, **die** möchte ich haben."

Dativ: „Fährst du mit diesem Mercedes?"
„Ja, mit **dem** fahre ich."

„Hast du von Willi und Susi gehört?"
„Nein, von **denen** habe ich lange nichts gehört."

AUSPROBIEREN!

Muster I: Interrogativpronomen und Possessivpronomen

Die Pop-Stars (zu viert)

Zwei Journalisten/innen interviewen zwei berühmte Sängerinnen, die Schwestern Modonna und Zindy. Sie stellen Fragen, die mit ,,wer, wen, wem, wessen" beginnen. Die Antworten der Sängerinnen haben ein Possessivpronomen.

> **Beispiel** Journalist/in 1: Modonna, wessen Schallplatte gefällt dir am besten?
> Modonna: Natürlich die Schallplatte meiner Schwester.
> Journalist/in 2: Zindy, wem gehört der rosa Cadillac vor der Tür?
> Zindy: Er gehört meinem Freund.

Muster II: Possessivpronomen

A. Wem gehört was? (zu fünft)

5 Leute in einer Gruppe machen einen Kreis. Alle legen etwas in die Mitte (z.B. ein Buch, einen Schirm, eine Apfelsine, zwei Schuhe, *usw.*)

> **Beispiel** A. hält ein Objekt hoch und fragt B.: ,,Ist dies dein Schirm?"
> B: ,,Ja es ist meiner."
> Oder: ,,Nein, es ist nicht meiner."
> Oder: ,,Es ist deiner (ihrer, seiner)."

Demonstrativpronomen

B. Der Diebstahl (zu zweit)

In eurem Haus waren Diebe. Ein Polizist kommt und stellt Fragen. Die Antwort hat immer ein Demonstrativpronomen:

> **Beispiel** ,,Ist Ihr Computer gestohlen worden?" ,,Nein, *der* ist noch da." (Nominativ)
> ,,Und ist Ihre Kamera auch noch hier?" ,,Nein, *die* ist weg." (Nominativ)
> ,,Hat der Dieb auch diesem Mann das Auto gestohlen?" ,,Ja, *dem* hat er es auch weggenommen." (Dativ)
> ,,Haben Sie den Mann auf diesem Bild gesehen?" ,,Nein, *den* habe ich noch nie gesehen." (Akkusativ)

SPRACHLICHE BESONDERHEITEN

Da sind/es gibt/es steht

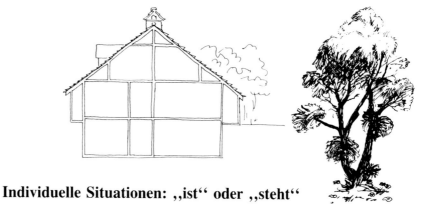

Individuelle Situationen: ,,ist'' oder ,,steht''

Zwei Bäume sind vor dem Haus.
oder besser:
Es stehen zwei Bäume vor dem Haus.
oder besser:
Zwei Bäume stehen vor dem Haus.
Ein Auto ist unter dem Baum.
oder besser:
Ein Auto steht unter dem Baum.
Ein Haus steht zwischen zwei Bäumen.

Allgemeine Situationen: es gibt

Es gibt viele Bäume in unserer Straße.
Es gibt wenige Autos auf Sylt.

Kleine Übung

Es gibt/da sind/es steht?

1. Licht im Zimmer
2. eine Lampe im Zimmer
3. Sterne am Himmel
4. Kartoffeln auf dem Teller
5. 2 Autos vor der Tür
6. Kartoffeln zum Mittagessen
7. keine Blumen im Garten
8. 100 Autos in der Stadt
9. eine Rose im Garten
10. Menschen auf dem Mond
11. ein Astronaut auf dem Mond
12. viele Kugelschreiber im Geschäft
13. ein Kugelschreiber auf dem Tisch
14. eine Vase im Zimmer
15. zwei Fahrräder im Keller

Indifferenz ausdrücken

Das ist mir egal.

Das ist mir schnurzpiepegal.

Es ist mir egal, [wann wir gehen].

Es ist mir gleich.

Es ist mir gleichgültig.

Ich habe keinen bestimmten Wunsch.

Ich habe keinen besonderen Wunsch.

Die gefallen mir gleich gut.

Ich habe [Kaffee und Tee] gleich gern.

Von mir aus . . .

Das ist Jacke wie Hose.

Rollenspiele (zu zweit)

1. Drei Freunde planen einen Abend zusammen. Sie schauen in die Zeitung. Vielleicht gehen sie ins Kino, vielleicht aber auch nicht.

2. Ein Ehemann und eine Ehefrau planen ihren Urlaub. Sie haben eine Weltkarte auf dem Tisch liegen. Die Ehefrau beginnt, ,,Ich möchte auf die Bahamas . . .''

3. Vater und Sohn sind im Kleidergeschäft. Der Sohn möchte den Vater überreden, daß er moderne Kleidung kauft. Der Vater ist nicht sehr interessiert. (die Lederhose, die Schuhe, das Jackett, der Mantel, die Krawatte, die Jeans, das T-Shirt, die Badehose, der Tiroler Hut, die Hosenträger . . .)

DEUTSCHES MAGAZIN

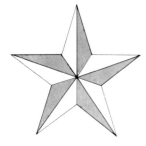

WIR BRAUCHEN ENERGIE

Alle brauchen Energie. Sie gehört zum modernen Leben. Heutzutage stellt man sich die problematische Frage: Wie kann man billig und umweltfreundlich Energie herstellen? Der Bedarf ist enorm gestiegen. Ist Atomkraft sicher? Kann man in der Zukunft alle Menschen mit Sonnen- und Windenergie versorgen?

Blickpunkt: Persönlichkeiten in der Politik des 20. Jahrhunderts

Wörter ohne Wörterbuch

die Alge, -n
das Atom, -e
beginnen
demonstrieren
die Energie, -n
der Import, -e
,,in'' sein
der Kapitalist, -en
kosmisch
das Neutron, -en
problematisch
das Puzzle, -s
reagieren
das Segment, -e
das Signal, -e
die Sonnenenergie
die Spekulation, -en
das Teleskop, -e
die Theorie, -n
das Universum

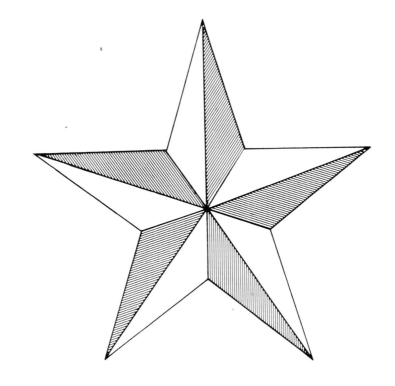

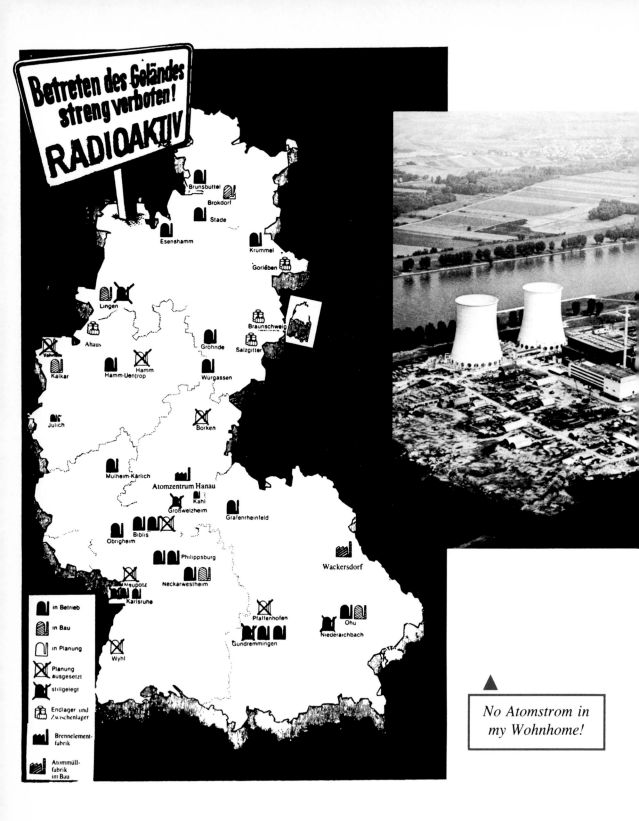

No Atomstrom in my Wohnhome!

Kernenergie—dafür oder dagegen?

Wir brauchen Kernenergie!

Atomkraft? Na klar!

Das Kernkraftwerk ist nicht bedrohlicher als jede x-beliebige Fabrik.

Wer von Strahlentod spricht, macht Panik.

Atomkraft ist billige Energie für alle.

Atomkraftwerke machen uns von Öl-Importen unabhängig.

Wir sollten noch mehr solcher Atomkraftwerke bauen.

Nein, wir sollten mehr Geld in die Forschung für Sonnenenergie stecken.

Atomkraft? Nein, danke!

Atomkraftwerke sind gefährlich. Es kann Katastrophen geben wie in Three-Mile-Island und Tschernobyl.

Ich demonstriere bis zum Tode gegen alle Atomkraftwerke auf der ganzen Welt.

Nur die reichen Kapitalisten profitieren von Investitionen in Atomkraftwerken.

Die Uran-Vorkommen sind bald abgebaut.

Die Regierung in Bonn sollte den Bau weiterer Atomkraftwerke verbieten.

Sprechübung

Sprechen Sie mit Ihrem Nachbarn über Atomenergie. A ist dafür, B ist dagegen.

Strahlentod—nein danke!

Wer spart mehr Energie?

Den ganzen Tag kann man sparen oder verschwenden. Was wählt Familie Sparsam, und was wählt Familie Verschwenderisch? Wieviele Punkte kommen in jeder Familie und bei euch zusammen?

1. fünf Minuten heiß duschen (3 Punkte)—kalt duschen (1 Punkt)
2. mit elektrischem Rasierapparat rasieren (2)—mit Rasierpinsel und Handrasierer rasieren (0)
3. Haare mit Fön trocknen (3)—Haare an der Luft trocknen (0)
4. gekochte Eier, heißer Kaffee (2)—Orangensaft, Brötchen, Marmelade (1)
5. Bluse/Hemd bügeln (2)—bügelfreies Hemd/Bluse anziehen (0)
6. mit dem Auto (6)—mit dem Fahrrad (0)—mit dem Bus (mit der U-Bahn) fahren (2)
7. Wasser mit elektrischem Wasserkocher heiß machen (6)—mit Solarenergie (1)—kaltes Wasser benutzen (0)
8. Wäsche im elektrischen Trockner trocknen (3)—auf der Leine trocknen (0)
9. elektrischen Dosenöffner, Mixer, Küchenmaschine benutzen (4)—mit Mikrowellenherd kochen (3)—auf Gas kochen (4)—kalt essen (0)
10. mit einem elektrischen Rasenmäher mähen (3)—mit einem Handmäher mähen (0)—eine Ziege borgen (0)
11. Geschirrspüler benutzen (4)—mit der Hand abwaschen (0)
12. alles in die Mülltonne werfen (4)—Glas und Papier wiederverwenden (0)

13. Lampen nur wenn nötig
    benutzen (2)—Lampen
    ständig brennen lassen (4)
14. fernsehen (2)—Stereomusik
    hören (2)—lesen (0)—
    singen (0)

15. Thermostat für elektrische
    Heizung immer auf 21
    Grad—nachts keine
    Heizung (4)

	Familie Sparsam	Familie Verschwenderisch	Ihre Familie
1. duschen			
2. rasieren			
3. Haare waschen			
4. frühstücken			
5. ankleiden			
6. zur Arbeit fahren			
7. Wasser warm machen			
8. Wäsche waschen			
9. Essen zubereiten			
10. Rasen mähen			
11. Geschirr spülen			
12. Abfall wegbringen			
13. Licht im Haus			
14. Abendunterhaltung			
15. heizen			

Wer hat Energie gespart?
Wenige Punkte = wenig Energie;
viele Punkte = viel Energie

Familie Sparsam   _____Punkte
Familie Verschwenderisch   _____Punkte
Ihre Familie   _____Punkte

Elektrogeräte

Sparen ist überall angebracht. Dennoch ist es sinnvoll, sich die dicken Brummer anzuschauen, die am meisten Strom verbrauchen:

Geräteart	Jahresverbrauch in Kilowattstunden (etwa)*	
Elektrorasierer	0,36	5 Minuten am Tag
Handrührgerät	11	10 Minuten am Tag
Haartrockner	27	viermal die Woche
Kaffeeautomat	61	8 Tassen/Tag
Beleuchtung	180	
Kühlschrank	190	
Fernsehgerät	200	
Gefriertruhe	400	
Elektroherd	600	
Wäschetrockner	400– 800	
Waschmaschine	250–1000	
Geschirrspülmaschine	250–1000	

* In einem Vier-Personen-Haushalt (*nach Bossel*)

Bevor Sie sich also einen Bart wachsen lassen, um Energie zu sparen, sollten Sie sich eher überlegen, wie Sie bei den „dicken Brummern" Energie sparen können. Oder anders ausgedrückt: Wenn Ihre Familie ein Jahr lang auf die Geschirrspülmaschine verzichtet, kann sich der Pappi 3000 Jahre lang rasieren.

Kleine Vokabularübung

Ohne welche Elektrogeräte könntet ihr auskommen, wenn ihr müßtet?
1.
2.
3.
4.
5.

Persönlichkeiten in der Politik des 20. Jahrhunderts

Wilhelm II. (1859–1941)

Deutscher Kaiser und König von Preußen (1888–1918); 1. Weltkrieg 1918 Exil in Holland.

Rosa Luxemburg (1870–1919)

Politikerin (KPD) Mitbegründerin des Spartakusbundes und der KPD (1918); wurde ermordet.

Friedrich Ebert (1871–1925)

Politiker (SPD); ab 1918 erster Reichskanzler nach Ausrufung der Republik; ab 1919 Reichspräsident

Adolf Hitler (1889–1945)

Politiker (NSDAP); Mitbegründer der Nationalsozialistischen deutschen Arbeiterpartei (NSDAP); 1933–1945, Diktator („der Führer") 2. Weltkrieg.

Konrad Adenauer
(1876–1967)

Politiker (CDU); 1949–1963
Bundeskanzler der BRD; in
seiner Regierungszeit:
„Wirtschaftswunder."

Walter Ulbricht
(1893–1973)

Politiker (SED) ab 1923 im
Zentralkommittee der KPD; 1946
Mitbegründer der SED; seit 1960
Vorsitzender des Staatsrats
(Staatoberhaupt) der DDR.

Willy Brandt (*1913)

Politiker (SPD) 1957–1966
Bürgermeister von Berlin; 1964–
1987 Vorsitzender der SPD;
1969–1974 Bundeskanzler der
BRD; Friedensnobelpreis 1971.

Rudi Dutschke
(1940–1979)

Studentenführer des SDS; wirkte
im Rahmen der APO in der BRD;
1968 von einem neonazistischen
Attentäter niedergeschossen und
schwer verletzt.

Petra Kelly (*1947)

Politikerin (Die Grünen);
Mitbegründerin der Partei DIE
GRÜNEN; tätig in der Friedens-
und Frauenbewegung; wurde
1983 Mitglied des Bundestages
der BRD.

Kleine Leseübung: Wer ist wer?

1. Wer gründete (mit anderen)
   die KPD?
2. Wer war der letzte deutsche
   Monarch?
3. Wer bekam einen Nobelpreis?
4. Wer war in der außerparla-
   mentarischen Opposition
   aktiv?
5. Wer spielte in der ersten
   deutschen Republik eine
   Rolle?
6. Was wißt ihr vom ,,Führer"?
7. Wer vertrat DIE GRÜNEN im
   Bundestag?
8. Wer war Bundeskanzler zur
   Zeit des Wirtschaftswunders?

MINIDRAMA 17
Ohne Job

Willi und Jack stehen Schlange im Arbeitsamt. Hier treffen sie auch Brigitte und Susi. Willi sieht krank aus. Er ist unrasiert und seine Jacke ist zerrissen.

Jack: Wie geht's Willi?
Willi: Ach, sehr schlecht.
Brigitte: Was ist denn passiert?
Willi: Ich bin schon seit einem Monat arbeitslos.
Susi: Mach dir nichts daraus. Ich habe auch keinen Job.
Willi: Aber ich habe schon lange nichts Gutes mehr gegessen. Und ich sehne mich nach deutschem Wein.

Brigitte: Du willst immer das Beste. Ich suche einen Job als Kellnerin. Restaurantpersonal wird immer gesucht.

Susi: Ja, und ich bewerbe mich um die offene Stelle als Friseuse.

Jack: Ich hatte Glück. Ich habe gerade eine Stellung als Fensterputzer bekommen. Ich verdiene acht Mark die Stunde. (*zu Willi*) Und was suchst du, Willi?

Willi: Ich bewerbe mich um eine Stellung als Manager. Viertausendfünfhundert Mark im Monat.

Angestellter: Der nächste, bitte. Ihre Bewerbung, Lebenslauf und Zeugnisse?

Willi: Hier, bitte sehr.

Angestellter: (*lacht laut*) Ha, ha, ha. Solche Jobs gibt es schon lange nicht mehr. Sie haben ja auch nichts gelernt. Philosophie? Psychologie? Wozu? Warten Sie einen Augenblick. Ja, hier ist etwas. Es wird ein Barmixer für einen Nachtklub gesucht. Zwei Mark fünfzig die Stunde. Wollen Sie die Stelle?

Jack, Susi, Brigitte: Die nimmt er bestimmt nicht.

Willi: Na klar, her damit. Wo muß ich unterschreiben?

WÖRTER zur KOMMUNIKATION

Substantive

der Augenblick, -e
der Barmixer, -
das Beste
die Bewerbung, -en
die D-Mark
der Fensterputzer, -
die Friseuse, -n
das Glück
das Gute
die Jacke, -n
der Job, -s

die Kellnerin, -nen
der Lebenslauf, ⸚e
der Manager, -
der Nachtklub, -s
das Personal
die Philosophie, -n
die Psychologie
die Schlange, -n
die Stelle, -n
die Stellung, -en
das Zeugnis, -se

Verben

sich bewerben (um) (bewirbt),
   bewarb, beworben
passieren
rasieren
sehnen

suchen
unterschreiben, unterschrieb,
   unterschrieben
zerreißen, zerriß, zerrissen

Andere Wörter

arbeitslos
bestimmt
klar
krank

offen
unrasiert
wozu

Ausdrücke

Schlange stehen
Was ist passiert?
Mach dir nichts daraus!

Ich hatte Glück.
Na klar!
Bitte sehr.

AUFFRISCHUNG: KOMPARATIV

Positiv: früh
Komparativ: früher
Superlativ: am früh(e)sten

Beispiele

Das Flugzeug aus Berlin startete zu **früh**.
Der Fluggast kam leider etwas **später**.
Der Flug nach Karachi ist sonst **am pünktlichsten**.

Die Flugkarte nach Bombay kostet **so viel wie** eine Karte nach Karachi.
Der Mann gibt **mehr** Geld für Reisen aus **als** er hat.
Ich habe im Flugzeug **am meisten** gezittert.

Manfred von Papan

Komparativ und Adjektivendungen ━━

Positiv:	**klug + Adjektivendung**
Komparativ:	**klüger + Adjektivendung**
Superlativ:	**klügst + Adjektivendung**

Beispiele

Der klug + e Mensch hat viel Geld.
Der klüger + e Mensch hat Freunde.
Der klügst + e Mensch hat Freude.

PST!

Komparativ und Superlativ haben oft UMLAUT!

Erweiterung I ━━━━━━━━━━━━

. . . immer + Komparativ

Beispiele

Er spricht **immer besser** Indisch.
Die Flugzeuge fliegen **immer schneller**.

Je + Komparativ . . . umso/desto + Komparativ

Beispiele

Je älter man wird, umso schneller vergeht die Zeit.
Je weiter er fliegt, desto teurer ist die Flugkarte.

MUSTER II

AUFFRISCHUNG: PRÄPOSITIONEN

Akkusativ: durch, für, gegen, ohne, um
Dativ: aus, außer, bei, mit, nach, seit,
von, zu
Genitiv: statt, trotz, während, wegen

AUFPASSEN!

Dativ oder Akkusativ:

an, auf, hinter, in, neben, über, unter, vor, zwischen

Akkusativ

Bewegung mit Ziel: Wohin?
> Ich fahre **in die** Schweiz.

Oft bei allgemeinen oder abstrakten Themen:
> Wir sprechen **über das** Wetter.
> Ihr denkt **an den** zweiten Weltkrieg.

Dativ

keine Bewegung: Wo?
> Ich wohne **in der** Schweiz.

Bewegung ohne Ziel: Wo?
> Du gehst **in den** Bergen spazieren.

Oft bei Zeit:
> Erich kommt **im** Sommer.
> Er ist **am** 8. Juli geboren.
> Es passierte **vor einem** Jahr.

Erweiterung

Verben mit Präpositionen im Akkusativ

achten auf
bitten um
böse sein auf
denken an
erinnern an
sich freuen auf
sich freuen über
sich gewöhnen an

sich interessieren für
sich kümmern um
nachdenken über
sich schämen über
schreiben an
sprechen über
warten auf
wissen über

Beispiele

Erich freut sich über das schöne Wetter.
Denkt er über seine Probleme nach?
Hoffentlich achtet er auf den Weg.

MUSTER III

PARTIZIPIEN ALS ADJEKTIVE UND ADVERBIEN

Partizip (Perfekt)

Anna Boleyn hat sich **aufgeregt**.

Ohne Endung (als Adverb oder Prädikat)

Sie ist **aufgeregt**, weil sie Henry VIII sieht.

Mit Endung (vor Substantiven)

Die **aufgeregte** Frau ist Anna Boleyn.

Partizip (Präsens)

Partizip = Infinitiv + d

schreiben + d, aufregen + d, schreien + d
Sie läuft schreiend durch das Schloß.

Vor einem Substantiv:
Partizip (Präsens) + Adjektivendung

Die **schreibende** Schauspielerin ist berühmt.

> *aber:* Die Schauspielerin schreibt ihre Memoiren.

Ist der **aufregende** Film von Lubitsch?

> *aber:* Der Film regt uns immer wieder auf.

Partizip (Präsens) ohne
Adjektivendung

Das ist aber **aufregend**!

Henny Porten: Der erste Star des deutschen Films in Anne Boleyn

Muster I: Komparativ

1. Eine Reise in die große Welt . . . aber wohin? (zu dritt)

    a. Jede/r wählt ein Land—Finnland, Brasilien oder Frankreich—und macht eine Liste von Adjektiven, die etwas in dem Land charakterisieren.

    b. Ihr wollt eine Reise zusammen machen. Jede/r will in ein anderes Land (Finnland, Brasilien und Frankreich) und will natürlich, daß die anderen mitkommen.

> **Beispiel** Ach, kommt doch mit nach Hawaii. Die Luft ist dort viel sauberer als hier.

2. Neureiche sprechen über ihr Haus und ihren Lebensstil (zu dritt) Jede/r hat etwas Besseres als die anderen.

> **Beispiel** Frau Plusch sagt: ,,Unser Garten ist der exotischste Garten in der Stadt.``
> Herr Größenwahnsinnig sagt: ,,Tja, aber unser Garten ist der riesigste Garten der Stadt.``
> Frau Schmuck antwortet: ,,Ja, aber mein Garten hat die meisten Orchideen.``

Muster II: Präpositionen

1. Eine/r steht auf und tut etwas. Die anderen beschreiben es. (zu dritt)

> **Beispiel** Er/sie geht zum Fenster; an die Wand; schreibt ins Buch; *usw.*

2. Was kann ein Vogel machen? Benutzt bitte alle Präpositionen. (z. B. Der Vogel singt für mich.)

Muster III: Partizipien als Adjektive

1. Erfindet bitte eine kleine Geschichte. Benutzt jedes Verb dreimal:
    (1) das Partizip Präsens als Attribut;
    (2) das Partizip Perfekt als Attribut;
    (3) das Partizip Perfekt als prädikatives Adjektiv.

> **Beispiel**   Das putzende Kind hat keine Lust mehr zu arbeiten. (1)
> Mach den geputzten Fußboden nicht wieder schmutzig! (2)
> Der Fußboden ist jetzt geputzt. (3)

> **Beispiel**   Ein liebendes Herz kennt keinen Schmerz. (1)
> Ein geliebter Mann tut, was er kann. (2)
> Fühlst du dich geliebt auf Erden, kann aus dir ein
> Mensch noch werden. (3)

In der Küche (zu dritt)

braten/das Huhn

kochen/das Gemüse

essen/die Kinder, das Brot

singen/das Lied, die Leute

schneiden/der Lauch, der Koch

aufregen/die Köchin, das Rezept

suchen/der Vater, die Löffel und
Gabeln

backen/die Kartoffeln

erzählen/der Onkel, die Geschichte

aufgehen/der Teig

putzen/das Kind, der Fußboden

anbrennen/der Braten

SPRACHLICHE BESONDERHEITEN

Substantive aus Adjektiven

Aus jedem Adjektiv kann man ein Substantiv machen.
(das) + Adjektiv + Adjektivendung = Substantiv

Beispiel

das + neu + -e (Nominativ) = das Neue
Das **Neue** ist nicht immer das Gute (Nominativ).
Ich esse etwas **Gesundes** (Akkusativ).
Mit dem **Bösen** will ich nichts zu tun haben (Dativ).
Das Wesen des **Schönen** liegt in der Rose (Genitiv).

Bei Personen: der—die—das

Der **Neue** heißt Georg Breitmoser.

Die **Neue** heißt Frau Müller.

Das **Kleine** ist mein Baby.

Wir sind immer die **Dummen**.

Auch die Formen des Komparativs und Superlativs können Substantive werden.

Beispiele

Das **Beste** ist nicht immer teuer.

Der **Klügere** gibt nach.

Das **Schönste** ist eine rote Rose.

PST!

Immer sächlich, außer bei Personen!

Kleine Übung:

Formt bitte Substantive aus den Adjektiven. Auf richtige Endungen aufpassen!

Was gibt's _____ (neu)?

Emilie: Hallo Martha, wie geht's deinem _____ (süß)?

Martha: Danke, sehr gut. Er hat mir schon wieder etwas _____ (phantastisch) gekauft.

Emilie: Du _____ (glücklich)! Ich kann froh sein, wenn mein _____ (alt) einmal im Jahr etwas _____ (billig) mitbringt.

Martha: Du _____ (arm)! Wenn mein _____ (gut) was schenkt, dann kauft er immer bei den _____ (gut, Superlativ).

Emilie: Ich erzähle dir jetzt etwas ganz _____ (geheim). Der Frank hat eine _____ (neu). Sie ist eine ganz _____ (verrückt).

Martha: Ich weiß das alles schon. Das ist doch die _____ (schick), die immer das _____ (neu, Superlativ) in der Mode trägt.

Emilie: Ja, sie schreibt auch für eine Zeitung das _____ (interessant, Superlativ), was man sich denken kann.

Martha: Oh Gott! Es ist schon spät. Tschüschen, _____ (teuer). Ich bin mit dem _____ (schön) verabredet.

Emilie: Na dann bis bald. Grüße deine _____ (lieb, *pl*) von mir. Tschüs!

Komplimente machen

Das ist aber toll! (schön, großartig, erstklassig)

Dein Referat war aber toll!

Das ist euch wirklich gut gelungen.

Die Ausstellung ist euch wirklich gut gelungen.

Das steht dir gut

Der Lodenmantel steht Ihnen gut.

Das ist prima geworden.

Eure Wohnung ist prima geworden.

Das gefällt mir.

Deine Haarfarbe gefällt mir.

Das schmeckt ausgezeichnet.

Die Bratkartoffeln schmecken ausgezeichnet!

Ich muß dir da wirklich ein Kompliment machen.

Deine Geburtstagsfete war phantastisch.

Das habt ihr aber prima hingekriegt.

Ihr habt das Auto ganz allein repariert! Das habt ihr aber prima hingekriegt.

Du bist wirklich in Form.

Ich habe dich beim Tennisspielen gesehen. Du bist wirklich in Form.

Rollenspiele

1. Zwei Spione machen einander Komplimente über ihre Arbeit.

> **Beispiel** **Spionin Mata sagt: Ich habe die Präsidentin kennengelernt. Ich bin in ihr Fenster gestiegen.**
> **Spion Hari antwortet: Das ist aber toll!**

a. ein Abendessen für James Bunt machen
b. 2 Meilen hinter dem indischen Agenten herlaufen
c. einen Smoking anziehen und sich die Haare rot färben
d. zum U-Boot schwimmen
e. eine Infrarotkamera in der Limousine verstecken
f. Scotland Yard anrufen

2. Ein Bayer lädt einen Tiroler und einen Preußen zum Abendessen ein. Das Essen schmeckt furchtbar, aber Komplimente müssen doch gemacht werden!

DEUTSCHES
MAGAZIN

COMPUTER UND GELD

Die Namen der größten Computerfirmen sind auch in Deutschland bekannt. Wer einen Computer kaufen will, kann bei den Banken ein Darlehen bekommen. Sofort kann man damit die Schulden errechnen. Zurück zum Abakus?

Blickpunkt: Wirtschaft

Wörter ohne Wörterbuch

der Abakus, -se
die Bank, -en
der Computer, -
die Daten *pl*
die Diskette, -n
elektrotechnisch
emanzipiert
die Identität, -en
investieren
die Investition, -en
der Kredit, -e
kumulativ
das Manuskript, -e
die Million, -en
netto
die Organisation,
   -en
das Prozent, -e
sozial
technisch

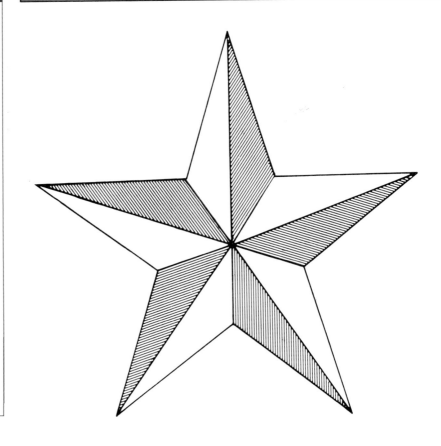

Kleine Leseübung

Rätsel für Computerfans

„Ich heiße ‚Sauseschritt' und bin ein elektronischer Datenverarbeiter. Ich komme aus der Bundesrepublik. Auch dort hat die Computerrevolution begonnen. Meine Arbeit ist einfach und manchmal langweilig. Aber ich nehme das Leben mit Humor und sage nicht immer die Wahrheit. Es macht mir Spaß, wenn jemand herausfindet, ob ich lüge oder nicht, ob etwas möglich ist oder nicht. Spielst du mit?"

Wahrheit oder Lüge?

1. Ich habe „Bits" aber keine „Bytes".
2. Mein Matrixdrucker kann 200 Zeilen pro Sekunde drucken.
3. Manche Drucker haben eingebaute Batterien.
4. Mein Textverarbeitungsprogramm hat Groß- und Kleinbuchstaben.
5. Meine Speicherkapazität ist größer als 2,2 K-Ram.
6. Alle „Hacker" sind im Gefängnis. Dort dürfen sie nicht „hacken".
7. Disketten sind manchmal softsektoriert und haben doppelte Dichte.
8. Im 10er-Pack sind Disketten.
9. Es gibt noch keinen Matrixdrucker, der mit hoher Auflösung druckt.
10. Steuerknüppel sind ideal für schnelle Computerspiele.
11. Informatik ist ein beliebtes Hauptfach an einigen deutschen Universitäten.
12. „Programmierer" und „Datenverarbeiter" sind Berufe ohne Zukunft.
13. Ein elektronischer Taschenrechner ist kein Computer.
14. Ich brauche weder Hardware noch Software, sondern einen doppelten Whiskey.
15. Albert Einstein war klüger als ich.

DATENVERARBEITUNG

Auch in der Bundesrepublik ist man auf den Computer gekommen. Es gibt dort viele amerikanische, japanische und einige deutsche Modelle zu kaufen.

Die technische Entwicklung hat einen preisgünstigen Kleincomputer auf den Markt gebracht, den sich viele leisten können.

Wozu kann man einen Heimcomputer gebrauchen? Für vieles: für Haushalts- und Kontenführung, Textverarbeitung, Organisation, Buchführung von kleinen Familienbetrieben und Freiberuflern, wissenschaftliche Arbeit von Studenten. Für vieles gibt es auch fertige Programme oder—wie man sagt—Software.

Lesehilfe

Kontenführung, Buchführung	= für Ausgaben und Einnahmen
Textverarbeitung	= z. B. ein Manuskript tippen
Organisation	= z. B. Planung
Familienbetrieb	= z. B. eine Bäckerei
Freiberufler	= z. B. Schriftsteller, Journalisten, keine Angestellten
wissenschaftliche Arbeit	= z. B. Daten für mathematische Kalkulationen

Ihr Geldberater

/enn's um Geld geht – Sparkasse

Sprechübung

1. Kaufst du lieber einen japanischen oder amerikanischen Computer?
2. Könntest du jetzt einen Computer gebrauchen? Wozu?
3. Kannst du dir einen Kleincomputer leisten?
4. Ist der Computer in deinem späteren Beruf wichtig?
5. Benutzt du jetzt an der Uni einen Computer? Wofür?

Darf ich mich kurz fassen? Ich bin etwas in Eile. Nein, mein Name ist nicht wirklich Kaspar Hauser. Meine Identität muß unbekannt bleiben. In dieser Aktentasche? Ja, da sind zwei Millionen D-Mark drin.

Gestern hatte ich noch ein kleines Sparkonto bei der Sparkasse mit einer Einlage von 3000 DM. Aber meine deponierten Ersparnisse sind weg, denn meine Sparkasse hat Pleite gemacht. Die Zinsen betrugen nur drei Prozent; aber jetzt bekomme ich nicht einmal mehr die kleine Rendite von 90 Mark pro Jahr.

Aber die Bankiers fahren lustig weiter ihre dicken Mercedes und leben wie Gott in Frankreich von unseren Sparverträgen. Eine Wirtschaftsflaute kann ihnen nichts anhaben. Für sie ist immer Hochkonjunktur.

Meine gesamte Barschaft auf meinem Bankkonto beträgt genau 55 DM. Ich bin auch deshalb verzweifelt, weil mich meine Freundin verlassen hat. Sie ist mit einem Bankfachmann auf die Bahamas gefahren. Ich verstehe sie nicht; sie sagte doch immer, ich sei kein Chauvinist. Ein emanzipierter Mann ohne Geldanlage bleibt in unserer Gesellschaft leider allein.

Aber jetzt wird es anders. Ich werde meine Beute von dem Banküberfall bei der Schweizer Bank in Wertpapieren anlegen und Geld im Immobilienmarkt investieren. Das ist eine sichere Anlage. Aber auch Bundesschatzbriefe haben jetzt eine Verzinsung von über zehn Prozent bei einer Laufzeit von mindestens einem Jahr.

Mein Börsenmakler sagte mir, daß mein Geld nicht ausreicht, wenn ich noch an der Börse spekulieren will und wenn ich mir Aktien von IBM, Xerox oder IG-Farben anschaffen möchte.

Nein, einen Bankraub würde ich nicht empfehlen. Das Risiko ist zu groß.

Aber sie müssen mich jetzt entschuldigen. Ich höre die Sirene eines Polizeiautos. Hoffentlich habe ich Ihnen mit meinen Angaben gedient.

Aber was machen Sie denn mit den Handschellen? Ich bin verhaftet?

Kleine Lesehilfe zum „Krimi"

sich kurz fassen
nicht lange sprechen

in Eile sein
keine Zeit haben

die Aktentasche
Tasche für Dokumente

das Sparkonto
das Geld auf der Bank

die Sparkasse
eine Art Bank

die Einlage
das Geld, das man bei der Bank einzahlt

die Ersparnisse
das Geld, das man gespart hat

Pleite machen
wenn ein Geschäft kaputt geht, bankrott

die Rendite
das Geld der Zinsen

die Zinsen, die Verzinsung
die Prozente, die man für sein Geld auf der Bank bekommt

der Sparvertrag
man unterschreibt den Sparvertrag, wenn man Geld für Zinsen anlegt

die Wirtschaftsflaute
man hat sie, wenn die Geschäfte sehr schlecht gehen

die Hochkonjunktur
man hat sie, wenn die Geschäfte sehr gut gehen

die Barschaft
das Geld, das man hat

der Bankfachmann
ein Experte in Bankgeschäften

die Geldanlage
das Kapital, das wieder Geld
verdient

Geld anlegen
Geld für sich arbeiten lassen

die Gesellschaft
z.B. die Leute einer Kultur

die Wertpapiere
eine Anlage, wie z. B. Aktien

Immobilienmarkt
z. B. der Häusermarkt

der/die Börsenmakler/in
er/sie besorgt Aktien,
Wertpapiere usw.

die Aktie
Geldanlage in einer Firma

der Bankraub
Geld aus der Bank stehlen

die Angaben
die Informationen

dienen
helfen

die Handschellen
damit werden die Hände
zusammengebunden

verhaftet werden
von der Polizei festgehalten
werden

WIRTSCHAFT (BRD)

Zahlen . . . Zahlen . . . Bezahlen

Die größten Industriefirmen in der Bundesrepublik Deutschland

Firma, Sitz	Wirtschaftszweig	Umsatz (Mill. DM)	Beschäftigte
1. Veba AG, Düsseldorf	Energie, Öl, Chemie	50 533	80 474
2. Siemens AG, Berlin-München	Elektrotechnik	40 106	324 000
3. Daimler-Benz AG, Stuttgart	Kraftfahrzeuge	38 905	185 687
4. Volkswagenwerk AG, Wolfsburg	Kraftfahrzeuge	37 434	239 116
5. Hoechst-AG, Frankfurt	Chemie	34 986	182 154
6. BASF-AG, Ludwigshafen	Chemie	34 844	115 868
7. Bayer-AG, Leverkusen	Chemie	34 834	179 463
8. Thyssen AG, Duisburg	Eisen und Stahl	30 610	143 892
9. Deutsche BP AG	Mineralöl	23 179	9 364
10. Rheinisch-Westfälisches Elektrizitätswerk AG, Essen	Energiewirtschaft	22 993	70 098
11. Veba Öl AG, Gelsenkirchen	Chemie	21 377	23 262
12. Esso AG, Hamburg	Mineralöl	20 778	4 508

Anteile am Welthandel (1985)

USA—10,7%
Deutschland—8,8%

Wareneinfuhr (1986)

Bundesrepublik 413,7 Milliarden DM
(aus der USA 55,2 Milliarden DM)

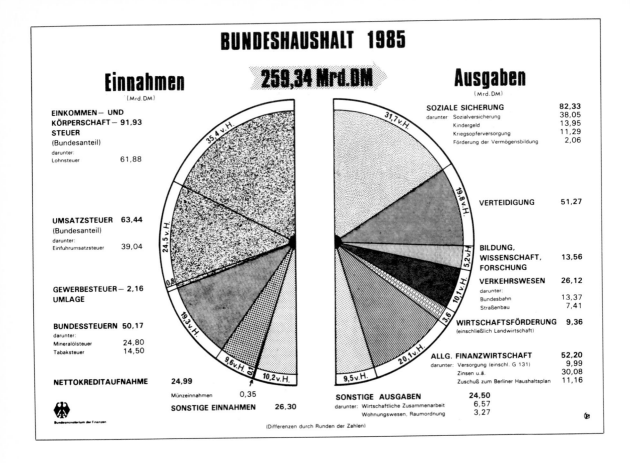

BUNDESHAUSHALT 1985

Einnahmen
(Mrd.DM)

259,34 Mrd.DM

Ausgaben
(Mrd.DM)

EINKOMMEN – UND
KÖRPERSCHAFT – 91,93
STEUER
(Bundesanteil)
darunter:
Lohnsteuer   61,88

UMSATZSTEUER 63,44
(Bundesanteil)
darunter:
Einfuhrumsatzsteuer   39,04

GEWERBESTEUER – 2,16
UMLAGE

BUNDESSTEUERN 50,17
darunter:
Mineralölsteuer   24,80
Tabaksteuer   14,50

NETTOKREDITAUFNAHME   24,99

Bundesministerium der Finanzen

Münzeinnahmen   0,35
SONSTIGE EINNAHMEN   26,30

SOZIALE SICHERUNG   82,33
darunter Sozialversicherung   38,05
          Kindergeld   13,95
          Kriegsopferversorgung   11,29
          Förderung der Vermögensbildung 2,06

VERTEIDIGUNG   51,27

BILDUNG,
WISSENSCHAFT,   13,56
FORSCHUNG

VERKEHRSWESEN   26,12
darunter:
Bundesbahn   13,37
Straßenbau   7,41

WIRTSCHAFTSFÖRDERUNG   9,36
(einschließlich Landwirtschaft)

ALLG. FINANZWIRTSCHAFT   52,20
darunter: Versorgung (einschl. G 131) 9,99
          Zinsen u.ä.   30,08
          Zuschuß zum Berliner Haushaltsplan 11,16

SONSTIGE AUSGABEN   24,50
darunter: Wirtschaftliche Zusammenarbeit 6,57
          Wohnungswesen, Raumordnung   3,27

(Differenzen durch Runden der Zahlen)

Warenausfuhr (1986)

Bundesrepublik 526,4 Milliarden DM
(in die USA 26,8 Millionen DM)

Einfuhr aus den USA (1984)

Elektrotechnische Erzeugnisse   4,8 Milliarden DM
Büromaschinen   3,8 Milliarden DM
Luftfahrzeuge   1,67 Milliarden DM
andere Fahrzeuge   1,77 Milliarden DM
Filme, Platten   1,86 Millionen DM

Einige Wirtschaftszentren

Frankfurt: Bankwesen
Hamburg: Export, Häfen
Düsseldorf: Dienstleistungen
Berlin: Elektroindustrie
München: Brauereiwesen, Computer

Ausfuhr in die USA (1984)

Maschinen	8,19 Milliarden Dollar
Kraftfahrzeuge	5,99 Milliarden Dollar
Elektrotechnische Erzeugnisse	3,78 Milliarden Dollar
Eisenwaren	3,24 Milliarden Dollar
Bier	1,33 Milliarden Dollar

Internationaler Geldverkehr

Investitionen der BRD in den USA (1976–1983):
Direktinvestitionen 749 Millionen Dollar (11,7%)

Gesamtinvestitionen in den USA:
Direktinvestitionen 6404 Millionen Dollar

KAPITEL 18

MINIDRAMA 18
Philosophie

Unsere vier Freunde sitzen im Schatten an einem Fluß. Es ist sehr idyllisch. Bienen summen, Vögel singen, Füchse bellen. Willi hat die Beine übergeschlagen; das Kinn und die Wange ruhen in seiner Hand. Er sitzt auf einem Stein und denkt scharf nach.

Jack: Willi, woran denkst du?
Willi: An die Unsterblichkeit der Maikäfer.
Jack: Laß den Spaß! Ich kenne dich. Vorhin hast du hoch geschaut . . .
Susi: . . . ja, und du wärst

beinahe über deine eignen Füße gestolpert.

Brigitte: Willi, ärgere dich nicht über die beiden. Sie sind nur neidisch. Du bist schlau, und sie verstehen nichts von Philosophie. Philosophie gibt dem Leben einen Sinn.

Susi: (*lacht*) Ihr solltet seine Meinung über Immanuel Kant und Friedrich Nietzsche hören. Zum Einschlafen!

Willi: (*ernsthaft*) *Die Kritik der reinen Vernunft* und *Der Wille zur Macht* sind sehr wichtige Werke unserer Kultur.

Jack: Au weh, ich komme dir sicher sehr dumm vor. Ich kenne nur Hegel und Wittgenstein.

(*Eine Biene setzt sich auf Willis Stirn.*)

Brigitte: Paß auf, Willi! Vorsicht, eine Biene!

Willi: Au, das Biest hat mich gestochen!

(*Er springt auf und fällt ins Wasser.*)

Susi: Hilfe! Er ertrinkt!

Jack: (*wirft eine Leine*) Hier, fang das Ende der Leine! Wir ziehen dich an Land.

Brigitte: Du bist ja tropfnaß!

Susi: Das nächste Mal solltest du lieber Kants *Kritik der praktischen Vernunft* und Nietzsches *Fröhliche Wissenschaft* lesen.

Jack: Willi, hat sich jetzt deine Theorie der menschlichen Moral geändert?

Willi: Ja, ich rufe mit Diogenes: ,,Geht mir aus der Sonne''!

401

WÖRTER zur KOMMUNIKATION

Substantive

das Bein, -e
die Biene, -n
das Biest, -er
der Fluß, Flüsse
der Fuchs, ¨e
das Kinn, -e
die Kritik, -en
die Kultur, -en
die Leine, -n
die Macht, ¨e
der Maikäfer, -
die Meinung, -en

die Moral
der Schatten, -
der Sinn, -e
der Stein, -e
die Stirn, -en
die Unsterblichkeit
die Vernunft
der Vogel, ¨
die Wange, -n
das Werk, -e
der Wille
die Wissenschaft, -en

Verben

ändern
sich ärgern
bellen
denken (an + Akk.)
ein·schlafen (schläft ein), schlief ein,
    ist eingeschlafen
ertrinken (ertrinkt), ertrank, ist
    ertrunken
ruhen

stechen (sticht), stach, gestochen
stolpern
summen
über·schlagen (schlägt über), schlug
    über, übergeschlagen
vor·kommen, kam vor, ist
    vorgekommen
werfen (wirft), warf, geworfen
ziehen, zog, gezogen

Andere Wörter

idyllisch
beinahe
ernsthaft
neidisch
schlau
tropfnaß

Vorsicht
fröhlich
menschlich
scharf
rein
praktisch

Ausdrücke

scharf nachdenken
Laß den Spaß!
über die eigenen Füße stolpern
sich dumm vorkommen

das nächste Mal
Vorsicht!
an Land ziehen

AUFFRISCHUNG: KONJUNKTIONEN

,,Wenn'', ,,als'' oder ,,wann''? ━━━━━━

Präsens

nur ,,wenn'', nie ,,als''

Wenn es regnet, nehme ich einen
Schirm.

Vergangenheit

,,wenn''—nur bei Wiederholungen

Immer wenn es regnete, nahm ich
meinen Schirm.

,,als''—außer bei Wiederholungen

Als es gestern regnete, nahm ich
meinen Schirm.

**,,wann''—immer bei Fragen nach
dem Zeitpunkt**

,,Wann wird das Wetter besser?''
,,Heute abend.''

,,Weißt du, wann der Wetterbericht
kommt?'' ,,Um drei Uhr.''

,,Wann war das Wetter besser?''
,,Als ich jung war.''

Unterschied zwischen ,,wann`` und ,,wenn``
Zeitpunkt oder nicht Zeitpunkt?

Wann

A: ,,Wann kommen deine Freunde?``
B: ,,Ich kann dir nicht sagen, wann sie kommen.``
(A will den Zeitpunkt wissen, B weiß ihn nicht.)

Wenn

,,Aber wenn sie ohne Schirm kommen, werden sie naß sein.``
(Hier haben wir keinen Zeitpunkt.)

,,als`` nur in der Vergangenheit
,,Wenn`` oft mit ,,immer``
Im Konjunktiv benutzen wir wenn

Dativobjekt

A. Eine Person (Tier), für die (das) etwas gemacht wird

oft bei diesen Verben: antworten, erklären, geben, gehören, schenken, senden, zeigen

Beispiele

Wer kaufte **dem Mann** den Sessel?
Seine Tochter hat **ihm** den Sessel geschenkt.

B. bei Dativpräpositionen

Beispiele

Der Vater sitzt **am Fenster**.
Nach dem Regenschauer geht er spazieren.

AUFFRISCHUNG: WORTFOLGE

Wortfolge in Hauptsätzen

A. Bei einfachen Sätzen

1. Subjekt	2. (Hilfs-)Verb	3. Objekte	4. Partizip/Infinitiv
Der Mann	bat	um Feuer.	
Der Mann	hat	um Feuer	gebeten.
Der Mann	wollte	eine Zigarette	rauchen.

Manfred von Papan

B. Bei Sätzen mit dem Verb vor dem Subjekt

		Verb	Subjekt	
Fragen:		Bat	der Mann	um Feuer?
	Warum	bat	der Mann	um Feuer?
Wort(gruppe) zu Beginn:	Heute	bat	der Mann	um Feuer.
	Von der Brücke aus	bat	der Mann	um Feuer.
Nebensatz vor dem Hauptsatz:	Wenn ich könnte,	gäbe	ich	dir Feuer.

Wortfolge in Nebensätzen

Hauptsatz	Nebensatz			
	1. Konjunktion/ Relativpronomen Präposition	2. Subjekt	3. Objekte/ Adverbien	4. Verb
Sahst du den Mann,	als	wir	am Fluß	lagen?
		der	um Feuer	bat?
	mit dem	ich	gestern	gesprochen habe?
	den	ich	um Feuer	bitten wollte

PST!

Zwischen Haupt- und Nebensatz ist immer ein Komma!

Beispiele

Die Journalistin, die bei der Tageszeitung arbeitet, interessiert sich für Psychologie.

Als die alten Griechen lebten, gab es keine goldene Zeit.

Wortfolge bei Dativ- und Akkusativobjekten

Zwei Substantive:	1. Dativ	2. Akkusativ
Zwei Pronomen:	1. Akkusativ	2. Dativ
Ein Pronomen, ein Substantiv:	1. Pronomen (D oder A)	2. Substantiv (D oder A)

Beispiele

Sie erklärt dem Kind den Computer.   Sie erklärt ihm den Computer.
Sie erklärt ihn ihm.   Sie erklärt ihn dem Kind.

MUSTER III

**können—müssen—sollen—
wollen—dürfen—möchten**

Imperfekt: Keine Umlaute!
Konjunktiv: Immer Umlaute!
(außer: ,,wollen'', ,,sollen'')

Erweiterung

Modalverben im Perfekt

haben . . . + Infinitiv + Modalverb im Infinitiv

Beispiel

Wir **haben** ohne Kernkraftwerke auch leben können.
(Perfekt wird nicht oft gebraucht.)

Erweiterung

Verben, die wie Modalverben gebraucht werden.
lassen—sehen—hören

Beispiele

Wir **lassen** keine Kernkraftwerke mehr **bauen.**

Ich **sehe** den Mann am Zaun **stehen.**

Hört ihr ihn über Atomkraft **sprechen**?

MUSTER IV

AUFFRISCHUNG: ZEITAUSDRÜCKE

Das Jahr

im + Jahre + Zahl *oder* **nur Zahl**
Cecil wurde im Jahre 1965 geboren.
Er zog 1982 nach New York.

Tageszeiten

Cecil hat gestern nachmittag geheiratet.
Er geht morgens spazieren.
Heute früh hat er ein Buch gekauft.

PST!

Zwischen 18.00 und 24.00 Uhr Abend (nicht Nacht).

in/an + Dativ

Sein Geburtstag ist **im** Juli.
Er ist **in der** Nacht geboren.
Am 1. Januar 1984 kam er nach Berlin.
Am Abend studiert er Physik.

Datum im Brief

Berlin, den 13. Mai 1990

Uhrzeit

Er steht jeden Morgen um halb acht auf.
Um viertel vor neun geht er aus dem Haus.

vor + Dativ

Er entschloß sich vor drei Jahren, Physiker zu werden.
Vor einem Monat schrieb er ein Drama.

Uhr oder Stunde?

Cecil geht um ein Uhr joggen.
Er joggt jeden Tag eine Stunde.
Er frühstückt eine dreiviertel Stunde.

Uhr = Zeitpunkt
Stunde = Zeitspanne

PST!

seit: manchmal statt ,,schon"
z.B. Er ist seit zwei Jahren im Karateklub.
Immer mit Präsens!

Wie lange schon?

seit + Dativ/schon + Akkusativ

Er ist schon zwei Jahre in einem Karateklub.
Wir wissen nicht, wie lange er schon Quantentheorie studiert.
Seit August lernt er Deutsch.
Seit einer Woche arbeitet er im Labor.
Er besucht seit vorigen Herbst die Universität.

Akkusativ: Zeitausdruck ohne Präposition

Jeden Tag arbeitet er vier Stunden.
Er bekam **letzte Woche** ein Stipendium.
Nächstes Jahr fährt er zum Max Planck-Institut.

AUSPROBIEREN!

Muster I: Konjunktionen wenn/als/wann

1. Was nicht alles passiert! (zu fünft)
Alle in der Gruppe denken an Situationen in der Vergangenheit und erzählen den anderen davon: (immer mit ,,als'')

a. eine Verletzung

b. eine ganz gefährliche Situation

c. die tollste Reise

d. der erste Job

e. das traurigste Erlebnis

f. die peinlichste Situation im Leben

g. ein unheimliches Erlebnis

2. ,,wenn'' oder ,,als''? (zu fünft)
Jede/r formt einen Satz mit ,,wenn'' oder ,,als''. Statt ,,als'' oder ,,wenn'' bitte klatschen. Die anderen müssen die richtige Konjunktion sagen.

> **Beispiel** _____ ich am Nordpol war, sah ich einen Eskimo.
>
> **Die anderen sagen ,,als.''**

Muster II: Wortfolge

(Zu fünft) Jede/r ist ein Satzteil: Subjekt, Objekt, Konjunktion, Modalverb, Verb.
Jede/r macht für sich eine Liste mit Wörtern (z.B. Verb: gehen, schlafen, usw.) Formt Sätze in verschiedenen Zeiten daraus.

Muster III: Modalverben (Präsens, Imperfekt, Konjunktiv)

Leben im Studentenheim und in der Wohngemeinschaft (zu dritt)
Stellt und beantwortet Fragen. Benutzt Modalverben!

1. Was mußte man im Zimmer ändern, als man ins Studentenheim einzog?
2. Wie oft sollte man aufräumen und saubermachen?
3. Wie kann der Zimmerkollege am meisten stören?
4. Was darf man nach 10 Uhr abends nicht mehr tun?
5. Wo möchte man lieber wohnen, wenn man könnte?

Muster IV: Zeitausdrücke

Biographie (zu zweit)
Schaut euch die ,,Biographie'' von Cecil in Muster IV an. Dann stellt eurem/er Partner/in Fragen über seine/ihre Biographie. Benutzt alle Sätze von Muster IV.

> **Beispiel**   A. ,,Wann bist du geboren?"
> B. ,,Ich bin im Jahre 1967 geboren."
> oder: ,,Ich bin 1967 geboren."

Biographie (zu viert)
Zwei Gruppen kommen zusammen. Sie erzählen den anderen, was sie von ihren Partnern wissen.

SPRACHLICHE BESONDERHEITEN

Zeit oder -mal

Zeit

Hast du jetzt Zeit, mein Auto zu waschen?
Die Zeit vergeht sehr schnell.

-mal: wie oft

Diesen Wagen habe ich schon
dreihundertmal gebaut.
Müssen wir ihn **dreimal** fahren?
Na klar, $1 \times 3 = 3$.
(**einmal** drei ist drei)

PST!

,,Mal" mit Artikel = Substantiv
das erste Mal

Interjektionen

Schmerz
> au, autsch, o weh, oh

Kälte
> hu, huhu

Ekel
> pfui, igitt, brrrr

Freude
> ah, oh, ach, ei, hei, juchhe

Liebkosung
> ei, eiapopeia

Überraschung
> oh, oje, nanu, ah, o la la

Nachdenken, Zweifel
> hm, na na

Aufforderung zum Ruhigsein
> pst, pss, pscht, st, sch

Aufmerksamkeit erregen
> he, hallo, heda, ahoi

Rollenspiel

Erfindet und spielt kleine Situationen, in denen Ihr diese Interjektionen gebrauchen könnt.

z.B. Ein Junge sitzt im Kino nebenan und ißt laut Popcorn. Welche Interjektion?

DEUTSCHES MAGAZIN

Wörter ohne Wörterbuch

die Angst, ¨e
der Charakter, -e
charakterisieren
emanzipiert
gewinnen
die Figur, -en
der Film, -e
ikonoklastisch
der Kapitalist, -en
die Kapitalistin, -nen
der Komponist, -en
die Komponistin,
   -nen
negativ
die Person, -en
die Perspektive, -n
das Phantom, -e
politisch
der Prototyp, -en
reiten
das Resultat, -e
die Satire, -n
das Thema, die
   Themen
westlich
wild
der Wind, -e

DAS PHÄNOMEN GOETHE

England und Amerika haben in der Literatur das große Vorbild Shakespeare. In Deutschland ist es Johann Wolfgang von Goethe. Sein bekanntestes Werk ist das Drama FAUST. Viele bewundern Goethe, manche mögen ihn nicht—aber alle kennen ihn. Wie kann man mehr über die deutsche Kultur erfahren? Indem man Goethe liest—im Original oder in der Übersetzung.

Blickpunkt: Die Szene stellt sich vor

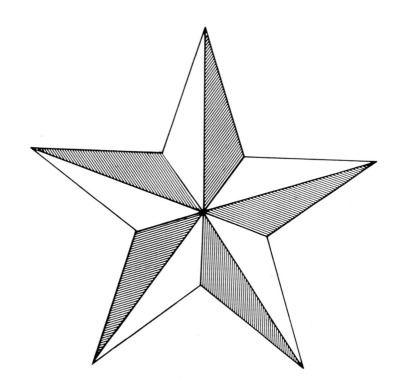

Goethe in Italien (gemalt von Tischbein). Archiv für Kunst und Geschichte, Berlin

Goethe heute?

Die Deutschen lesen wieder ihre Klassiker. Warum?
Sie finden dort viele moderne Ideen. Goethes *Faust* ist der Prototyp
des strebenden, westlichen Menschen. Sein Roman *Werther*
beschreibt das moderne Gefühl der Entfremdung. Das war im Jahre
siebzehnhundertfünfundsiebzig!
Goethe suchte aber auch Harmonie zwischen Individuum und Gesellschaft, wie z. B. in seinem Drama *Iphigenie,* das in Griechenland
spielt.
Johann Wolfgang von Goethe wurde am 28. August 1749 in Frankfurt/M.
geboren.

*Cartoon: Franz Joseph Strauß, 1982
(bayerischer Politiker)*

ERLKÖNIG

Johann Wolfgang von Goethe
(1749–1832)

Wer reitet so spät durch Nacht und Wind?
Es ist der Vater mit seinem Kind;
Er hat den Knaben wohl in dem Arm,
Er faßt ihn sicher, er hält ihn warm.

Mein Sohn, was birgst du so bang dein Gesicht?—
Siehst, Vater, du den Erlkönig nicht?
Den Erlenkönig mit Kron' und Schweif?—
Mein Sohn, es ist ein Nebelstreif.—

,,Du liebes Kind, komm geh' mit mir:
Gar schöne Spiele spiel' ich mit dir;
Manch' bunte Blumen sind an dem Strand,
Meine Mutter hat manch' gülden Gewand."—

Mein Vater, mein Vater, und hörest du nicht,
Was Erlenkönig mir leise verspricht?—
Sei ruhig, bleibe ruhig, mein Kind;
In dürren Blättern säuselt der Wind.—

,,Willst feiner Knabe du mit mir gehn?
Meine Töchter sollen dich warten schön;
Meine Töchter führen den nächtlichen Reih'n,
Und wiegen und tanzen und singen dich ein."—

Mein Vater, mein Vater, und siehst du nicht dort
Erlkönigs Töchter am düstern Ort?—
Mein Sohn, mein Sohn, ich seh' es genau:
Es scheinen die alten Weiden so grau.—

,,Ich liebe dich, mich reizt deine schöne Gestalt;
Und bist du nicht willig, so brauch' ich Gewalt."—
Mein Vater, mein Vater, jetzt faßt er mich an!
Erlkönig hat mir ein Leids getan!—

Dem Vater grauset's, er reitet geschwind,
Er hält in Armen das ächzende Kind,
Erreicht den Hof mit Müh und Not;
In seinen Armen das Kind war tot.

PARODIE: DER KÖNIG ERL

(Frei nach Johann Wolfgang von Frankfurt)

Wer reitet so spät durch Wind und Nacht?
Es ist der Vater. Es ist gleich acht.
Im Arm den Knaben er wohl hält,
Er hält ihn warm, denn er ist erkält'.
Halb drei, halb fünf. Es wird schon hell.
Noch immer reitet der Vater schnell.
Erreicht den Hof mit Müh und Not—
Der Knabe lebt, das Pferd ist tot!

Heinz Erhardt, ca. 1955

Heinz Erhardt war ein berühmter
Komiker in den 50er und 60er
Jahren des 20. Jahrhunderts.

Kleine Leseübung

A König Erl?
B Erlkönig?
C König Erl und Erlkönig?
D Keines von beiden?

Schreiben Sie A, B, C oder D vor die Sätze über die beiden Gedichte.

_____ Wer reitet durch Wind und Nacht?
_____ Wer reitet durch Nacht und Wind?
_____ Es ist acht Uhr.
_____ Wir wissen nicht, wie spät es ist.
_____ Das Kind ist krank.
_____ Das Kind ist gesund.
_____ Das Pferd ist tot.
_____ Der kleine Junge ist tot.
_____ Der Vater hält das Kind warm.
_____ Der Erlkönig holt den Knaben.
_____ Den Erlkönig gibt es nicht.
_____ Es ist eine Satire.
_____ Der Junge spielt mit Erlkönigs Töchtern.

Faust-Zitate

Faust: „Nun gut, wer bist du denn?
Mephistopheles: Ein Teil von jener Kraft,
Die stets das Böse will und stets das Gute schafft."
Faust: „Was ist mit diesem Rätselwort gemeint?"
Mephistopheles: „Ich bin der Geist, der stets verneint!
Und das mit Recht; denn alles, was entsteht,
Ist wert, daß es zugrunde geht."

Der Herr: „Ein guter Mensch in seinem dunklen Drange
Ist sich des rechten Weges wohl bewußt."

Faust: „Im Anfang war die Tat!"

Der Herr: „Es irrt der Mensch, solang' er strebt."

Faust: „Zwei Seelen wohnen, ach! in meiner Brust,
Die eine will sich von der andern trennen."

Mephistopheles: „Du unterzeichnest dich mit einem
Tröpfchen Blut."

Kleine Lesehilfe

der Teufel—Satan, der Böse,
   Mephistopheles
die Wette, wetten—Viele Leute
   wetten auf Rennpferde. (Leider
   gewinnt man die Wette nur
   manchmal.)
die Tat—Aktivität, etwas wird
   gemacht
das Leben—Ich lebe in Florida.
   Das Leben hier ist schön.
der Tod—Gegenteil von Leben
die Seele—Im christlichen
   Glauben: wenn wir nicht mehr
   leben, geht die Seele zu Gott
   oder zum Teufel.
der Mensch—ein Kind, eine Frau
   oder ein Mann
das Streben, streben—suchen,
   weiterkommen, mehr werden
ewig—immer
der Herr—(hier) Gott

Kleine Leseübung

1. Womit unterzeichnest du?
2. Wieviele Seelen sind in deiner Brust?
3. Was für ein Geist ist Mephistopheles?
4. Was stand am Anfang?

Übung

Sie sind Faust. Ihr Nachbar ist Mephisto. Mephisto will Ihre Seele haben. Wofür verkaufen Sie Ihre Seele?

Interview mit Goethe

Fragen
1. Faust soll der Prototyp des westlichen Menschen sein. Was charakterisiert ihn, Ihrer Meinung nach?
2. Kennen Sie eine Person, die wie Faust ist? Beschreiben Sie die Person.
3. Faust hat mit dem Teufel um seine Seele gewettet. Warum würden Sie mit dem Teufel wetten?

Kleine Leseübung

Welche Antwort paßt zu welcher Frage? Schreiben Sie die Zahlen vor die Antworten!

Antwort

Leroy Brooks, 28 Jahre alt, Diplomkaufmann
Faust wird durch sein Streben nach dem Wissen charakterisiert. Er möchte die Welt verstehen, um jeden Preis. Das Resultat kann positiv oder negativ sein.

Ich kenne persönlich keinen Faust, aber ich sehe viele Faust-Figuren in unserer Gesellschaft, z. B. die Politiker. Die westliche Kultur hat diesen Charakter hervorgebracht. Ich würde nie eine Wette mit dem Teufel machen, weil ich nicht an den Teufel glaube.

Antwort

Barbara Ottis, 34 Jahre alt, Autorin
Ja, ich würde jederzeit mit Mephistopheles wetten. Sicher werde ich gewinnen. Ich glaube nicht an ein Leben nach dem Tode. Aber jetzt möchte ich meine inneren Ängste loswerden. Ich will das Vergnügen der Welt genießen, so wie Faust.
Das Faustische kann positiv oder negativ sein. Ich kenne niemand, der ganz wie Faust ist. Aber die meisten Menschen in den USA und Deutschland, besonders Männer, sehen ihren Wert in der Tat. Sie definieren sich durch Arbeit. Hat jemand seine Seele verkauft: Vielleicht Goethe, der alles wissen wollte.
Der westliche Mensch ist aktiv. Er sucht immer etwas Neues. Nie ist er zufrieden mit dem, was er hat und weiß. Während er sein Ziel anstrebt, verletzt er oft Mitmenschen, die im Weg sind. Der Zweck heiligt ihm die Mittel. Das ist seine Schuld.

Antwort

Simon Jones, 26 Jahre alt, Student
Faust strebt nach Wissen. Dieses Streben in der westlichen Kultur bringt Gutes mit sich, aber auch

Atombomben und Umweltver-
schmutzung.

Ich würde gern eine Wette mit
dem Teufel machen, wenn ich
ewig leben könnte. Ewig leben
bedeutet, Geschichte und
Menschen aus einer anderen
Perspektive zu sehen.

Der Präsident der USA ist eine
faustische Figur. Er strebt nach
der politischen Macht und
verkauft seine Seele an die
großen Kapitalisten.

Hippodrom Filmtheater
Das Phantom aus dem Paradies, 1974
(USA)
Datum: 6. Mai, 18 Uhr + 21.30
Regisseur: Brian de Palma
Die Geschichte von Winston Leech,
Komponist einer Rock-Kantate über das
Faust-Thema. Er verkauft seine Seele für
,,Rock and Roll''. Es ist eine Satire
eines Horrorfilms mit ausgezeichneter
,,Rock''-Musik. ,,Phantom aus dem
Paradies'' ist ein wahnsinniger, wilder
Film.

Kleine Leseübung

Goethe sagt zu diesem Rock + Roll-Film:
1. Der Film hat das Faust-Thema, aber _____.
2. Mein Faust ist ein Theaterstück. Dieser Faust aber ist ein _____.

Die Vereinigten Staaten ──────────

Amerika, du hast es besser
Als unser Kontinent, der alte,
Hast keine verfallenen Schlösser
Und keine Basalte.
Dich stört nicht im Innern
Zu lebendiger Zeit
Unnützes Erinnern
Und vergeblicher Streit.
Benützt die Gegenwart mit Glück!
Und wenn nun eure Kinder dichten,
Bewahre sie ein gut Geschick
Vor Ritter-, Räuber- und Gespenstergeschichten.

Johann Wolfgang von Goethe
(1749–1832)

Wörter zum Nachschlagen

das Erinnern
das Glück
bewahren

verfallen—zu Ruinen werden

stören—nicht in Ruhe lassen

unnütz—nicht nützlich

vergeblich—ohne Erfolg

dichten—einen Roman oder ein
 Gedicht schreiben

Gespenst—Phantom

Kleine Übung zur Kommunikation

(schriftlich oder mündlich)
1. Hat Amerika es wirklich
 besser als Europa?
2. Sollten wir uns nicht an unsere
 Vergangenheit erinnern?
3. Kümmern sich die Amerikaner
 nur um die Gegenwart?
4. Was für Geschichten schreibt
 die junge Generation?
5. Warum gefällt Goethe die USA
 und nicht Europa?

BLICKPUNKT

DIE SZENE STELLT SICH VOR

Was ist „IN"?	Was ist „OUT"?

Aussehen

Lederrock/hose/jacke	Jogginghose
T-Shirts	Lacoste Hemden
Turnschuhe	Birkenstock
Pumps	chinesische Schuhe
kurzer Punk mit Farben	Schmuck aus Federn
kurze Haare, lange Haare	der natürliche „Look"
Schmuck	
schminken	

Sprache

abfahren	enthusiastisch sein
abartig	grotesk, bizarr
ätzend	schlimm, furchtbar
antörnen	erregend
astrein	toll
ausgeflippt	sehr ungewöhnlich
ausklinken	verrückt werden
beknackt	blöd
down	traurig, deprimiert
echt	wirklich
geil	wunderbar
genervt	gereizt
die Glotze	das Fernsehn
gestreßt	viel zu tun
irre	toll
logo	alles klar
Mäuse	Geld
null Bock	keine Lust
rumhängen	nichts tun
schnallen	verstehen
auf jemand/etwas stehen	mögen
tierisch	sehr
tote Hose	nichts los
uncool	unangenehm
unheimlich	

Auf deutsch!

Du, ich fänds
halt unheimlich
wichtig, daß du dich
irgendwie echt mal
besserst!

Klaro!

Peter Gay (TAZ)

Kleine Übung

1. Was ist „in" und was ist „out" bei euch? Macht eine Liste.
2. Wie könnte man auf die verschiedenen Situationen reagieren? Wählt Worter aus der Szene-Sprachliste.

> **Beispiel** **Deine Eltern schimpfen dich aus.—„Motzt mich nicht an."**

a. Du hast viel zu tun und mußt noch zwei Arbeiten schreiben.
b. Du möchtest parken und ein blöder Fahrer nimmt deinen Parkplatz.
c. Du fühlst dich ein bißchen traurig oder deprimiert.
d. Du magst jemanden besonders gern.
e. Du möchtest ins Kino gehen, hast aber kein Geld.
f. Du bekommst einen Telefonanruf um 5 Uhr morgens. Du bist leicht gereizt.
g. Ein Bekannter ruft an und du sagst ihm, daß du nichts tust.
h. Du warst gestern abend im Konzert. Die Musik war toll.
i. Du findest die Schauspielerin Hanna Schygulla sehr gut.
j. Du bist mit deinem Auto in einen Mercedes hineingefahren. Es ist kaum etwas passiert, aber der Fahrer wurde immerhin fast verrückt!
k. Unsere ungewöhnliche Deutschlehrerin ist wunderbar und versteht, daß es sehr unangenehm ist, den Studenten eine blöde Aufgabe zu geben, wenn sie wirklich keine Lust haben.

11.00 Uhr - Nachrichten

MINIDRAMA 19
Die Nachrichten

Wen sehen wir denn hier in der
Universitäts-Fernsehstation?
Natürlich unsere Freunde Susi,
Willi, Jack und Brigitte. Es ist
eine Minute vor elf. Die
Scheinwerfer werden einge-
schaltet. Die Kameras werden
herangerollt, die Toningenieure
setzen die Kopfhörer auf.

Regisseur: 5, 4, 3, 2, 1.
Jack: Guten Abend, meine
 Damen und Herren. Sie
 sehen jetzt Nachrichten aus
 aller Welt.
Brigitte: Rom. Ein neuer
 Friedenspreisträger wurde
 gewählt. Zum ersten Mal ist

es jemand aus Polen, einem Land hinter dem eisernen Vorhang. Unser polnischer Papst hat ein Glückwunsch-Telegramm geschickt.

Susi: Wir unterbrechen jetzt die Nachrichten mit dem Werbefunk.

Willi: (*Im Trikot der Fußballmannschaft Sopchoppy. Trinkt eine Maß Bier.*) Ah, das schmeckt gut und kräftig. Das gute Bier von ,,Papst''. Ich bin Kapitän der berühmten Mannschaft Borussia Sopchoppy. Bei uns wird ,,Papst'' getrunken. Wir gewinnen immer.

Brigitte: Zurück zu den

Nachrichten. Bonn. 10 Millionen D-Mark wurden aus der Bonner Bank gestohlen. Hören Sie einen Augenzeugenbericht.

Susi: Ja, also—ich wollte gerade Geld für einen neuen Pelzmantel von meinem Bankkonto abheben . . .

Brigitte: Und was geschah dann, liebe Frau?

Susi: Ja, also—vor mir stand jemand, der eine Einzahlung machen wollte . . .

Brigitte: Weiter, weiter, zur Sache. Wie wurde die Bank beraubt?

Susi: Ja, also—der Mann hinter mir schrie plötzlich ,,Hände hoch oder ich

schieße.'' Der Bankbeamte gab ihm das ganze Geld. Es wurde nicht geschossen.

Jack: Nach diesem aufregenden Bericht aus Bonn nun eine kleine Pause für eine Werbesendung.

Willi: (*Als Bankräuber angezogen. Trinkt eine Maß Bier. Seine Stimme klingt etwas angeheitert.*) Meine Damen und Herren! Ehe ich zur Arbeit gehe, erfrische ich mich immer mit dem König der Biere: Schlitt. Ich bleibe fit, ich trinke Schlitt! Ha, ha.

Jack: Lokalnachrichten. Quincy. Das geplante 500-Kilometer-Autorennen mußte leider ausfallen. Der Bürgermeister teilte uns mit, daß Quincy nur ein Straßennetz von 5 Kilometern besitzt. Und nun die Wettervorhersage.

Susi: Ein Hochdruckgebiet bewegt sich nach Süden. Voraussichtlich bleibt das Wetter sonnig und warm. Lassen Sie den Schirm zu Hause. Temperaturen bis zu 25 Grad Celsius werden erwartet.

Willi: (*Liegt auf dem Boden, mit einem Glas Bier in der einen Hand und einem Schirm in der anderen. Es regnet in Strömen.*) Nnnnein, isch will kein Bier mehr trinken. Auch kein Regenbräu.

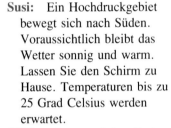

Regisseur: (*schreit*) Die Sendung abbrechen! (*zu Willi*) Sie sind entlassen! Machen Sie, daß Sie rauskommen!

Jack: Und damit, liebes Fernsehpublikum, beenden wir unser Programm „Nachrichten aus aller Welt".

Willi: Mir ist so schschschlecht.

Brigitte: Meine Damen und Herren, bleiben Sie bitte am Apparat für unsere Sendung „Hüte dich vor dem ersten Glas." Informieren Sie sich über die Gefahren des Alkoholismus.

Susi: Komm, Willi, ich gehe mit dir zum Arbeitsamt.

WÖRTER zur KOMMUNIKATION

Substantive

der Alkoholismus
der Apparat, -e
die Arbeit, -en
der Augenzeugenbericht, -e
das Autorennen, -
der Bankbeamte, -n
das Bankkonto, -konten
der Bankräuber, -
der Bericht, -e
der Bürgermeister, -
die Einzahlung, -en
das Fernsehpublikum
die Fernsehstation, -en
die Gefahr, -en
das Hochdruckgebiet, -e
die Kamera, -s
der Kapitän, -e
die Kirche, -n
der König, -e
der Kopfhörer, -

das Land, ¨er
die Lokalnachrichten, -
die Maß, -e
die Nachrichten, -
der Papst, ¨e
die Pause, -n
der Pelzmantel, ¨
das Programm, -e
die Reklame, -n
der Regisseur, -e
der Rennfahrer, -
der Scheinwerfer, -
der Schirm, -e
die Stimme, -n
das Straßennetz, -e
der Strom, ¨e
der Toningenieur, -e
der Werbefunk
die Werbesendung, -en
die Wettervorhersage, -n

Verben

ab·brechen (bricht ab), brach ab,
  abgebrochen
ab·heben, hob ab, abgehoben
an·legen, legte an, angelegt
aus·fallen (fällt aus), fiel aus,
  ausgefallen
berauben
besitzen, besaß, besessen
bewegen
entlassen (entläßt), entließ, entlassen
erfrischen (sich)
geschehen (geschieht), geschah,
  geschehen

heran·rollen
informieren (sich)
klingen, klang, geklungen
lassen (läßt), ließ, gelassen
mitteilen
schmecken
schreien, schrie, geschrieen
stehlen (stiehlt), stahl, gestohlen
unterbrechen, (unterbricht),
  unterbrach, unterbrochen
wählen
zerschmettern

Andere Wörter

angeheitert
aufregend
eisern
fit bleiben

gerade
Informieren Sie sich.
kräftig
voraussichtlich

MUSTER I

AUFFRISCHUNG: PASSIV

Passiv in Kapitel 12 studieren!

Form: werden (konjugiert) + Partizip (Perfekt)

Beispiel

. . . wird . . . erhöht.

Das Taschengeld wird von meiner Mutter erhöht.

Marie Marcks

Aktiv: Passiv ━━━━━━━━━━━━━━━━━━━

Beim Aktiv ist das Subjekt ,,aktiv'' mit dem Verb verbunden:
Meine Mutter erhöht das Taschengeld.

Beim Passiv ist das Subjekt ,,passiv'' mit dem Verb verbunden:
Das Taschengeld wird von meiner Mutter erhöht.

Noch mehr Beispiele

Präsens: Das Taschengeld wird um 10 Mark erhöht.

Imperfekt: Mein Bruder wurde auch von meiner Mutter verwöhnt.

Perfekt: Du bist immer besser behandelt worden.

Futur: Wenn du dir keinen Job suchst, wirst du von mir nicht mehr
unterstützt werden.

Erweiterung

**Andere Präpositionen im Passivsatz wenn das Objekt im Passivsatz
ein Instrument ist:** *mit*

Der Nagel wird **mit** dem Hammer eingeschlagen.

Wenn das Objekt im Passivsatz eine höhere Gewalt ist: *durch*

Das Auto wurde **durch** Hagel beschädigt.

Marie Marcks

MUSTER II

BESONDERES PASSIV

Aktiv: Die Leute tanzen heute nur Polka in der Bar.

Passiv: Es wird heute in der Bar nur Polka getanzt.

Heute wird in der Bar nur Polka getanzt.

In der Bar wird heute nur Polka getanzt.

Ja, aber die Deutschen sagen auch: ,,Man spricht Deutsch hier.''

PST!

Warum immer Singular ,,wird''? Man denkt an das Subjekt ,,es''!

Alternative zum Passiv: *man*

Beispiele

Das macht **man** nicht.
Man sagt nie nein.
Man redet viel.

Hier wird Deutsch gesprochen.

MUSTER III

PASSIVSÄTZE MIT MODALVERBEN

Ohne Modalverben

Ich werde nach Hause gebracht.

Mit Modalverben

Ich muß nach Hause gebracht werden.

    ↑   ↑   ↑

Modalverb (konjugiert) Partizip werden (Infinitiv)

Beispiele

1. Du **willst** nicht **photographiert werden**.
2. Hunde **sollten** an der Leine **geführt werden**.
3. Wir wissen nicht, ob das ganze Fleisch **gegessen werden konnte**.*
4. Der Rasen **darf** nicht **betreten werden**.
5. Glaubt ihr, daß wir noch **gerettet werden können**?*

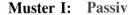

AUSPROBIEREN!

Muster I: **Passiv**

Rollenspiel (zu dritt)

Nach dem Theater
A: berühmte/r Schauspieler/in
B: auch ein/e berühmte/r Schauspieler/in
C: Theaterkritiker/in
Sie sprechen über die Vorstellung. ALLES PASSIV!

Sprechhilfe: feiern, verehren, lieben, gut bezahlen, besser bezahlen, einladen, engagieren, abholen, loben, kritisieren, hassen, auspfeifen, auslachen

Gruppenarbeit (zu zweit): mit, durch

1. Womit wurde die Cheops-Pyramide gebaut (oder nicht gebaut)?
   der Schraubenzieher, der Hammer, die Hand, die Baumaschine, der Schweiß von Sklaven, die Hacke, der Computer, der Kran
2. Wodurch ist Pompeii zerstört (nicht zerstört) worden?
   der Wind, das Feuer, das Erdbeben, das Wasser, der Hagel, der Sturm, der Taifun, die Atombombe, der Vulkan ausbruch

Muster II: Besonderes Passiv/man

Stadtrundfahrt in Berlin
Rollen: Tourist, Führer

Beispiel **Tourist: ,,Spricht man hier Englisch?"**
Führer: ,,Nein, hier wird nicht Englisch gesprochen."

---

um vier Uhr Kaffee trinken
im Restaurant rauchen
die Berliner Luft lieben
Karten heute für das Schillertheater kaufen
restaurieren
im Wannsee schwimmen können

SPRACHLICHE BESONDERHEITEN

lassen

Normaler Gebrauch (wie im Englischen)

Wir lassen Willi schlafen.

Nein, ich lasse ihn nicht schlafen. Ich wecke ihn.

Jemanden veranlassen, etwas zu tun

A. nicht reflexiv

*Willi **läßt** das Auto abschleppen.*

B. reflexiv (immer Dativ)

Susi, *laß* dir auch die Haare schneiden.

Ihr solltet euch meine Frisur machen *lassen*.

Brigitte, warum *läßt* sich Herr Breitmoser nicht die Haare schneiden?

Ich *lasse* mir die Haare schneiden.

PST!

Wortfolge wie bei Modalverben
Ich **lasse** mir ein Haus bauen.
Du hast dir ein Haus bauen **lassen**.
Sie haben sich ein Haus bauen **lassen**.

WAS SAGT MAN DA?

Enttäuschung ausdrücken

Beispiele

schade	Schade, daß ich keine Zeit zum Lesen habe.
leider	*Faust* ist leider nicht in unserer Bibliothek.
enttäuscht sein	Ich bin von diesem Buch enttäuscht.
bedauern	Ich bedaure, daß Goethe nicht mehr lebt.

Überraschung ausdrücken

PST!

Den englischen Ruf ,,surprise!'' (z.B. wenn jemand überrascht wird) gibt es im Deutschen leider nicht.

Beispiele

aber	Das Buch ist aber teuer.
komisch	Komisch, daß du Goethe nicht kennst.
ja	Das ist ja interessant.
	Das ist mir ja völlig neu!
	Du wohnst jetzt in Berlin. Das ist mir ja völlig neu!
Nanu!	
Na sowas!	
Ach!	
Nein!	
Ach so!	
Aha!	
Wirklich?	War Goethe wirklich reich?

Rollenspiele

A. Ein Politiker macht eine große Fête: Leute telefonieren und sagen, daß sie nicht kommen können.

B. Du hast eine Freundin ins Kino eingeladen. Sie sagt fünf Minuten vorher ab.

C. Drei Detektive sprechen über eine exzentrische Person und darüber, was diese Person gemacht hat.

Beispiel ,,Er/sie hat 20 Katzen an einem Tag gekauft.''
,,Wirklich?''
,,Er/sie fliegt jedes Wochenende um die Welt.'' ,,Nein!''

DEUTSCHES
M A G A Z I N

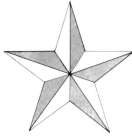

DAS SYSTEM IN FRAGE STELLEN

Die amerikanische Revolution beendete die Monarchie. In Deutschland war eine solche Revolution (1848) ohne Erfolg, doch gab es auch dort Rebellen und Revolutionäre. Schon im 16. Jahrhundert rebellierte man in den absolutistischen Staaten. Michael Kohlhaas ist ein bekannter Rebell, der gegen das Establishment kämpfte. Er ist eine legendäre Figur, die heute noch interessiert.

Blickpunkt:
Themen der deutschsprachigen Literatur

Wörter ohne Wörterbuch

absolutistisch
die Autorität, -en
das Establishment
die Generation, -en
individuell
integrieren
der Konflikt, -e
korrupt
legendär
die Monarchie
der Mythos, Mythen
die Novelle, -n
die Perspektive, -n
produzieren
der Rebell, -en
rebellieren
die Revolution, -en
das Resultat, -e
ruinieren
die Station, -en
der Tyrann, -en
die Zivilisation, -en

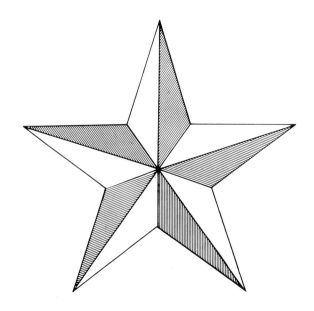

Michael Kohlhaas, eine legendäre Figur

Elisabeth Plessen hat einen Roman über Kohlhaas geschrieben. ▶

Er hat eine Novelle über Kohlhaas geschrieben. ▶

Heinrich von Kleist
geb. 10. October 1776
geſt. 21. November 1811.
Er lebte ſang und litt
in trüber ſchwerer Zeit,
er ſuchte hier den Tod,
und fand Unſterblichkeit.
Matth. 6. v. 12.

Aus Kleists *Michael Kohlhaas* (1808) ━━━━━━━

Stationen

I. Kohlhaas spricht mit dem Junker von Tronka. Der Junker hat seine Pferde ruiniert.

Kohlhaas rief: „Das *sind* nicht meine Pferde, gestrenger Herr! Das sind die *Pferde* nicht, die dreißig Goldgülden wert waren! Ich will meine wohlgenährten und gesunden Pferde wieder- haben!"—Der Junker, indem ihm eine flüchtige Blässe ins Gesicht trat, stieg vom Pferde und sagte: „Wenn der H . . . A . . . die Pferde nicht wieder- nehmen will, so mag er es bleiben lassen. Komm, Günther!" rief er, „Hans! Kommt!"

II. Kohlhaas spricht mit seiner Frau Elisabeth. Er hat seinen Prozeß verloren. Er will nicht ohne Recht „wie ein Hund" leben.

Ich habe eine Resolution erhalten, in welcher man mir sagt, daß meine Klage gegen den Junker Wenzel von Tronka eine nichtsnutzige Stänkerei sei. „Warum willst du dein Haus verkaufen?" rief sie.

„Weil ich in einem Lande, liebste Lisbeth, in welchem man mich in meinen Rechten nicht schützen will, nicht bleiben mag. Lieber ein Hund sein, wenn ich von Füßen getreten werden soll, als ein Mensch! Ich bin gewiß, daß meine Frau hierin so denkt als ich."

Aus Plessens *Kohlhaas* (1979) ━━━━━━━

III. Kohlhaas geht mit Komplizen von Berlin nach Sachsen. Er kämpft gegen die korrupten Autoritäten.

Er ging nach Sachsen über die Grenze, traf sich mit drei Knechten, einem Bauernsohn und vier Gesellen, zwei stammten aus Wittenberg, die beiden anderen aus Torgau und Jüterbog, und in der Nacht vom 26. zum 27. Mai zündeten sie in einem Dorf, das im Besitz des edlen Hofrats Friedrich Brandt von Arnshang war, die Mühle an.

IV. Kohlhaas stirbt auf dem Rad. (Gerädert: man fuhr mit einem Rad über seinen Körper.)

Nur Lucas Cranach war unter den Masten stehengeblieben. Er war schon das zweite Mal herausgekommen und hatte die drei Geräderten beobachtet. Der ausgestreckt Liegende war tot. Der Maler hatte es am zweiten Tag schon gesehen. Er hatte gute Augen. Sein Blick war auf die beiden Hockenden gerichtet. Sie starben den Tod derer, die er auf seinen Wiener Golgatha- Bildern gemalt hatte.

Kleine Leseübung

Welche Sätze für welche Station (I, II, III und IV) in Kohlhaas' Kampf um sein Recht?

Sie legen Feuer in eine Mühle.
Kohlhaas geht mit acht Leuten nach Sachsen.
Der Maler Lucas Cranach sieht Kohlhaas auf dem Rad.
Ein Mann ist schon tot.
Kohlhaas will sein Haus verkaufen. Seine Rechte sind nicht geschützt.
Kohlhaas' Klage wegen der ruinierten Pferde ist Stänkerei.
Die Pferde kosteten 30 Goldgülden.
Kohlhaas' Pferde sind nicht wohlgenährt.

I. 1. _____
  2. _____

II. 1. _____
  2. _____

III. 1. _____
  2. _____

IV. 1. _____
  2. Ein Mann ist schon tot.

Wörter zum Nachschlagen

wohlgenährt
die Klage
das Recht
die Gerechtigkeit

nichtsnutzig
schützen
lieber
der Prozess
ablehnen
der Knecht
der Bauernsohn
anzünden
die Mühle
der Maler
der Geräderte
die Stänkerei
sterben

Kohlhaas, seine Pferde und die Gerechtigkeit

1. Kohlhaas in seinem Laden

Kohlhaas lebte in Berlin im 16. Jahrhundert. Er war Lebensmittelhändler.

2. Kohlhaas am Schlagbaum: Er soll Zoll bezahlen.

Einmal brachte er Pferde nach Sachsen. An einem Rittergut verlangte man Zoll von ihm. Kohlhaas wußte, daß er nicht bezahlen mußte. Aber man behielt seine Pferde.

3. Kohlhaas vor Gericht

Später wurden die Pferde durch Mißhandlung kaputtgemacht, und Kohlhaas klagte gegen den Junker. Er gewann später den Prozeß, aber er bekam kein Geld.

4. Kohlhaas mit seiner Gruppe
   bewaffneter Männer; eine
   Mühle brennt

Kohlhaas kämpfte nun gegen die korrupten Autoritäten. Viele Leute halfen ihm, denn sie waren auch unzufrieden mit der Regierung. Kohlhaas verlangte Gerechtigkeit mit Hilfe von Waffen. Man glaubte, daß er und die anderen Rebellen in Wittemberg Feuer gelegt haben.

5. Kohlhaas auf dem Rad,
   sterbend

Nach einiger Zeit fing man Kohlhaas. Er kam vor Gericht und starb auf dem Rad.

Wörter zum Nachschlagen

der Lebensmittelhändler
Sachsen
das Rittergut
brauchen

behalten
klagen (die Klage)
der Junker
gewinnen
kämpfen
unzufrieden
die Regierung
verlangen
die Waffe
das Feuer
fangen
das Gericht

Rollenspiel

Spielt eure Version der Kohlhaasgeschichte. 4 Personen: Kohlhaas, ein Freund, der Richter und der Junker von Tronka.

Kohlhaas war . . .

1. dokumentarisch und bei Plessen Lebensmittelhändler
2. bei Kleist Pferdehändler

Ein Amerikaner hat die Idee der ,,Kohlhaas"-Geschichte etwas geändert. E. L. Doctorows ,,Kohlhaas" heißt Coalhouse Walker; er ist Jazz-Pianist. Coalhouse hat keine Pferde, sondern einen Ford, Modell T. Aber die Probleme sind die gleichen geblieben. Nach Doctorows Roman *Ragtime* gibt es einen Film mit James Cagney aus dem Jahre 1981.

Leseübung

a) ? b) ? c) ?

1. Kohlhaas klagt wegen
   a) seines Hauses
   b) seiner Frau
   c) seiner Pferde

2. Coalhouse Walker hat
   a) ein Pferd
   b) ein Auto
   c) ein Buch von Doctorow

3. *Ragtime* ist
   a) ein Buch von Kleist
   b) Jazzmusik von Plessen
   c) ein Roman von Doctorow

4. Kohlhaas
   a) stirbt nicht auf dem Rad
   b) wird 100 Jahre alt
   c) kämpft mit Freunden für Gerechtigkeit

5. Kleist
   a) lebte im 19. Jahrhundert
   b) war ein Freund von E. Plessen
   c) schrieb dan Roman Kohlhaas

6. Coalhouse Walker
   a) war ein Lebensmittelhändler
   b) ein Jazz-Pianist
   c) ein Freund von Doctorow

THEMEN DER DEUTSCHSPRACHI-GEN LITERATUR

Generationskonflikte

Die Menschen sind Produkte ihrer Zeit, und jede Epoche hat andere Werte. Daher stammen Konflikte zwischen Eltern und Kindern. Durch die Darstellung individueller Probleme zeigt die Literatur die Veränderungen innerhalb der Gesellschaft. Friedrich Schiller, *Die Räuber* (Drama, 1780); Hermann Hesse, *Unterm Rad* (Roman, 1903); Helga Novak, *Die Eisheiligen* (Roman, 1979); Christoph Meckel, *Suchbild: Über meinen Vater* (Roman, 1980)

Entfremdung

Mit der Zivilisierung und Industrialisierung der Gesellschaft komplizierte sich das Leben des individuellen Menschen immer mehr. Die Realität wurde unverständlich und bot wenig Sicherheit. Eine Entfremdung von der Gesellschaft, der Sprache und sogar dem eigenen Körper war das Resultat. Johann Wolfgang Goethe, *Werther* (Roman, 1774); Franz Kafka, *Der Prozeß* (Roman, 1925); Peter Handke, *Kaspar* (Drama, 1968); Botho Strauß, *Groß und Klein* (Drama, 1979)

Helga Novak

Botho Strauß

Hitlerzeit

Viele Schriftsteller schreiben über die Hitlerzeit. Sie verstehen, daß man sich erinnern muß, um aus der Vergangenheit zu lernen. Ihre Literatur konfrontiert die Leser mit dieser Zeit, die viele gerne vergessen wollen.

Walter Kempowski, *Tadellöser und Wolff* (Roman, 1974); Christa Wolf, *Kindheitsmuster* (Roman, 1976); Christoph Hein, *Horns Ende* (Roman, 1985); Heinrich Böll, *Billard um Halb Zehn*; Günter Grass, *Die Blechtrommel*.

Suche nach Autonomie der Frau

Bis zum 20. Jahrhundert war die Frau Objekt und nicht Subjekt der Literatur. Die Emanzipation der Frau ist erst seit kurzem ein wichtiges Thema. Heutige Schriftstellerinnen stellen die Machtstrukturen der Gesellschaft aus einer neuen Perspektive dar.

Gotthold Ephraim Lessing, *Minna von Barnhelm* (Drama, 1763); Ingeborg Bachmann, *Malina* (Roman, 1971); Irmtraut Morgner, *Leben und Abenteuer der Troubadora Beatriz* (Roman, 1977)

Ingeborg Bachmann

Gotthold Ephraim Lessing

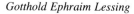

Peter Handke

Christa Wolf

Dekonstruktion der heilen Welt ━━━━━━━━

Die ,,heile Welt" stammt aus
Geschichten mit einem ,,Happy
End". Von vielen Schriftstellern
wird dieser Mythos zerstört. Sie
zeigen, wie heuchlerisch die
Gesellschaft mit ihren ,,Idealen"
umgeht, und wie oft die
Menschen einander brutal
behandeln.
Heinrich von Kleist, *Die Marquise
von O . . .* (Novelle, 1807);
Marieluise Fleißer, *Abenteuer aus
dem Englischen Garten*
(*Geschichten,* 1969); Gabriele
Wohmann, ,,Wir sind eine
Familie" (*Erzählungen,* 1981);
Elfriede Jelinek, *Die Klavier-
spielerin* (Roman, 1983)

Thomas Mann

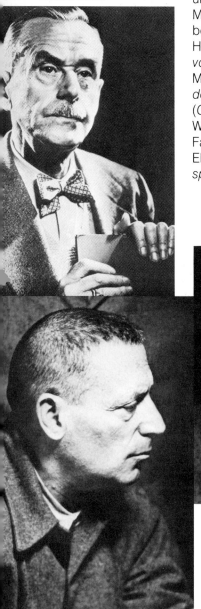

Bertolt Brecht

Gabriele Wohmann

Sprechübung (zu zweit):

1. Habt ihr Meinungen, die anders sind als die Meinungen eurer Eltern?
2. Wovor habt ihr Angst?
3. Welche Momente der amerikanischen Geschichte sollte man nicht vergessen? Welche habt ihr miterlebt?
4. Wie sind die Rollen in euren Familien verteilt?

Günter Grass

Heinrich Böll

MINIDRAMA 20
Willi, der Künstler

Susi, Jack und Brigitte befinden
sich im Garten. Susi harkt das
Laub, Jack gießt die Chrysan-
themen, Susi bricht trockene
Äste von einer großen Eiche.
Sie bereiten ein großes
Gartenfest vor. Girlanden und
Lampions schaukeln sanft im
Wind. Eine große Schüssel mit
Erdbeerbowle steht mitten auf
einem langen Tisch. Leise
Musik mischt sich in die Abend-
luft. Ein blasser Voll-
mond wird in der Dämmerung
sichtbar.

Brigitte: Die Gäste kommen
  bald. Weißt du, ob Willi den

Rasen schon gemäht hat?

Susi: Als ich ihn das letzte Mal gesehen habe, war er auf dem Balkon und hat mit sich selber gesprochen.

Jack: Er hat mir versprochen, den Garten in Ordnung zu bringen.

Brigitte: Hoffentlich können wir uns auf ihn verlassen. Da kommt er schon.

Willi: ,,Sein oder Nichtsein, das ist die Frage.''

Susi: Wie bitte?

Brigitte: Er zitiert Shakespeare.
Er war gestern im Theater.

Jack: Ja, das Stück hat einen großen Eindruck auf ihn gemacht.

Willi: ,,Es ist etwas faul im Staate Dänemark.''

Jack: Sei ehrlich, Willi, wie der Prinz kannst du dich nicht entscheiden, ob du uns helfen sollst oder nicht.

Willi: Ich heiße nicht Willi sondern Hamlet. Seid ihr Freunde oder Feinde?

Susi: Gleich wird ein Bürgerkrieg ausbrechen, wenn du uns nicht hilfst.

Willi: Ewiger Frieden wird herrschen, da schon alles bereit ist. Ich habe alles gemacht, was ihr mir aufgetragen habt.

Brigitte: Wirklich? Kannst du uns noch einmal verzeihen?

Susi: Wir werden nie wieder an dir zweifeln.

Willi: Ich verlasse euch jetzt, denn ich höre die ersten Gäste. (*geht weg*)

Susi: (*ruft hinter ihm her*) Romeo, Romeo, wo bist du?

Jack: Um Gottes Willen, Susi, werde nicht auch noch wahnsinnig!

WÖRTER zur KOMMUNIKATION

Substantive

die Abendluft, ¨e
der Ast, ¨e
der Balkon, -s
der Bürger, -
die Chrysantheme, -n
die Dämmerung, -en
Dänemark
die Eiche, -n
der Eindruck, ¨e
die Erdbeerbowle, -n
der Feind, -e
der Friede
der Garten, ¨
das Gartenfest, -e
der Gast, ¨e
die Girlande, -n

der Krieg, -e
der Künstler, -
die Künstlerin, -nen
der Lampignon, -s
das Laub
die Musik
die Ordnung, -en
der Prinz, -en
der Rasen, -
die Schüssel, -n
der Staat, -en
das Stück, -e
das Theater, -
der Vollmond, -e
der Wind, -e

Ausdrücke

mit sich selber sprechen
etwas in Ordnung bringen
sich auf jemanden verlassen
Sein oder Nichtsein, das ist die Frage.

Es ist etwas faul im Staate Dänemark.
Alles ist bereit.
Eindruck machen auf

Verben

auftragen (trägt . . . auf), trug . . .
   auf, aufgetragen
ausbrechen
sich befinden (befindet sich), befand
   sich, sich befunden
brechen (bricht), brach, gebrochen
entscheiden (entscheidet), entschied
   entschieden
harken
gießen, goß, gegossen
herrschen

mähen
mischen (sich)
schaukeln
verlassen (weggehen)
sich verlassen auf (+ A)
versprechen (verspricht), versprach,
   versprochen (+ D)
verzeihen, verzieh, verziehen
vorbereiten
zitieren
zweifeln

Andere Wörter

bereit	mitten
blaß	sanft
ehrlich	selber
ewig	sichtbar
faul	trocken
hoffentlich	wahnsinnig

MUSTER I

AUFFRISCHUNG: RELATIVPRONOMEN

Bitte studiert noch einmal Kapitel 13
(Relativpronomen und Relativsätze)!
Relativpronomen sind wie Artikel
außer im Dativ Plural und Genitiv:

	m	s	w	pl
D				denen
G	dessen	dessen	deren	deren

Beispiel

Alle kennen den Wissenschaftler,
> *der* in Deutschland und in den USA gelebt hat.
> *den* jedes Kind kennt.
> durch *den* wir die Atombombe haben.
> *dem* Mathematik Spaß gemacht hat.
> von *dem* die Relativitätstheorie ist.
> *dessen* Frisur nicht modern war.

Albert Einstein

Unbestimmte Relativpronomen

	Person	Ding
N	wer	was
A	wen	was
D	wem	
G	wessen	

I. Das Substantiv, auf das sich das Relativpronomen bezieht, steht nicht im Satz.

Beispiel

normales Relativpronomen

Kennst du den deutschen Maler, *der* um 1500 lebte?

unbestimmtes Relativpronomen

Ich weiß nicht, *wer* er ist.

Selbstbildnis, 1500, Albrecht Dürer

Beispiele (Personen)

N Wissen Sie, *wer* der Mann auf dem Bild ist?

A Ich weiß nicht, *wen* Sie meinen.

D Können Sie mir sagen, von *wem* das Gemälde ist?

G Wenn ich nur wüßte, *wessen* Signatur das ist.

Ritter, Tod und Teufel, Dürer

**II. Das Relativpronomen „was"
bezieht sich auf ein sächliches,
substantiviertes Adjektiv im
Hauptsatz.**

Beispiele

Ich kaufe *das Schönste, was* er
gemalt hat.
Das Interessanteste, was Dürer
gemalt hat, ist sein Selbstbildnis.

**III. Das Relativpronomen „was"
bezieht sich auf unbestimmte
Pronomen oder Zahlwörter
im Hauptsatz (vieles, alles,
nichts, etwas, einiges,
weniges).**

Beispiele

Dürer hat *einiges* gemalt, *was* mir
nicht gefällt.
Alles, was er produzierte, kommt ins
Museum.
Ich verstehe nicht, *was* er mit
seinem Bild sagen möchte.
Das Bild zeigt mir *etwas, was* mir
heute wichtig ist.

AUSPROBIEREN!

Muster I: Relativsätze

Wer sind die Leute im Cafe? (zu dritt) Macht bitte Relativsätze!

> **Beispiel**   Der Sohn des Mannes am Fester ist General.
> **Der Mann, dessen Sohn General ist, sitzt am Fenster (G).**

Die Frau mit der Perücke bestellt Torte (N).
Die Frau am Nebentisch hat ihren Mantel vergessen (N).
Die Leute am Eingang kennst du nicht (A).
Die Kellnerin heißt Maria und arbeitet schon 5 Jahre hier (N).
Der Pilot mit dem Hund . . . (G).
Das Mädchen mit der wilden Frisur . . . (D).
Der reiche, alte Mann neben der schönen Frau . . . (A).
usw.

Bild zum Minidrama (zu dritt). Beschreibt etwas auf den Bildern zum Minidrama mit Relativsätzen.

> **Beispiel**   Der Lampion, der am Baum hängt, schaukelt im Winde.

Muster II: Unbestimmte Relativpronomen

Sich kennenlernen (zu zweit). Bitte die Fragen auch beantworten!

Sage mir doch, _____ dein bester Freund (deine beste Freundin) ist.
Kannst du mir auch sagen, mit _____ du dich in deiner Familie am besten verstehst?
Ich möchte gerne wissen, _____ du gerne frühstückst und _____ du gerne liest.
Erzähle mir auch, _____ du in deiner Freizeit machst.
Würdest du mir auch sagen, _____ du in der letzten Präsidentschaftswahl gewählt hast?

SPRACHLICHE BESONDERHEITEN

sowohl . . . als auch
entweder . . . oder
weder . . . noch

Beispiele

1. **Sowohl** Heisenberg **als auch** Weizsäcker sind Naturwissenschaftler.
2. **Sowohl** Kelly **als auch** Süßmuth sind Politikerinnen.
3. **Entweder** Heisenberg **oder** Süßmuth ist ein/e Politiker/in.
4. **Entweder** Kelly **oder** Weizsäcker ist Naturwissenschaftler.
5. **Weder** Heisenberg **noch** Weizsäcker ist Politiker.
6. **Weder** Kelly **noch** Süßmuth ist Naturwissenschaftlerin.

PST!

Bei ,,sowohl . . . als auch" ist das Verb im *Plural*.

Weizsäcker

Heisenberg

Rita Süßmuth

Petra Kelly

Ärger ausdrücken

Das ist dumm!

Das ist ärgerlich/blöd!

Ich ärgere mich (weil . . ./da . . .).

Ich bin ärgerlich/sauer/wütend.

Das geht (doch) einfach nicht.

Das geht zu weit!

Das stört mich!

Hör bitte auf! Das stört mich!

Du regst mich auf!

Lassen Sie mich in Ruhe!

Quatsch!

So was Dummes (Blödes).

(So ein) Mist!

(Das ist) Unsinn!

Verdammt (nochmal)!

Scheiße!

Sind Sie verrückt (geworden)?

Was soll denn das?

Du spinnst wohl.

Du bist wohl nicht ganz dicht.

Beispiele

- Ich habe meinen Zug verpaßt. Das ist ärgerlich.
- Ich ärgere mich, weil ich mein Buch verloren habe.
- Ich bin sauer, weil niemand zu meiner Party gekommen ist.
- Das geht doch nicht, daß Sie nachts um 4.00 Uhr Trompete spielen.
- Sie nennen mich Dummkopf? Das geht zu weit!
- Laß das Schreien, das stört mich.
- Hör bitte mit dem Singen auf. Das ist ja furchtbar.
- Laß das Jammern! Du regst mich auf.
- Ruf mich nicht dauernd an. Laß mich in Ruhe.

- Die Kinokarten sind schon ausverkauft. So was Dummes!
- Mist! Das Glas ist kaputt.
- Unsinn! Ich habe das Auto nicht kaputt gemacht.
- Verdammt! Die Biene hat mich gestochen!
- Scheiße! Meine Bücher sind ins Wasser gefallen!
- Du schlägst mit dem Hammer auf meine Stereoanlage? Bist du verrückt geworden?
- Warum gehst du immer hinter mir her? Was soll denn das?

Rollenspiel

Was kann man in den folgenden Situationen sagen (aber welche von den Ausdrücken passen *nicht*)?

- Sie treten Ihrer Nachbarin/Ihrem Nachbarn auf den Fuß.
- Sie nehmen ihr/ihm ein Buch weg.
- Sie haben eine schlechte Note bekommen.
- Jemand spielt sehr laute Rockmusik, während Sie studieren wollen.
- Ihr Auto muß zur Reparatur.
- Sie finden einen großen Fleck auf Ihrer Hose.

DEUTSCHES MAGAZIN

VAMPIRE UND BÖSE GEISTER

Repräsentieren Vampire das unterdrückte Sexuelle, wie manche Interpreten meinen? Die Faszination des Bösen und Unsterblichen zeigt sich in den vielen Versionen des Grafen Dracula in Literatur und Film. Ewig leben! Wer möchte das nicht? Aber mit dem Blut anderer Menschen?

Blickpunkt: Das Kino in der Bundesrepublik

Wörter ohne Wörterbuch

erotisch
expressionistisch
der Film, -e
der Filmpreis, -e
finanzieren
der Horror
der Interpret, -en
kommerziell
die Krise, -n
live
das Popcorn
produzieren
repräsentieren
romantisch
satanisch
das Sexuelle
sinister
sinken
synchronisieren
die Szene
die Trance
der Vampir, -e
die Version, -en
das Zentrum, die
   Zentren

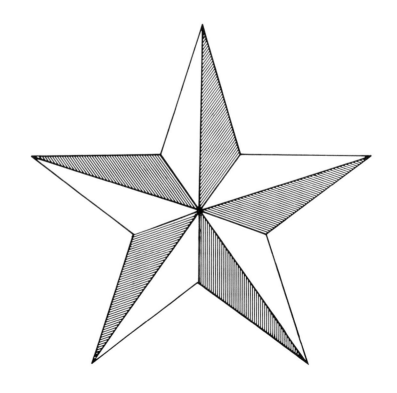

NOSFERATU—DRACULA

Die Wahrheit über Dracula

Der große, hagere Mann hat dunkle, tiefliegende Augen und eingefallene, blasse Wangen. Eine Erscheinung, die im flackernden Schein riesiger Kerzenleuchter geheimnisvoll wirkt. Nicht zu Unrecht fühlt sich der Besucher in der Sechs-Zimmer-Wohnung in München-Schwabing an die berühmteste Horrorgestalt des Films, an Dracula, erinnert. In der Tat ist Graf Wladyslaw Kuzdrzal-Kicki der einzige, der sich als Blutsverwandter des historischen Dracula-Vorbilds aus Rumänien bezeichnen darf.

Um so mehr ärgert ihn, was seit 1931 in rund 400 Versionen über die Leinwand geistert. Der 59jährige Fachdolmetscher und Privatgelehrte in Sachen Vampirismus will jetzt ein Buch fertigstellen, das die Wahrheit über seinen Urahnen berichtet und mit der Legende vom „König der Vampire" aufräumt. Sie entstand im Buch des Iren Bram Stoker, das 1897 erschien. „Das Ganze war ein Irrtum", erklärt Graf Kicki. „Stoker stieß auf der Suche nach einem Horrorstoff auf die Geschichte des Fürsten Vlad Dracul und dessen noch

spielt von Christopher Lee) stirbt seit 50 Jahren für den Film. 400 Versionen wurden bisher gedreht

Der letzte Nachkomme des sagenumwobenen Fürsten Dracul kämpft gegen das Klischee an, mit dem der Film seinen Urahn belegte grausameren Sohnes, der den Beinamen „Tepes" (Der Pfähler) erhielt, weil er 1456 nach einer Schlacht gegen die Türken Zigtausende Gefangene auf angespitzte Hölzer spießen ließ. Stoker setzte das rumänische Wort „Dracul" (Teufel oder Drache) mit dem irischen „Dreagdul" (Blutsauger) gleich—

und schon war der Super-Vampir geboren."

Der Graf Dracula aus der Fantasie Bram Stokers wird auch nach den Veröffentlichungen Graf Kickis als Horrorgestalt nicht sterben; zumal Vlad Tepes dem Film-Monster in seiner Gier nach Frauen nicht unähnlich war.

Stummfilm = Film ohne Ton
Die 1. Version von *Nosferatu* ist aus dem Jahre 1921.
Regisseur: Friedrich Murnau

Die Geschichte des sinistren Grafen Dracula, der sich von Menschenblut nährt und sein Aktionsfeld aus den fernen Karpaten ins nahe West-Europa zu verlegen gedenkt, hat Werner Herzog doppelt interessiert. Einmal als filmhistorisches Dokument und zum andern als Beleg für den Einbruch des Irrationalen in die rationale, alles erklärende, aber nichts begreifende bürgerliche Welt.

„Deine Lieblingsblutgruppe ist aus. Versuch doch mal Rhesusfaktor negativ.''

Werner Herzog, 1942 in München geboren, studierte Geschichte und Literatur in München und Pittsburgh. Als Filmemacher Autodidakt. Seit 1962 dreht er in eigener Produktion Kurz- und Spielfilme.

Wismar, Haus Harker, Schlafzimmer, Nacht ━━━

Lucy liegt in ihrem seidenen Nachthemd auf ihrem Bett. Weiße Rosenblätter liegen gestreut. Der Vampir tritt an ihr Bett, die Krallenarme wie Schwingen über den Kopf erhoben, seinen Schatten bei Fuß. Fast tranceartig in Hingabe liegt Lucy in Erwartung. Der Vampir beugt sich über sie und kommt ihrem Gesicht nahe. Lucy erschrickt zu Tode und wehrt ihn mit den Händen ab. Der Vampir, zurückgestoßen, bekommt etwas unglaublich Leidendes ins Gesicht, er seufzt tief. Lucy läßt langsam ihre Arme sinken und gibt ihren Körper hin, etwas Lockendes, Erotisches kommt in ihre Gestalt. Der Vampir besieht sie sich seufzend und streift ihr Nachthemd an den Schenkeln hoch. Er betastet ihren Körper und wittert. Langsam wendet er sich ihrem Hals zu, den sie ihm darbietet. Der Vampir schlägt seine Zähne in ihre Kehle und saugt. Lucy legt ihre Arme um ihn. Die Kerzen werden flackerig und wir sehen im Flackern die Schatten von schwarzen Fledermäusen. Das Flackern wird stärker.

Leseübung

Dracula ist Deutschlehrer/Graf.
Dracula ist romantisch/unromantisch.
Dracula ist satanisch/menschenfreundlich.
Graf Dracula-Filme sind interessant/langweilig.
Es gibt Vampire/keine Vampire.
Ich habe einen/keinen Dracula-Film gesehen. (Er hieß: _____)
Dracula lebt ewig/stirbt bald.
Er saugt Menschenblut/spendet Blut fürs Rote Kreuz.
Die „Rocky Horror Picture Show" war ein/kein Dracula-Film.
Stummfilme sind prima/sehe ich nie.

„Bitte ein Kilo Blutwurst, der
Arzt hat mir das Trinken verboten"

Wörter zum Nachschlagen

Krallen	beugen über
nahe·kommen	erschrecken
ab·wehren	zurück·stoßen
unglaublich	Leidendes
leiden	Gestalt = Körper
seufzen	hin·geben
zu·wenden	Kehle
saugen	Kerzen
flackern	der Schatten
Fledermaus	

Leseübung

Schreiben Sie die Sätze in der richtigen Reihenfolge!

Nosferatu, der Vampir, beißt Lucys Hals.
Es ist Nacht.
Die Atmosphäre ist erotisch.
Lucy umarmt Nosferatu.
Es gibt Fledermäuse im Zimmer.
Der Vampir hat lange Fingernägel.
Er saugt Lucys Blut.
Nosferatu leidet.
Um Lucy liegen Blumenblätter.
Die Szene spielt in Lucys Schlafzimmer.

1. Die Szene spielt in Lucys Schlafzimmer.
2. _____
3. _____
4. _____
5. _____
6. _____
7. _____
8. _____
9. _____
10. _____

1. Die Filmerzählung *Nosferatu* ist von _____.
2. Der Filmemacher ist im Jahre _____ in _____ geboren.
3. Er studierte in München und _____.
4. *Nosferatu* ist die Geschichte des sinistren Grafen _____.
5. Es gibt auch einen _____ über diese Geschichte von dem Regisseur Murnau.

DAS KINO IN DER BUNDESREPUBLIK.

Einige bekannte Filmemacher heute ──────

Rainer Werner Fassbinder
Wim Wenders
Margarete von Trotta
Helma Sanders-Brahms
Volker Schlöndorff
Werner Herzog

Schlöndorff

Helma Sanders–Brahms

Shirins Hochzeit (1976)
Deutschland, bleiche Mutter (1980)
Flügel und Fesseln (1984)

Werner Herzog

Aguirre, der Zorn Gottes (1972)
Jeder für sich und Gott gegen Alle (1974)
Stroszek (1977)
Nosferatu (1979)
Woyzeck (1979)
Fitzcarraldo (1982)
Wo die grünen Ameisen träumen (1984)

Rainer Werner Fassbinder

Katzelmacher (1969)
Angst essen Seele auf (1973)
Effie Briest (1974)
Despair (1978)
In einem Jahr mit 13 Monden (1978)
Die Ehe der Maria Braun (1978)
Berlin Alexanderplatz (1980)
Lili Marleen (1981)
Lola (1981)
Die Sehnsucht der Veronika Voss (1982)
Querelle (1982)

Wim Wenders

Alice in den Städten (1974)
Falsche Bewegung (1975)
Der amerikanische Freund (1977)
Der Stand der Dinge (1982)
Paris, Texas (1984)

Ein Kinobesuch kostet zwischen 6 DM und 12 DM.

Fassbinder

Filmzentren

- Berlin (Berliner Festspiele; Filmpreis: Goldener Bär)
- München (Münchener Filmfestspiele)

Kinos

- Die meisten Kinos spielen viel mehr amerikanische Filme als deutsche Filme.
- Filme aus anderen Ländern werden deutsch synchronisiert.
- In den kommerziellen Kinos gibt es Reklame, bevor der Film beginnt.
- Es gibt kein Popcorn in deutschen Kinos.

> *Wißt ihr, daß der erste deutsche Tonfilm* Der blaue Engel *mit Marlene Dietrich war?*

Auf deutsch!

Filmproduktion

- Die BRD hat keine großen Filmstudios wie in Hollywood.
- Filme werden zum Teil vom Staat (Film-Förderung) und vom Fernsehen finanziert.
- Das deutsche Kino ist zur Zeit in einer Krise: weniger Leute gehen ins Kino, und weniger Filme werden produziert.

Einige Regisseure, die in den 30er Jahren nach Hollywood gingen

Fritz Lang: *Metropolis, M, The Big Heat*
Friedrich Murnau: *Nosferatu, Sunrise*
Douglas Sirk: *La Habanera, Weekend with Father*

Richtungen in der deutschen Filmgeschichte

Expressionistischer Film (20er Jahre–1933)
Heimatfilme (40er–50er Jahre)
,,Neuer deutscher Film'' (60er Jahre)

Einige bekannte Schauspieler/innen heute

Hanna Schygulla
Angelika Winkler
Klaus Kinski
Bruno Ganz
Eva Mattes

MINIDRAMA
„Die Abschiedsfeier"

MUSTER UND MODELLE
Konjunktiv
Konjunktiv bei „als ob . . ."
  und Modalverben
indirekte Rede

SPRACHLICHE BESONDERHEITEN
Substantive aus Verben

WAS SAGT MAN DA?
Tadeln

DEUTSCHES MAGAZIN
Politik berührt uns alle
Blickpunkt: Das politische
  System in der
  Bundesrepublik
  Deutschland

MINIDRAMA 21
Die Abschiedsfeier

Es ist spät abends. Willis Garten ist voller Leute. Flotte Disko-Musik ist zu hören. Einige Paare tanzen, aber die meisten Gäste haben ein Weinglas in der Hand und unterhalten sich. Graf Dracula steht neben Wilhelm Tell. Der Zauberer spricht mit Rotkäppchen und Schneewittchen. Aber was ist nur mit unseren vier Freunden los? Warum amüsieren sie sich nicht?

Brigitte: Es fällt mir schwer, heute lustig zu sein.

Jack: Ja, es ist Zeit, auf Wiedersehen zu sagen.

Willi: Wir waren wirklich gute Tutoren. Und nun ist alles vorbei.

Susi: Ach, alles ist so traurig!

Brigitte: Jack, du siehst ja wie ein Filmstar aus. Willst du nicht mit Schneewittchen tanzen?

Jack: Nein, nein. Wo sind die alkoholischen Getränke?

Brigitte: Wer Sorgen hat, hat auch Likör. Dort . . . die Erdbeerbowle steht mitten auf dem Tisch.

Wilhelm Tell: (*kommt vorbei*) Ich habe einen Apfel gefunden.

Willi: Aber sicher, Tell. Iß den Apfel ruhig auf!

Jack: Paß auf dein Glas auf, Tell! Mein schöner weißer Anzug wird ja ganz schmutzig!

Brigitte: (*zu Susi*) Susi, suchst du jemand?

Susi: Ja, ich suche die Fußballmannschaft aus Sopchoppy.

Mannschaft: Hier sind wir schon. Das Spiel ist zu Ende.

Susi: Wie lange hat euer Spiel gedauert?

Mannschaft: Zwei Stunden. Wir haben zwei zu null gewonnen.

Willi: Prima! Ihr seid Gewinner, aber wir sind Verlierer. Ich denke jetzt viel an die Unsterblichkeit der Freundschaft.

Brigitte: Ja, Freundschaft gibt dem Leben einen Sinn.

Susi: Oh wie traurig. Vielleicht sehen wir uns nie wieder.

Jack: Ja, in dieser Stadt bekommen wir keinen Job.

Willi: Und seit heute sind wir keine Tutoren mehr. Ihr hättet mich nicht retten sollen, als ich in den Fluß gefallen war.

Graf Dracula: Ha, ha, meine schönen Freunde. Nicht verzweifeln. Bei mir verdient ihr zwanzigtausend Mark im Monat. Ihr werdet auf meine Weise unterrichten! Ich muß nur das Geld von der Bank abheben.

Alle vier: Nein danke, du Vampir! Wir wollen mit dir nichts zu tun haben!

Susi: Was wird uns die Zukunft bringen?

Brigitte: Habt ihr schon Zeugnisse, Bewerbungen und Lebenslauf abgeschickt?

Alle: Ja, leider.

Zauberer: Abrakadabra! Habt ihr alle eure Deutschbücher?

Alle: Nein, aber einen Zettel auf dem steht: „Dreht euch um.‟

(*Alle drehen sich um. Hinter ihnen steht Professor Breitmoser. Er gibt ihnen ihre Deutschbücher und einen Vertrag.*)

Alle: Professor Breitmoser!

Breitmoser: Meine Freunde. Eure rosige Zukunft hat schon begonnen. Das Deutschprogramm geht weiter. Ihr könnt hier bleiben und wieder als Tutoren arbeiten.

Alle: Hurra! Wir sind gerettet!

(*Sie weinen vor Freude.*)

Jack: Kommt mit mir! Wir wollen tanzen.

Graf Dracula: Schade. Aber ich fange sie das nächste Mal! (*geht weg*)

Es scheint, daß die Abschiedsfeier ausfällt. Aber es wird eine großartige Fête. Die Stimmung wird immer besser . . . die Erdbeerbowle wird immer weniger. Unsere Freunde tanzen und weinen und lachen, und lachen und tanzen und weinen (oder arbeiten als Tutoren) noch heute.

Substantive

die Abschiedsfeier, -n
der Anzug, ⸚e
der Apfel, ⸚
die Fete, -n
die Freundschaft, -en
das Getränk, ⸚e
der Gewinner, -
die Gewinnerin, -nen
der Likör, -e

das Paar, -e
das Rotkäppchen,
das Schneewittchen
die Sorge, -n
die Stimmung, -en
der Vampir, -e
der Vertrag, ⸚e
der Zettel, -

Verben

aus·fallen (fällt aus), fiel aus, ist
  ausgefallen
lachen
sterben (stirbt), starb, ist gestorben

sich um·drehen
verzweifeln
weinen

Andere Wörter

flott

rosig

Ausdrücke

immer weniger
Was ist los?
Es geht weiter.

vor Freude weinen
Es fällt mir schwer.
auf meine Weise

AUFFRISCHUNG: KONJUNKTIV

Indikativ oder Konjunktiv? ━━━━━━

Indikativ: Tatsache

Konjunktiv: Hypothese

> Arne hat viel Geld für seine Cartoons bekommen.

> Wenn er nur immer viel Geld dafür **bekäme**!

▼

▼

Präsens ━━━━━━

Starke Verben

Imperfekt Stamm + (Umlaut +) Endung

    ↑   ↑   ↑

ich bekam   bekäm   e

Wenn ich nur 100 Markscheine *bekäme!*

Schwache Verben: identisch mit Imperfekt

Wenn ich nur schöner *träumte!*

Alternative: würde + Infinitiv

Wenn ich nur schöner *träumen würde!*

Vergangenheit

hätten/wären (konjug.) + Partizip (Perfekt)

Wenn ich mehr Sauerkraut **gegessen hätte**, **wäre** ich gesund **geblieben**.

Erweiterung: ,,als ob . . .''

Nach ,,als ob . . .'' folgt Konjunktiv.

Es scheint, **als ob** Arne reich **wäre**.

Konjunktivsätze mit Modalverben

Präsens: Modalverb (konjug.) + Verb (Infinitiv)

Arne **könnte** noch reicher **sein**, wenn er mehr **arbeitete**.

Vergangenheit: hätten (konjug.) + Infinitiv + Modalverb (Infinitiv)

Er **hätte** nicht sofort sein ganzes Geld **ausgeben sollen**.

Noch mehr Beispiele

Arne **hätte** sein Geld **sparen müssen**.
Er **hätte** einen tollen Urlaub in Buxtehude **bezahlen können**.

INDIREKTE REDE

Besonderer Konjunktiv

Verbstamm + Konjunktivendung
↓   ↓

sagen	er	sag + e	**Endungen:**	-e	-en
schreiben	er schrieb + e			-est	-et
				-e	-en

Beispiel

Direkte Rede: Er sagte: ,,Ich komme zum Jazz-Treffen.''
Indirekte Rede: Er sagte, er komme zum Jazz-Treffen.

Aufpassen!

,,sein'': **sei, seist, sei, seien, seiet, seien.**

> *Aber viele Deutsche benutzen normalen Konjunktiv: Er sagte, er käme zum Jazz-Treffen.*

> *Ja, und andere nehmen einfach nur Indikativ: Er sagte, er kommt zum Jazz-Treffen.*

Auf deutsch!

Noch mehr Beispiele

Aussage: Er sagte, er **spiele** Posaune.

Frage: Sie fragte, ob du auch im Konzert **seist**. Er wollte wissen, wer die Frau **sei**.

Befehl: Sie sagten, ich **solle** aufhören.

AUSPROBIEREN!

Muster I: Konjunktiv

Jede/r erzählt von seinem/ihrem Traummann oder seiner/ihrer Traumfrau. (zu dritt) 3 Sätze für jede Person; für jeden Satz ein anderes Verb. Wie müßte er/sie sein?

> **Beispiel:**   ,,Mein Freund sitzt immer vor dem Fernseher.``
> ,,Ich wünschte, er ginge öfter mit mir ins Kino.``

Muster II: Indirekte Rede

Benutzt bitte den ,,besonderen Konjunktiv.`` (zu dritt)

Student/in 1 erzählt das Minidrama dieses Kapitels. (z.B. ,,Willi hat keine Arbeit.``)
Student/in 2 versteht nichts und fragt bei jedem Satz: ,,Was hat er/sie gesagt?``
Student/in 3 wiederholt dann den Satz in indirekter Rede. (z.B. ,,Sie/er sagte, daß Willi keine Arbeit habe.``

Substantive aus Verben

das + Infinitiv des Verbs = Substantiv
das   (malen)   das Malen

Verb: Kauffmann *malte* jeden Tag.
Substantiv: *Das Malen* war ihre Leidenschaft.

Noch mehr Beispiele

Wir kaufen jeden Samstag ein.	**Das Einkaufen** macht Spaß.
Josef trinkt zehn Glas Bier.	Unmäßiges **Trinken** ist ungesund.
Ich will nicht arbeiten.	**Das Arbeiten** ist für andere Leute.
Niemand darf hier schwimmen.	**Das Schwimmen** ist hier verboten!

Kleine Schreibübung

Ändert bitte das Verb in ein Substantiv um (oder das Substantiv in ein Verb)
und schreibt einen neuen Satz!

1. Es ist nicht elegant, mit den Fingern zu *essen*.
   Substantiv: _____ mit den Fingern ist nicht elegant.
2. Wer *fährt* nicht gerne mit einem Rolls Royce?
   Substantiv: _____ mit einem Rolls Royce macht Spaß.
3. Viele Deutsche *wandern* gern.
   Substantiv: _____ ist ein Hobby vieler Deutscher.

1. *Das Parken* von Autos ist hier erlaubt.
   Verb: Hier kann man nicht _____.
2. *Das Studieren* an der Uni kostet immer mehr.
   Verb: Es kostet immer mehr, an der Uni _____.
3. Am Abend ist *das Telefonieren* billiger.
   Verb: Du mußt am Abend _____; da ist es billiger.

WAS SAGT MAN DA?

Tadeln

Das geht doch (einfach) nicht!

Das macht man (doch) nicht!

Was sollen denn die Leute denken!

Hier wird nicht (geraucht)!

Das gehört/schickt sich nicht!

Ich finde es wirklich/überhaupt nicht gut, daß . . .

Das ist ja unerhört!

Das ist ja hanebüchen!

Laß das sein/bleiben!

Mir gefällt nicht, daß . . .

Ich kann es nicht ausstehen, daß . . .

Würden Sie bitte (das Radio leiser stellen), es stört mich.

Beispiele

Das geht doch nicht, daß du einfach Geld aus meiner Tasche nimmst.
Zieh deine Bluejeans nicht in die Oper an! Das macht man doch nicht!
Du solltest die Fenster putzen. Was sollen sonst die Leute denken?
Gebt sofort den Ball her. Hier wird nicht Fußball gespielt.
Lauft nicht so halbnackt herum. Das gehört sich nicht!
Ich finde es wirklich nicht gut, daß du so schreist.
Das ist ja unerhört, an die Hauswände zu schreiben.
Es ist ja hanebüchen, daß die Schulden noch nicht bezahlt sind.
Warum rufst du ihn immer an? Laß das bleiben!
Mir gefällt nicht, daß du nicht beim Saubermachen hilfst.
Ich kann es nicht ausstehen, daß du schlürfst.
Würden Sie bitte die Musik leiser stellen. Sie stört mich.

Rollenspiel (zu viert)

Du wohnst mit drei anderen
Studenten in einer Wohnung. Eine/r
ist ordentlich, die anderen nicht;
eine/r ist ein Morgenmensch, eine/r
ein Nachtmensch. Was für Probleme
habt ihr?

DEUTSCHES MAGAZIN

Wörter ohne Wörterbuch

die Biologie
das Detail, -s
diskutieren
Europa
die Entomologie
die Familie, -n
die Initiative, -n
(sich) informieren
das Interview, -s
intim
die Justiz
die Partei, -en
der Patriotismus
privat
provisorisch
die Politik
das Publikum
der Repräsentant,
  -en
der Schwindel
der Sozialstaat, -en
skeptisch
die Stabilität
tendieren
die Tradition, -en
die Universität, -en
das Zweiparteien-
  system, -e

POLITIK BERÜHRT UNS ALLE

Die Europäer diskutieren oft und gern über Politik. Politik dringt ins Privatleben ein. Auch die Machtverhältnisse im intimen Kreis der Familie haben politische Bedeutung. Was wissen und denken junge Leute über die Regierung in Deutschland? Einige sind konservativer, andere sind radikaler—aber die meisten haben Interesse an Politik und informieren sich.

Blickpunkt: Politik berührt uns alle

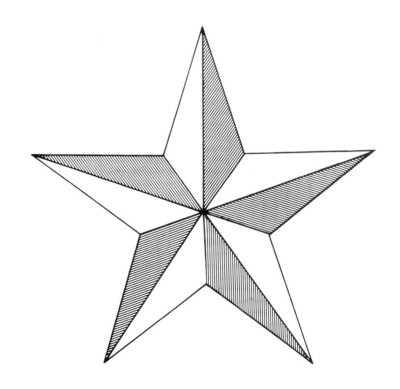

Ein Interview mit deutschen Austauschstudenten über ihr politisches Interesse und über Aspekte deutscher Politik

Rüdiger Klein, Student der Biologie
Er studiert Entomologie in einem M.A. Programm an der Universität von Florida.

Barbara Kauffmann, Studentin der Volkswirtschaft
Sie ist in einem Ph.D.-Programm an der Universität von Florida.

Interviewt von Helga Kraft, Universität von Florida.

(1) Interviewerin: Haben amerikanische Studenten so viel Interesse an Politik wie deutsche Studenten?
Rüdiger: Es gibt Ausnahmen. Aber ich habe gefunden, daß sie sich meist nur für etwas interessieren, was sie unmittelbar angeht. Ich war überrascht, daß viele Leute noch nicht einmal wissen, wer in Nicaragua die Sandinistas und die Contras sind. Überhaupt, viele interessieren sich gar nicht für Politik.
Barbara: Das liegt vielleicht auch an der Tradition. In Deutschland am Gymnasium und an der Uni wird man von den anderen anerkannt, wenn man über das politische Leben reden kann. Hier ist man ein langweiliger Mensch, wenn man immer über Politik spricht.

(2) Interviewerin: Hat dein Privatleben mit Politik zu tun? Wie informierst du dich über deutsche Politik?

Barbara: Das ist eine schwierige Frage.

Rüdiger: Ja, in gewissen Grenzen. Ich halte mich über Politik grob auf dem Laufenden, aber ich bin nicht politisch engagiert.

Barbara: Ja, ich informiere mich. Ich finde, daß jeder Mensch eine Verantwortung hat. Wenn man in einem Land lebt, soll man wissen, was los ist. Wenn Fehlentscheidungen getroffen werden, kann man dann eine andere Partei wählen.

Rüdiger: In Deutschland lese ich *Die Zeit* und die *Frankfurter Allgemeine* und den *Spiegel*.

Barbara: Und da ist sehr viel im Fernsehen, mehr Details als hier.

(3) Interviewerin: Was sind die wichtigsten Aufgaben des Bundespräsidenten und des Bundeskanzlers? Wer hat in den USA diese Ämter?

Rüdiger: Der Bundespräsident Richard von Weizsäcker (CDU) ist Repräsentant der Bundesrepublik.

Barbara: . . . und der Bundeskanzler Helmut Kohl (CDU) erledigt die Regierungsgeschäfte der Exekutive. In Amerika hat der Präsident beide Ämter.

(4) Interviewerin: Ist die deutsche Verfassung (man nennt sie auch ,,das Grundgesetz") anders als die amerikanische? Ist das Bundesverfassungsgericht wichtig für die deutsche Demokratie? Was ist die Aufgabe der Richter dieses Gerichtes?

Barbara: Als das Grundgesetz geschrieben wurde, hatte man im Auge, daß Deutschland geteilt ist. Eine neue Verfassung sollte nach der Wiedervereinigung geschrieben werden. Gottseidank haben wir das Bundesverfassungsgericht. Früher gab es das nicht, und wir haben gesehen, was unter Hitler passierte. Das Gericht gewährleistet, daß das Grundgesetz nicht überschritten wird.

(5) Interviewerin: Gefällt dir das amerikanische Zweiparteiensystem besser als das deutsche System mit drei, vier oder fünf Parteien, die im Bundestag vertreten sind?

Rüdiger: Das Zweiparteiensystem in den USA sorgt für mehr Stabilität in der Politik. Aber ob das gut ist, ist die Frage. Für politische Vielfalt ist das deutsche System besser.

Barbara: Es ist wichtig, daß es nicht zu viele kleine Parteien gibt.

Abkürzungen

BRD   Bundesrepublik Deutschland
SPD   Sozialdemokratische Partei Deutschlands
CDU   Christlich Demokratische Union
DDR   Deutsche Demokratische Republik
SED   Sozialistische Einheitspartei Deutschlands

Lesehilfe für das Politik-Interview ━━━━━━━━

1. Frage:

unmittelbar angehen	direkt beeinflussen
das Gymnasium	die Oberschule
anerkennen	akzeptieren

2. Frage:

sich auf dem Laufenden halten	sich informieren
die Verantwortung haben	moralisch wichtig finden
die Fehlentscheidung	falsche Entscheidung, falsche Wahl
Die Zeit, Die Frankfurter Allgemeine	(deutsche Zeitungen)

3. Frage:

das Amt, die Ämter	Stellung bei der Regierung
erledigen	besorgen, machen

4. Frage:

die Verfassung, das Grundgesetz	auf diesem Gesetz basieren die Rechte der Deutschen
gewährleisten	darauf aufpassen, dafür sorgen
überschreiten	verletzen, brechen

5. Frage:

sorgen für	dabei helfen

Kleine Schreibübung

1. Rüdiger sagt, daß amerikanische Studenten kein Interesse an Politik haben. Er hat (nicht) recht: _____.
2. Ich informiere mich über Politik. Ich lese _____. Im Fernsehen schaue ich mir immer _____. Im Radio höre ich _____.
3. Die wichtigste Aufgabe des deutschen Bundespräsidenten: _____.
4. Das amerikanische Bundesverfassungsgericht ist wichtig/unwichtig, weil _____.
5. Das amerikanische Zweiparteiensystem gefällt mir, denn _____.

POLITIK IN POSEMUCKEL

Theaterdirektor: Liebes Publikum! Einige von Ihnen wissen noch nicht, wo Posemuckel liegt. Nun, jedes Kind in Deutschland kann Ihnen sagen, daß man es dort findet, wo die Hunde mit dem Schwanze bellen! Die Lieblingsbeschäftigung in Posemuckel ist das politische Streitgespräch. Hier kommen nun Bürgermeister Hasenfuß und Stadtrat Schwindelburger zu Wort.

Hasenfuß: Seit Erich Honecker Regierungschef der DDR ist, haben wir wieder Hoffnung auf Wiedervereinigung.

Schwindelburger: Um Gottes Willen! Dann wird ja auch bei uns die Meinungsfreiheit eingeschränkt.

Hasenfuß: Na, Sie haben ja sowieso keine vernünftige Meinung. Denken Sie doch an die Vorteile: weniger Konkurrenz, ein besserer Sozialstaat!

Schwindelburger: Ich bin skeptisch. Nachher werden auch wir immer überwacht und dürfen nicht außer Land reisen!

Hasenfuß: Mann, denken Sie doch mal nach! Wenn es keine Grenzen mehr gibt, dann braucht man auch nicht mehr das Land zu verlassen!

Theaterdirektor: Verehrtes Publikum! Wissen Sie, warum die Leute aus Posemuckel keinen Paß brauchen? Nein? Nun, Dummheit kennt keine Grenzen! Ha, ha, ha.

Hasenfuß: Sie sprechen von überwacht werden. Nun, ich habe nichts zu verbergen! Die soziale Marktwirtschaft hier bei uns ist ein gutes Regierungssystem.

Schwindelburger: Unsinn. An den USA sieht man, daß dort, wo der Staat weniger einspringt, sich mehr private Initiative entfalten kann.

Hasenfuß: Kapitalist! Du willst das Geld nur in deine eigene Tasche stecken!

Schwindelburger: Sie, duzen Sie mich nicht! Außerdem bin ich der Kandidat der neuen Schwindelpartei!

Hasenfuß: Oh Gott! Warum denn nicht Kandidat der CDU, der SPD oder FDP?

Schwindelburger: Ganz einfach. Im Moment tendiert die CDU mehr zum Patriotismus und Nationalstolz.

Hasenfuß: Nun ja, das ist wohl der Einfluß Helmut Kohls. Aber wie ist es mit den Grünen? Das ist doch eine nicht-traditionelle Partei? Sie können doch mit ihrer Schwindelpartei nicht 5% der Stimmen bekommen, um ins Parlament zu kommen.

Schwindelburger: Was wissen Sie schon! Die Grünen haben doch kein richtiges Programm! Und sie haben unrealistische Vorstellungen in vielen Bereichen.

Hasenfuß: Sie wollen wohl, daß sie im Bundestag Anzug und Krawatte tragen! Sich anpassen. Das gefällt Ihnen wohl, Sie Angepaßter, Sie!

Schwindelburger: Ach, auch wenn „Schwindel" es nicht schafft, so sind die Grünen bald nicht mehr nötig. Die traditionellen Parteien richten mehr Aufmerksamkeit auf die Umweltpolitik und auf die Friedenspolitik.

Hasenfuß: Ich würde nie, nie Politiker werden! Ich interessiere mich nicht für verwaltungstechnische Dinge. Und schönfärben will ich auch nicht. Ja, und ein Privatleben gibt es dabei überhaupt nicht!

Schwindelburger: Ihr Privatleben! Daß ich nicht lache! Ihre Frau hat ja . . .

Theaterdirektor: Liebes Publikum! Wir wollen die beiden Posemuckler hier allein lassen. Ja, man liebt nicht nur Streitgespräche, sondern auch den Klatsch. Aber das ist heute nicht unser Thema. Auf Wiedersehen. Vergessen Sie nicht, bei der nächsten Wahl zu wählen!

Kleine Lesehilfe ━━━━━━━━━━━━━━━━━━━━

der Schwanz	beim Hund ist der Kopf an einem Ende und der Schwanz am anderen
bellen	Hunde sprechen nicht, sie bellen
politisches Streitgespräch	Diskussion über Politik
Regierungschef	in der DDR ist es Honecker, in USA ist es Bush
die Wiedervereinigung	das Ziel, daß die beiden Länder (BRD und DDR) wieder *ein* Staat werden
die Meinungsfreiheit einschränken	nicht erlauben, frei zu sprechen
überwacht werden	der Staat paßt auf, was man macht
außer Land reisen	in ein anderes Land fahren
die Grenze	die Linie zwischen zwei Ländern
verbergen	anderen nicht zeigen
soziale Marktwirtschaft	Kapitalismus mit sozialen Aspekten
der Staat springt weniger ein	die Regierung tut weniger für die Leute
der Schwindel	wissentlich Falsches sagen/tun
der Nationalstolz	Patriotismus
der Einfluß Helmut Kohls	durch Helmut Kohl
die Stimmen	hier: die Zahl der Wähler
die Wähler (*pl.*)	Leute, die ihre Stimme für eine/n Kandidat/in abgeben
anpassen	machen, was andere tun
die Aufmerksamkeit richten auf	sich interessieren für
die Friedenspolitik	Politik gegen Krieg
verwaltungstechnisch	organisatorisch
der Klatsch	Reden über andere Leute

Kleine Sprechübung

1. Eine Partei wie die „Grünen" in Deutschland gibt es hier nicht. Hier gibt es etwas/nichts Ähnliches: _____.
2. Die _____ Partei in Amerika ist mir (nicht) sympathisch, weil _____.
3. Wir könnten von den kommunistischen Ländern etwas/nichts lernen. _____.
4. Ein ideales Regierungssystem wäre _____.
5. Ich würde (nicht) gern Politiker(in) werden, denn _____.

DAS POLITISCHE SYSTEM

Der Bundespräsident

Die Aufgaben des Bundespräsidenten sind überwiegend repräsentativer Natur.

▼ *Wallmann, CDU*

Der Bundeskanzler

Der Bundeskanzler leitet die Geschäfte der Bundesregierung. Er bestimmt die Richtlinien der Politik und hat im Verteidigungsfall Befehlsgewalt über die militärischen Streitkräfte. In den USA hat der Präsident diese Aufgaben.

Der Bundestag

Der Deutsche Bundestag ist die Volksvertretung der Bundesrepublik Deutschland. Er wird vom Volk auf vier Jahre nach einem „personalisierten Verhältniswahlrecht" gewählt.

Kohl

Helmut Kohl, CDU

Otto Schily, Die Grünen ▶

◀ *Deutscher Bundestag mit Willy Brandt, SPD*

Der Bundesrat

Der Bundesrat, die Vertretung der Länder, wirkt an der Gesetzgebung mit. Er besteht aus Mitgliedern der Landesregierungen.

Die Bundesregierung

Die Bundesregierung (häufig auch „Kabinett" genannt) besteht aus dem Bundeskanzler und den Bundesministern. Der Bundeskanzler wird vom Bundestag auf Vorschlag des Bundespräsidenten gewählt.

Das Bundesverfassungsgericht

Seine Aufgabe ist es, über die Einhaltung des Grundgesetzes zu wachen.

Die Parteien

Im Bundestag sind heute fünf Parteien vertreten: die Sozialdemokratische Partei Deutschlands (SPD), die Christlich-Demokratische Union Deutschlands (CDU), die Christlich-Soziale Union in Bayern (CSU), die Freie Demokratische Partei (FDP) und Die Grünen.

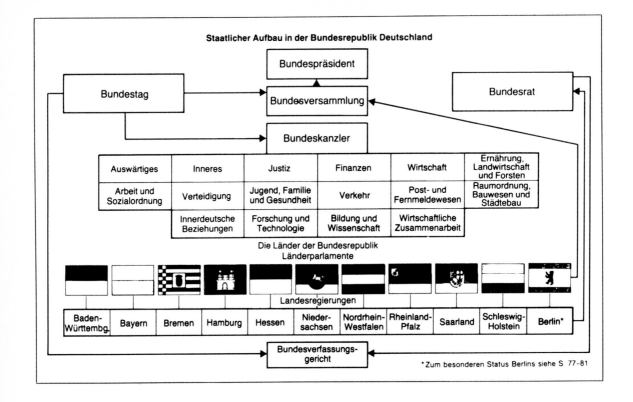

Staatlicher Aufbau in der Bundesrepublik Deutschland

Sprechübung

1. Wieviele Parteien gibt es im Bundestag?
2. Wieviele Länder sind im Bundesrat?
3. Wie heißt das Parlament in den USA?
4. Ist die Aufgabe des deutschen Bundespräsidenten anders als die des U.S.-Präsidenten?
5. Gibt es in den USA ein Verfassungsgericht?

Auf deutsch!

KAPITEL 1

There are four cases in German: the nominative, accusative, dative and genitive case. The different cases mark the function of every noun or pronoun in a sentence.

I. NOMINATIVE CASE

In the English sentence *The student leaves the bus*, **the student** is the subject of the sentence; he does the leaving. The nominative case is the subject case. The nominative answers the question **who?** or **what?**

A. Articles

1. Definite Articles

German nouns can be one of three genders: masculine, feminine, and neuter. The definite article must correspond to the gender of the noun that it represents. In English definite articles are translated as "*the*." It is best to learn each German noun with its article.

MASCULINE	FEMININE	NEUTER
der Professor	**die** Haltestelle	**das** Buch
Der Professor kommt.	**Die** Haltestelle heißt Steubenstraße.	**Das** Buch ist langweilig.

2. Indefinite Article

There is also a set of indefinite articles that are translated as *"a" or "an."*

MASCULINE	FEMININE	NEUTER
ein Professor	**eine** Haltestelle	**ein** Buch
Ein Professor kommt.	**Eine** Haltestelle heißt Steubenstraße.	**Ein** Buch ist langweilig.

All nouns have the same definite article in the plural: **die.** Of course, there is no plural indefinite article. But the word **kein**—which means *no, not any* takes the same ending in the plural as the other **ein** words, i.e. *mein, dein.*

Die Professoren kommen.   *The professors are coming.*
Die Frauen sind Amerikanerinnen. *The women are Americans.*
Keine Bücher sind langweilig.   *No books are boring.*

B. Personal Pronouns

Just as in English a pronoun replaces a noun.

	SINGULAR		PLURAL	
FIRST PERSON	**ich**	*I*	**wir**	*we*
SECOND PERSON	**du, Sie**	*you*	**ihr, Sie**	*you*
THIRD PERSON	**er**	*he*	**sie**	*they*
	sie	*she*		
	es	*it*		

In English, we refer to all objects as *it*. In German, objects retain their masculine, feminine, or neuter gender as in the examples below:

der Tisch **die** Erdbeere **das** Wasser	er sie es

II. VERBS

A. The Infinitive ━━━━━━━━━━━━━━━━━━━━━━

The infinitive form of a verb is the form found in the dictionary. Most German infinitives end in **-en**: komm**en**, lern**en**, sprech**en**.

The infinitive of a verb consists of the **stem** and the ending (**lern**·en). Simple! The verb **sein** and a few others end in **-n** instead of **-en**.

B. The Present Tense ━━━━━━━━━━━━━━━━━━━━

1. German has only *one* present tense form which compares to several forms found in English.

Susi **lernt** Deutsch.	*Susi **learns** German.*
	*Susi **is learning** German.*
	*Susi **does learn** German.*

2. Verb Forms

The present tense of verbs is formed by dropping the ending (en/-n) from the infinitive and adding the following present tense endings.

PRONOUN			STEM + ENDING = FORM			
SINGULAR	ich du er sie } es	lern-	-e -st -t	ich du er sie } es	lerne lernst lernt
PLURAL	wir ihr sie	lern-	-en -t -en	wir ihr sie	lernen lernt lernen
SING/PL	Sie	lern-	-en	Sie	lernen

3. A few easy rules:

a. When the verb stem ends in **-d or -t**, an **-e-** is added between the stem and the ending in the **du, er, sie, es** and **ihr** forms to help pronounce words more easily.

arbeiten (*to work*)

PRONOUN	STEM	LINK	ENDING	FORM
du			-st	**arbeitest**
er, sie, es	**arbeit-**	**+ e**	-t	**arbeitet**
ihr			-t	**arbeitet**

b. When the verb stem ends in **s, ss, ß, z, tz** only a **-t** is added to the **du** form of a verb rather than an -st. (**heißen**   heiß + t = **heißt**)

c. Infinitives ending in **-n** also take an **-n** ending in the **wir** and **sie** *(pl)* form.

(**sammeln**   wir **sammeln**, sie **sammeln**)

4. Stem Changes

a. Some verbs change their stem vowels in the **du, sie, es** and **er** forms of the verb.

STEM CHANGE	VERB	FORM	EXAMPLE
e⟶i	sprechen	**sprich-**	Sie **spricht** Fließend Deutsch.
e⟶ie	sehen	**sieh-**	Er **sieht** den Professor.
a⟶ä	fahren	**fähr-**	Du **fährst** zur Universität.
au⟶äu	laufen	**läuf-**	Sie **läuft** nach Hause.

b. Of course, there are always those few exceptions when there is both a vowel change and a consonant change.

nehmen (nimmt)   Er **nimmt** die Hand aus der Tasche.
treten (tritt)   Sie **tritt** die Katze.

c. **Haben, sein** and **werden** are the great exceptions. They are verbs that are used most often and are conjugated as follows:

	haben (to have)	sein (to be)	werden (to become)
ich	**habe**	**bin**	**werde**
du	**hast**	**bist**	**wirst**
er, sie, es	**hat**	**ist**	**wird**
wir	**haben**	**sind**	**werden**
ihr	**habt**	**seid**	**werdet**
sie	**haben**	**sind**	**werden**
Sie	**haben**	**sind**	**werden**

EXAMPLES

Er **hat** zwei Palmen.   *He **has** two palm trees.*
Er **ist** auf einer Insel.   *He **is** on an island.*
Er **wird** hungrig.   *He **is getting** hungry.*

Since the verbs with vowel changes are frequently used, learn the infinitive and the third person singular form of the verb.

KAPITEL 2

I. THE ACCUSATIVE CASE

The accusative case is the direct object case. The direct object receives the action of the verb. In other words the accusative is the part of the sentence that indicates *who* or *what* is affected by the verb's action.

Das Kind wirft **den Ball.**   *The child is throwing* ***the ball.***

What is being thrown? ***The ball*** is being thrown.

A. The Accusative and its Articles

1. How to recognize the Accusative

In English we can determine a direct object in a sentence by the position of the noun after the verb or by the form of the pronoun.

The frog eats *flies.*
My mother knows *him.*

In German the accusative is often recognized by:

a. Context and feasibility   Die Frösche fressen **die Fliegen.**   *Frogs eat* ***flies.***
b. Form of the article   **Den Wein** bringt der Mann.   *The man is bringing* ***the wine.***
c. Form of the pronoun   Meine Mutter kennt **ihn.**   *My mother knows* ***him.***
d. Certain prepositions   Ich gehe **durch das Zimmer.**   *I am walking* ***through the room.***

In German, the object can stand at the beginning of the sentence for emphasis.

Den Wein bringt der Mann.   *The man is bringing* ***the wine.***

The verb is in the singular and reflects the action of the subject, *der Mann* who brings the object, **den Wein.**

Die Männer sieht die Frau.   *The woman sees* ***the men.***

The verb is in the singular and reflects the action of the subject *die Frau* (singular) who sees the object, **die Männer** (plural).

2. Accusative Articles

In German the articles for masculine nouns change in the accusative case.

NOMINATIVE	ACCUSATIVE	
der Mann	**den** Mann	Errol kennt **den Mann.**
ein Mann	**einen** Mann	Errol kennt **einen Mann.**

Both the definite and indefinite articles for feminine, neuter, and plural nouns are the same as in the nominative case.

NOMINATIVE	ACCUSATIVE	
die Frau eine Frau	**die** Frau **eine** Frau	Wir sehen **die** Frau. Wir sehen **eine** Frau.
das Kind ein Kind	**das** Kind **ein** Kind	Er kennt **das** Kind. Er kennt **ein** Kind.
die Männer	**die** Männer	Sie kennt **die** Männer.

B. Accusative Prepositions

These prepositions are always followed by the accusative case:

durch	(through)	Ich gehe **durch das Zimmer.**	*I am going **through the room.***
für	(for)	Du lebst nur **für dich!**	*You only live **for yourself.***
gegen	(against)	Er ist **gegen den Baum** gelaufen.	*He ran **into the tree.***
ohne	(without)	Er sieht **ohne seine Brille.**	*He sees **without his glasses.***
um	(around)	Sie fährt nur einmal **um die Welt.**	*She's traveling **around the world** only once.*

These prepositions are easy to memorize! Some accusative prepositions are contracted with definite articles: durch das = **durchs,** für das = **fürs,** um das = **ums.**

C. Personal Pronouns in the Accusative

You have already learned the personal pronouns that replace nouns in the nominative. There are also personal pronouns that replace nouns in the accusative.

Der Sänger grüßt **den Mann.**	*The singer is greeting* **the man.**
Der Sänger grüßt **ihn.**	*The singer is greeting* **him.**

NOMINATIVE	ACCUSATIVE	
ich	**mich**	*me*
du	**dich**	*you*
er	**ihn**	*him/it*
sie	**sie**	*her/it*
es	**es**	*it*
wir	**uns**	*us*
ihr	**euch**	*you*
sie	**sie**	*them*
Sie	**Sie**	*you*

II. INTERROGATIVE PRONOUNS (NOMINATIVE AND ACCUSATIVE)

The interrogative pronouns are question words that are used when asking about a person or an object. These pronouns vary depending on their case in the sentence. Gender or number does not affect them.

	PERSONS	OBJECTS—ABSTRACT NOUNS
NOMINATIVE	**Wer** *who*	**Was** *what*
ACCUSATIVE	**Wen** *who*	**Was** *what*

Wer ist dein Vater?

   Who is your father?

Wer fährt nach Miami?

   Who is driving to Miami?

Was ist schwer?

   What is hard?

Was steht vor dem Haus?

   What is in front of the house?

Was haßt er?

   What does he hate?

Wen kennst du?

   Whom do you know?

Was raucht er?

   What is he smoking?

Der Mann ist mein Vater.

   The man is my father.

Sie fährt nach Miami.

   She is driving to Miami.

Das Leben ist schwer.

   Life is hard.

Ein Auto steht vor dem Haus.

   A car is in front of the house.

Er haßt **Krieg.**

   He hates war.

Ich kenne **ihn.**

   I know him.

Der Trainer raucht **eine Zigarre.**

   The coach is smoking a cigar.

KAPITEL 3

I. THE DATIVE CASE

The dative case is the *indirect object case*. An indirect object indicates to or for whom or what something is done. It signals *for whom* the action of the verb is performed or *to whom* the action of the verb is directed in a sentence.

Andreas, gib **dem Kellner** das Geld!   *Andreas, give **the waiter** the money.*

The waiter *der Kellner* (the indirect object) receives the money *das Geld* (the direct object).

A. The Dative and its Articles

1. How to recognize the Dative

   In German the dative can be recognized by:

a. Form of the Article	Ich gebe **dem** Mann die Zeitung.	*I am giving **the** man the newspaper.*
b. Form of the Pronoun	Ich gebe **ihm** die Zeitung.	*I am giving **him** the newspaper.*
c. Certain Prepositions	Alfred geht **aus** der Tür.	*Alfred is going **out** the door.*
d. Word Order	Wir zeigen **Freunden** unseren Wein-keller.	*We are showing **friends** our wine cellar.*

> **A note about word order:** When a sentence contains two nouns as objects—a direct and an indirect object—the indirect object precedes the direct object.
>
> Der Polizist gibt **dem Dieb** einen Strafzettel.
>   *The policeman gives **the thief** a ticket.*
> Das Kind bäckt **seiner Mutter** einen Kuchen.
>   *The child bakes a cake **for his mother**.*

2. **Dative Articles**

	MASCULINE	FEMININE	NEUTER	PLURAL
NOMINATIVE	der/ein	die/eine	das/ein	die/-
ACCUSATIVE	den/einen	die/eine	das/ein	die/-
DATIVE	**dem/einem**	**der/einer**	**dem/einem**	**den/-**

Der Kellner bringt **dem Kanzler** den Kaffee.   *The waiter brings* coffee **to the chancellor.**
        der Schauspielerin den Zucker   sugar **to the actress.**
        dem Kind die Milch.   *milk* **to the child**
        den Touristen die Brötchen   *rolls* **to the tourists.**

NOTE: **All nouns in the dative plural add an n, except those which already end in n or s.**

NOMINATIVE	DATIVE	
die Züge	**den** Züge**n**	*the trains*
die Hühner	**den** Hühner**n**	*the chickens*
die Kunden	**den** Kunden	*the customers*
die Hotels	**den** Hotels	*the hotels*

B. Dative Prepositions

These prepositions are always followed by the dative. Memorize them!

aus	(out of, from)	Er kommt **aus** dem Klassenzimmer.	*He is coming **out of** the classroom.*
		Meine Freundin kommt **aus** der Turkei.	*My friend is **from** Turkey.*
außer	(except)	Alle Kinder hier haben schwarze Haare **außer** meinem Sohn.	***Except** for my son all of the children here have black hair.*
bei	(at, near, at the home of)	Helmut saß **bei** dem Wasser.	*Helmut sat **near** the water.*
		Wir feiern heute **bei** meiner Großmutter.	*We are having a party **at** my grandmother's house.*
mit	(with)	Anneke fährt **mit** ihren Brüdern einkaufen.	*Anneke is going shopping **with** her brothers.*

nach	(after, to, according to)	**Nach** dem Abendessen gehen wir tanzen. Albert fährt morgen **nach** Dresden.	We are going dancing **after** dinner. Albert is driving **to Dresden** tomorrow.
seit	(since)	**Seit** meinem Geburtstag esse ich keinen Kuchen. Petra wohnt **seit** drei Jahren in Berlin.	I haven't eaten any cake **since** my birthday. Petra has been living in Berlin **for** three years.
von	(from, by, of)	Das Buch ist **von** der deutschen Schriftstellerin Sarah Kirsch. Der Musiker spielt jeden Tag **von** morgens bis abends Klavier.	The book is **by** the German author Sarah Kirsch. The musician plays the piano every day **from** morning till evening.
zu	(to, toward, at, for)	Anni fährt jeden Tag **zur** Universität. Ich bin morgen **zu** Hause.	Ann drives **to the university** every day. I'll be **at** home tomorrow.

C. Personal Pronouns in the Dative

Just as there are personal pronouns in the nominative and accusative, there are also personal pronouns in the dative.

Die Ärztin hilft **der Patientin**.   *The doctor helps **the patient**.*
Die Ärztin hilft **ihr**.   *The doctor helps **her**.*

	NOM.	ACC.	DATIVE	EXAMPLE		
SING	ich du er sie es	mich dich ihn sie es	**mir** **dir** **ihm** **ihr** **ihm**	Jakob holte *Jakob brought*	mir dir ihm ihr ihm	eine Tasse Kaffee. *a cup of coffee.*
PLURAL	wir ihr sie	uns euch sie	**uns** **euch** **ihnen**		uns euch ihnen	
SING/PL	Sie	Sie	**Ihnen**		Ihnen	

D. Interrogative Pronouns (Dative)

The dative form of the interrogative pronoun is **wem** (*to whom*).

	PERSONS	OBJECTS/ABSTRACT NOUNS
NOMINATIVE	wer	was
ACCUSATIVE	wen	was
DATIVE	wem	—

Wem gehört die tolle Schallplatte?

Die tolle Schallplatte gehört **dem Großvater**.

***To whom** does the great record belong?*

*The great record belongs **to the grandfather**.*

II. THE GENITIVE CASE

The genitive case indicates possession. In English, possession is usually expressed by the use of an apostrophe and an *s*, or by using the preposition *of*.

> *The President's Mercedes.*
> *He is the son **of** my second cousin.*

A. What is the Genitive?

In German the genitive shows possession (or a relationship between two nouns, one being a part of the other). The genitive is designated by an **s** after proper nouns as in English (but **without** the apostrophe) or by a special noun and article construction. The endings **e** or **es** are added to **masculine** and **neuter** nouns.

a. Proper nouns

Name of a Person

Name of a City

Name of a Country

Jillians Buch
Jillian's book

Berlins Kneipen
Berlin's bars

Polens Regierung
Poland's government

If the proper noun already ends in **s**, place an apostrophe after it.

Thomas' Motorrad

Thomas' motorcycle.

b. Other nouns

German nouns in the genitive case are recognized by position of the nouns, form of the article, **-s/es** ending in masculine and neuter nouns.

Das Buch **des Mannes**

The man's book.

a. Add **-es** to masculine and neuter nouns if they are **monosyllabic**, or end in **s, ß, ss, z,** or **tz.**

der Mann	**des Mannes**
das Kind	**des Kindes**

b. Add **s** to masculine and neuter nouns if they are polysyllabic.

der Wagen	**des Wagens**
das Fenster	**des Fensters**

NOTE **Feminine** and **plural** nouns do not have an ending in the genitive case!

3. **The articles in the genitive are:**

	MASCULINE	FEMININE	NEUTER	PLURAL
NOMINATIVE	der/ein	die/eine	das/ein	die/-
ACCUSATIVE	den/einen	die/eine	das/ein	die/-
DATIVE	dem/einem	der/einer	dem/einem	den/-
GENITIVE	**des/eines**	**der/einer**	**des/eines**	**der/-**

Das sind die Blumen **des** Gärtners/**eines** Gärtners	*These flowers belong to **the gardener/a gardener.***
der Frau/**einer** Frau	*the woman/a woman.*
des Dorfes/**eines** Dorfes	*the village/a village.*
der Leute	*the people.*
Hier ist ein Teil **eines** Computers	*Here is a part **of a computer***
einer Uhr	*of a clock*
eines Klaviers	*of a piano*
meiner Sammlungen	*of my collection*

4. **Word Order of Nouns in the Genitive**

a. Nouns in the genitive follow the nouns they modify. In other words, the first noun is ***the object or the person being possessed*** and the second noun indicates to whom/what it belongs.

> Die Schuhe **des Kindes** sind zu groß.
> ***The child's** shoes are too big.*

The child possesses the shoes so **the child** is in the genitive case.

b. Proper nouns come **before** the noun they modify.

Münchens Hofbräuhaus	*The Hofbräuhaus **of Munich***
Dans Husten	***Dan's** cough.*

B. Genitive Prepositions

These prepositions are often followed by the genitive case.

trotz	(*in spite of*)	**Trotz des Wetters** picknickt er!	*In spite of the weather* he is picnicking!
während	(*while, during*)	**Während der Nacht** fliege ich nach Jugoslawien.	*I am flying to Yugoslavia at night.*
wegen	(*because of) due to*)	Der Kanzler geht nicht zum Ball **wegen seiner Kopfschmerzen.**	*The chancellor is not going to the ball because of his headache.*

C. Interrogative Pronouns in the Genitive

The genitive form of the interrogative pronoun is **wessen** (*whose*).

> **Wessen** Bild hängt an der Wand?
> *Whose picture is hanging on the wall?*
> Das Bild **des Künstlers** hängt an der Wand.
> *The artist's picture is hanging on the wall.*

	PERSON	OBJECT
NOMINATIVE	wer	was
ACCUSATIVE	wen	was
DATIVE	wem	—
GENITIVE	**wessen**	—

Now you know all four cases in German!

I. ACCUSATIVE/DATIVE PREPOSITIONS

These are the prepositions that are followed either by the accusative or the dative case. We've already learned three lists of prepositions—prepositions that always take the accusative, prepositions that always take the dative, prepositions that always take the genitive. Now we have a fourth list—prepositions that take either the **accusative** or the **dative**.

an	(*to, on [on a vertical plane], at [the side of]*)	Das Bild hängt **an der** Wand. Ich hänge das Bild **an die** Wand.	*The picture is hanging **on the** wall.* *I am hanging the picture **on the** wall.*
auf	(*on, on top of*)	Fritz legt die Fische **auf den** Tisch. Die Fische liegen **auf dem** Tisch.	*Fritz is putting the fish **on the** table.* *The fish are lying **on the** table.*
hinter	(*behind*)	Er fährt das Auto **hinter das** Haus. Das Auto steht **hinter dem** Haus.	*He is driving the car **behind the** house.* *The car is **behind the** house.*
in	(*in, into, inside of*)	Die Kinder gehen **in die** Schule. Die Kinder lernen **in der** Schule.	*The children are going **to** school.* *The children are studying **in** school.*
neben	(*next to, beside*)	Rachel sitzt **neben der** Autorin. Rachel setzt sich **neben die** Autorin.	*Rachel is sitting **next to the** author.* *Rachel is sitting down **next to the** author.*
über	(*above, over*)	Die Lampe hängt **über dem** Tisch. Sie hängen die Lampe **über den** Tisch.	*The lamp is hanging **above the** table.* *They are hanging the lamp **above the** table.*
unter	(*beneath, under, below*)	Der Hund läuft **unter den** Wagen. Der Hund liegt **unter dem** Wagen.	*The dog is running **under the** car.* *The dog is lying **under the** car.*
vor	(*before [time], in front of*)	Die Filmstars stehen **vor dem** Kino. Robert Redford fährt **vor das** Kino.	*The film stars are standing **in front of** the cinema.* *Robert Redford is driving **in front of** the cinema.*
zwischen	(*between*)	Siehst Du den Dolphin **zwischen den** beiden großen Haifischen? Kommt nicht **zwischen die** Haifische!	*Do you see the dolphin **between the** two big sharks.* *Don't get caught **between the** sharks!*

B. How to distinguish between Dative and Accusative ━━━━━━━━━━

These prepositions require the speaker to decide whether to use the accusative or the dative form of the article. Most of the time the verb indicates the proper case.

Verbs of . . . . . .
1. motion toward a designated point   Accusative   (gehen, fahren, fliegen—to go, drive, fly)
2. location   Dative   (stehen, bleiben, sitzen—to stand, remain, sit)

1. Accusative

These prepositions take the accusative only if movement from one point to another, a destination, is expressed within the sentence.

Er fährt **in die** Stadt.   *He is driving **into** town.*

(This implies that he is at some point outside of town and is driving into town.)

In English we ask: **(To) where are you driving?**

Das Mädchen geht **hinter den Baum**.   *The girl is going **behind the tree**.*

(This implies that the girl is at a point away from the tree and moves to a position behind the tree.)

In German motion is indicated by the question word **Wohin**?

Wohin geht sie?   *Where is she going?*

The answer is always in the accusative case.

Sie geht in **das** Restaurant.   *She is going **into** the restaurant.*

2. Dative

Prepositions take the dative when the verb describes where something is located, or when motion occurs within a defined or restricted area.

NO MOTION	MOTION WITHIN AN AREA
Ich bin **in dem** Haus.	Ich gehe **in dem** Haus **umher**.
*I am **in the** house.*	*I am walking **around** in the house.*
Das Haus steht **in der Stadt.**	
*The house is **in the city**.*	
Ich schwimme **in dem Schwimmbad.**	
*I am swimming **in the pool**.*	

In English we ask **Where is the house**? or **Where are you swimming**? In German asking about a location is indicated by the question word **wo?**

Wo ist das Haus?   *Where is the house?*
Wo schwimmst du?   *Where are you swimming?*

The answer is always in the dative.

C. Some Dative and Accusative Contractions

Some prepositions are contracted with the definite article in everyday speech:

an	+ dem = **am**	**Am 1. Mai** demonstrieren die Arbeiter.	*The workers demonstrate **on the first day** of May.*
an	+ das = **ans**		
*hinter	+ dem = **hinterm**	Das Kind versteckt sich **hinterm** Haus.	*The child is hiding **behind** the house.*
*hinter	+ das = **hinters**		
in	+ dem = **im**	Die Muschel ist **im** Meer.	*The shell is **in** the ocean.*
in	+ das = **ins**		
*über	+ dem = **überm**	Die Lampe hängt **überm** Tisch.	*The lamp is hanging **above** the table.*
*unter	+ dem = **unterm**	Der Zwerg sitzt **unterm** Baum.	*The dwarf is sitting **under** the tree.*
*unter	+ das = **unters**		
zu	+ dem = **zum**	Wir trinken Cognac **zum** Abendessen.	*We drink Cognac **with** dinner.*
zu	+ der = **zur**		

Note: Many contractions are only used when speaking. These are marked with an asterisk.

II. *DER* WORDS AND *EIN* WORDS

Der words and **ein** words replace articles. They have the same endings as either the definite articles *der*, *die*, *das*, (**der words**) or the indefinite articles *ein*, *eine*, *ein*, (**ein words**).

A. *der* Words

1. The most common *der* words

dies-	*this, these*
jed-	*every, each (used only in the singular)*
jen-	*that, over there*
manch-	*some, several, many a*
solch-	*such (used mostly in the plural)*
all-	*all (used mostly in the plural)*

Diese Zigarre schmeckt furchtbar!   ***This*** *cigar tastes horrible!*

Herr Breitmoser geht **jeden** Tag zum Stammtisch.   *Mr. Breitmoser goes to ''Stammtisch'' **every** day.*

Jene Vase kostet über 1.000 DM.   ***That*** *vase costs over 1,000 marks.*

Ich kenne **manche** Studenten, die Vegetarier sind.   *I know **several** students who are vegetarians.*

Mit **solchen** Kopfschmerzen kann ich nicht arbeiten.   *I can't work with **such** a headache.*

Welches Restaurant empfiehlst du?   ***Which*** *restaurant do you recommend?*

Die Autos **aller** Studenten sind alt.   *The cars of **all** students are old.*

2. *der* word endings

der words can be used in all cases, genders and numbers. They have the same endings as the definite articles.

This chart shows one example of the declension of a ''der'' word:

	MASCULINE	FEMININE	NEUTER	PLURAL
NOMINATIVE	der/**dieser** Tag	die/**diese** Vase	das/**dieses** Auto	die/**diese** Kopfschmerzen
ACCUSATIVE	den/**diesen** Tag	die/**diese** Vase	das/**dieses** Auto	die/**diese** Kopfschmerzen
DATIVE	dem/**diesem** Tag	der/**dieser** Vase	dem/**diesem** Auto	den/**diesen** Kopfschmerzen
GENITIVE	des/**dieses** Tages	der/**dieser** Vase	des/**dieses** Autos	der/**dieser** Kopfschmerzen

B. *ein* Words

1. The *ein* words are listed below and include possessive adjectives

ein	*one*	mein	*my*	sein	*his, its*	unser	*our*	ihr	*their*
kein	*none*	dein	*your*	ihr	*her*	euer	*your*	Ihr	*your*

> **NOTE**
>
> When adding an ending to **euer** drop the **e**. (**euren**)

Meine Hose ist zu groß.	*My pants are too big.*
Ines geht mit **deinem** Nachbarn ins Kino.	*Ines is going to the movies with your neighbor.*
Verstehst du **ihre** Mutter, wenn sie Dialekt spricht?	*Do you understand her mother when she speaks in dialect?*
Sein Spielzeug liegt im Gras.	*His toy is lying on the grass.*
Das ist das Flugzeug **unseres** Bürgermeisters.	*That is our mayor's airplane.*
Willi will **euren** Geburtstag morgen feiern.	*Willi wants to celebrate your birthday tomorrow.*
Wo ist **ihr** Sommerhaus?	*Where is her summerhouse?*
Ihr Wagen steht draußen, Herr Faßbinder.	*Your car is outside, Mr. Fassbinder.*

2. *ein* Word Endings

Here is one example of the declension of an **ein** word. All take the same ending as the indefinite article **ein**.

	MASCULINE	FEMININE	NEUTER	PLURAL
NOMINATIVE	ein/**mein** Geburtstag	eine/**meine** Großmutter	ein/**mein** Spielzeug	/**meine** Geschwister
ACCUSATIVE	einen/**meinen** Geburtstag	eine/**meine** Großmutter	ein/**mein** Spielzeug	/**meine** Geschwister
DATIVE	einem/**meinem** Geburtstag	einer/**meiner** Großmutter	einem/**meinem** Spielzeug	/**meinen** Geschwister
GENITIVE	eines/**meines** Geburtstag**es**	einer/**meiner** Großmutter	eines/**meines** Spielzeug**s**	/**meiner** Geschwister

3. Kein

A major difference between English and German appears in the usage of **kein.**

   a. **Kein** is the negative form of **ein**. It is used when negating a noun.

In English **kein** means *not, not a, not an, not any, no.* Anytime you may be inclined to say *nicht ein,* stop and say **kein.**

Ich trinke **ein** Bier.	*I am drinking **a** beer.*
Ich trinke **kein** Bier.	*I do **not** drink beer.*

b. We already know that **ein** is not used in the plural. In English **kein** means **not any**.

Ich habe **keine** Häuser in Süd-Frankreich.   *I **do not** have **any** houses in southern France.*

Kein has the same endings as the indefinite article **ein.**

c. Compare these endings:

	MASCULINE	FEMININE	NEUTER	PLURAL
NOMINATIVE	ein/kein	eine/keine	ein/kein	/keine
ACCUSATIVE	einen/keinen	eine/keine	ein/kein	/keine
DATIVE	einem/keinem	einer/keiner	einem/keinem	/keinen
GENITIVE	eines/keines	einer/keiner	eines/keines	/keiner

d. Don't get **nicht** and **kein** confused. Both words signal the negation of something, but **kein** usually negates a noun and **nicht** usually negates the **verb** or adverb.

Compare these sentences

Ich tanze **keinen Walzer.**	Ich tanze **nicht.**
*I **don't** dance **the waltz.***	*I **don't** dance.*

III. WORD ORDER

1. **Basic Constructions:**   Word order changes depending on the intention of the sentence. Both English and German word order in simple statements consists of the subject in the first position and the verb in the second position.

Der Arzt geht zum Krankenhaus.   *The physician is going to the hospital.*
SUBJECT   VERB   OBJECT

2. **Inversion**   Questions are formed differently

  a. **Subject and verb are often inverted**

Geht der Arzt zum Krankenhaus?   *Is the physician going to the hospital?*
VERB   SUBJECT   OBJECT

b. *If a question word is used it stands in first position and the verb in second position.*

Wohin geht der Arzt?   *Where is the physician going?*
QUESTION   VERB   SUBJECT
WORD

c. *If the first element in a sentence is other than a subject or question word, then the subject and verb are inverted.*

In German one can begin a sentence with almost any element and may do so to emphasize a part of the message.

Heute geht der Arzt zum Krankenhaus.   *The physician is going to the hospital today.*
ADVERB   VERB   SUBJECT   OBJECT

Zum Krankenhaus   geht   der Arzt.   *The physician is going to the hospital.*
Um Mitternacht   kommen die Geister.   *Ghosts come at midnight.*
PREPOSITIONAL PHRASE   VERB   SUBJECT

3. **Word Order in sentences with a direct object (accusative) and an indirect object (dative)**

a. When both the direct and indirect objects are nouns then the indirect object precedes the direct object.

Ich gebe meinem Hund einen Knochen.   *I am giving **my dog a bone**.*
INDIRECT   DIRECT
(DATIVE)   (ACCUSATIVE)

b. When both the indirect object and the direct object are pronouns then the direct object comes before the indirect object.

Ich gab   *ihn*   *ihm*.   *I gave   *it*   to him.*
        ACCUSATIVE   DATIVE   DIRECT   INDIRECT
        DIRECT OBJECT INDIRECT OBJECT   (ACCUSATIVE) (DATIVE)

c. When one of the two objects is a pronoun the pronoun precedes the noun

Ich gab ihm einen Knochen.   *I gave him a bone.*
Ich gab ihn meinem Hund.   *I gave **it to my dog**.*

D. Time, Manner, Place

Even though the sequence of details appears easy in a German sentence, many people forget the correct word order because it's the exact opposite of that of English.

TIME	-	MANNER	-	PLACE.
(When		how		where)

Wir fahren **jeden Tag mit dem Auto nach Mainz**.   *We drive **to Mainz every day by car***.
     TIME   MANNER   PLACE

Wir fahren **jeden Tag nach Mainz**.   *We drive **to Mainz every day***.
     TIME   PLACE

Wir fahren **mit dem Auto nach Mainz**.   *We drive **to Mainz by car***.
       MANNER   PLACE

E. Where does *nicht* fit in?

1. **Nicht** usually comes **after**

    a. the subject and conjunctive verb (modal or auxiliary).

Ich esse **nicht**.   *I am **not** eating*

    b. all direct and indirect objects

Ich esse den Apfel **nicht**.   *I am **not** eating the apple*.

    c. and definite time expressions (unless they include a preposition).

Ich esse heute **nicht**.   *I am **not** eating today*.

2. **Nicht** usually comes **before**

    a. adverbs (modifying a verb and answering the question how?)

Ich gehe **nicht** schnell.   *I'm **not** going very fast*.

    b. prepositional clauses

Ich gehe **nicht** nach Hause.   *I'm **not** going home*.

(Auffrischung und Erweiterung: Kapitel 15)

I.   THE IMPERATIVE

The imperative expresses an instruction, a suggestion, a wish, a request, or a command.

Drive straight ahead 2 kilometers!
Go to the Yugoslavian Coast, it's beautiful!
Have a nice day!
Bring me some cheese and wine from the store!
Buy me an airplane ticket to Germany!
Do not break a leg while skiing!

In German the imperative form differs depending on the person addressed.

du   (informal, singular)
ihr   (informal, plural)
Sie   (formal, singular or plural)

A.   *Sie* form

The **Sie** form of the imperative is formed with the infinitive form of the verb. In the imperative **Sie** follows the verb.

Indicative   Sie geben mir ihr ganzes Geld.
            You give me all of your money.

Imperative   **Geben Sie** mir ihr ganzes Geld!
            ***Give me** all of your money!*

B.   *Du* form

The **du** form of the imperative is formed by using the verb stem. It is incorrect necessary to include the subject when forming the familiar command.

Indicative   Du schreibst einen Brief.
            You are writing a letter.

Imperative   **Schreib** einen Brief!
            ***Write** a letter!*

            Bestelle ein Einzelzimmer!
            ***Reserve** a single room.*

1. The ending **e** must be used if the verb stem ends in: **t**, **d**, or **ig**.

INFINITIVE	IMPERATIVE	
arbeiten	**arbeite!**	*work!*
finden	**finde!**	*find!*
entschuldigen	**entschuldige!**	*excuse!*

> **NOTE**
>
> The **e** is not used with monosyllabic verbs or if there is a vowel change. It is optional with other verbs.
>
> Bitte **entschuldige** mich!   *Please excuse me.*

2. Verbs which change the stem vowel in the present tense from **e→i** and **e→ie** retain the stem change in the familiar command form and never add the **e** ending.

INFINITIVE	INDICATIVE	IMPERATIVE
geben	gibst	**gib!**
lesen	liest	**lies!**

3. Verbs that take an umlaut in the **du** form of the verb **do not** have an unlaut in the imperative.

fahren	fährst	**Fahr** nach Hause!

C. *Ihr* form

The **ihr** form of the imperative has the same endings as the present tense form: Again, leave out the subject!

kommen	kommt	**Kommt** um 6 Uhr!
arbeiten	arbeitet	**Arbeitet** nicht zu viel!

D. The great exception: *sein*

du	**sei!**	**Sei** bitte nett!	*Please **be** nice!*
ihr	**seid!**	**Seid** nicht so laut.	***Don't be** so noisy!*
Sie	**seien Sie!**	**Seien Sie** nicht so faul.	***Don't be** so lazy!*

KAPITEL 5

(Auffrischung und Erweiterung: Kapitel 15)

II. THE PERFECT TENSE

The **perfect tense** is only one expression of the past tense in German. It is usually used when speaking. It is the most commonly used form of the past tense.

In English the past tense can be expressed in many different forms. In German there is usually only one verb form used in conversation.

*She **played** the piano.*
*She **was playing** the piano.*
*She **did play** the piano.*   Sie **hat** Klavier **gespielt**.
*She **used to play** the piano.*
*She **has played** the piano.*

1.   In German the perfect tense consists of an auxiliary verb (haben or sein) and a past participle.

Die Frau **hat** Bauchtanzen **gelernt**.   *The woman **learned** bellydancing.*

2.   Which auxiliary verb, **haben** or **sein**?

When in doubt use **haben**. You will find that **haben** is the most commonly used auxiliary in German. **Sein** is used when the main verb expresses a change in location or condition.

sein   Ich **bin** gestern nach Deutschland **geflogen**.   *I flew to Germany yesterday.*
haben   Ich **habe** einen Apfel **gegessen**.   *I ate an apple.*

Another way to determine whether to use **sein** or **haben** is by checking if the verb is **intransitive**, meaning that it **does not** take a **direct object**.

Der Pilot **ist geflogen**.   *The pilot flew.*   Der Pilot **hat** eine DC-10 **geflogen**.   *The pilot flew a DC-10.*

It is best to learn which auxiliary to use while learning a verb's past participle. It saves a lot of guessing!

3.   The verbs **bleiben, sein**, and **werden** are conjugated with the auxiliary **sein**.

Ines **ist** zu Hause **geblieben**.   *Ines **stayed** home.*
Ihr Bruder Rolf **ist** nie in Paris **gewesen**.   *Her brother Rolf **has** never **been** in Paris.*

Grammar for Grammar Buffs

515

4. Here is a list of verbs that take **sein** in the perfect:

bleiben	ist geblieben	*to remain, stay*
fahren	ist gefahren	*to drive*
fliegen	ist geflogen	*to fly*
gehen	ist gegangen	*to go*
gelingen	ist gelungen	*to succeed*
geschehen	ist geschehen	*to happen*
kommen	ist gekommen	*to come*
laufen	ist gelaufen	*to walk, run*
schwimmen	ist geschwommen	*to swim*
sein	ist gewesen	*to be*
steigen	ist gestiegen	*to climb*
sterben	ist gestorben	*to die*
wachsen	ist gewachsen	*to grow*
werden	ist geworden	*to become*

B. Forming the Past Participle

1. Weak verbs

The past participle of weak verbs is formed by adding the prefix **ge** and **t** to the verb stem. Most weak verbs take haben as an auxiliary.

Example

	prefix	+	stem	+	ending
lernen	ge-	+	lern	+	-t

Sie **hat gelernt.**
She **learned.**

NOTE: Verbs ending in ''d'' or ''t'' add an ''e.''

kosten   hat ge-kost e t

2. Strong verbs

The past participle of **strong verbs** is formed by adding the prefix **ge** and the ending **-en** to the stem which often shows a vowel change.

kommen	ge + komm + en

Ich **bin** vor zwei Jahren nach München **gekommen**. *I came to Munich two years ago.*

schreiben	ge + schrieb + en

Die Frau **hat** einen Protestbrief **geschrieben**. *The woman **wrote** a letter of protest.*

The best way to learn the verbs that have stem changes is by using them a lot. Soon you will be doing it automatically.

3. **Verbs with separable prefixes**

Verbs with separable prefixes, such as **an**kommen and **mit**nehmen form the perfect by placing the **ge** between the separable prefix and the verb stem.

anrufen   angerufen   Der Präsident **hat** gestern **angerufen**.   *The president **called** yesterday.*

4. Some verbs do not take the **ge** prefix such as **studieren, telefonieren** or verbs with inseparable prefixes such as **versuchen, bestellen**, usw.

bestellen   **bestellt**   Ich **habe** ein Zimmer **bestellt**.   *I reserved a room.*

studieren   **studiert**   Wir **haben** Mathematik studiert.   ***We studied** mathematics.*

C. Word Order

The word order for a simple sentence in the perfect is illustrated in examples below.

Wir **haben** klassische Musik im Park **gehört**.   *We **heard** classical music in the park.*

III. IMPERFECT TENSE

The imperfect tense is also used to express the past in German. It is usually used when telling a story or reporting about a past event. You'll see it frequently used in written narratives and in newspapers. The imperfect tense is often referred to as the narrative tense which shouldn't be confused with the perfect tense used mostly in speaking.

Die Frau **lernte** in drei Tagen Deutsch!   *The woman **learned** German in three days!*
Mark **besuchte** seinen Freund in New York.   *Mark **visited** his friend in New York.*

NOTE **Haben, sein** and the **modals** are used in the imperfect, even in conversation.

Ich **hatte** Durst.   *I **was** thirsty.*
Ich **war** gestern im Hofbräuhaus.   *I **was** in the Hofbräuhaus yesterday.*

A. Forming the Imperfect tense

1. Weak Verbs

Forming the imperfect tense of weak verbs is easy. Simply add the following endings to the stem of the verb. Remember to add an **-e** to all verbs whose stem ends in **d** or **t**.

wohnen (*to live*)

PRONOUN		STEM + ENDING =		FORM
SINGULAR	ich		-te	wohnte
	du		-test	wohntest
	er			
	sie	wohn-	-te	wohnte
	es			
PLURAL	wir		-ten	wohnten
	ihr		-tet	wohntet
	sie		-ten	wohnten
SING/PL	Sie		-ten	wohnten

arbeiten (*to work*)

PRONOUN		STEM	ENDING	FORM
SINGULAR	ich		-te	arbeitete
	du		-test	arbeitetest
	er			
	sie		-te	arbeitete
	es	arbeit-		
PLURAL	wir		-ten	arbeiteten
	ihr		-tet	arbeitetet
	sie		-ten	arbeiteten
SING/PL	Sie		-ten	arbeiteten

2. Strong Verbs

Forming the imperfect tense of strong verbs takes a little more energy. It is formed by changing either the **stem vowel** or **the entire stem** and adding the following endings. Since these changes are so unpredictable, we recommend memorizing the most common verbs. Note that the **ich** and **er, sie, es** forms of strong verbs never have an ending.

INFINITIVE	NEW STEM	+ ENDING = FORM	
gehen	**ging-**	ich du er sie es wir ihr sie Sie	**ging** **gingst** **ging** **gingen** **gingt** **gingen**

INFINITIVE	NEW STEM	+ ENDING = FORM	
finden	**fand-**	ich du er sie es wir ihr sie Sie	**fand** **fandest** **fand** **fanden** **fandet** **fanden**

EXAMPLES

Zarathustra **sprach** über Natur und Freiheit.

Romana **ging** einkaufen.

*Zarathustra **spoke** about nature and freedom.*

*Ramona **went** shopping.*

3. The great exceptions

As usual the great exceptions are **haben**, **sein**, and **werden**, and the **modals** (see chapter 6):

		haben	sein	werden
SINGULAR	ich	hatte	war	wurde
	du	hattest	warst	wurdest
	er, sie, es	hatte	war	wurde
PLURAL	wir	hatten	waren	wurden
	ihr	hattet	wart	wurdet
	sie	hatten	waren	wurden
SING/PL	Sie	hatten	waren	wurden

4. The following verbs are considered half strong and half weak since they change their stem (strong) and use the endings of the weak verb conjugation.

Infinitive	Imperfect	Perfect
kennen	kannte	hat gekannt
rennen	rannte	hat gerannt
denken	dachte	hat gedacht
bringen	brachte	hat gebracht

C. Conjugations of common strong verbs

Infinitive	Present	Imperfect	Perfect
anhalten	hält an	hielt an	angehalten
aussteigen	steigt aus	stieg aus	ist ausgestiegen
beginnen	beginnt	begann	begonnen
bleiben	bleibt	blieb	ist geblieben
fahren	fährt	fuhr	ist gefahren
finden	findet	fand	gefunden
fliegen	fliegt	flog	ist geflogen
geben	gibt	gab	gegeben
gehen	geht	ging	ist gegangen
geschehen	geschieht	geschah	ist geschehen
halten	hält	hielt	gehalten
heißen	heißt	hieß	geheißen
kommen	kommt	kam	ist gekommen
mitnehmen	nimmt mit	nahm mit	mitgenommen
nehmen	nimmt	nahm	genommen
scheinen	scheint	schien	geschienen
schreiben	schreibt	schrieb	geschrieben
sehen	sieht	sah	gesehen
sein	ist	war	ist gewesen
sitzen	sitzt	saß	gesessen
sprechen	spricht	sprach	gesprochen
stehen	steht	stand	gestanden
treffen	trifft	traf	getroffen
sich unterhalten	unterhält	unterhielt	unterhalten
verstehen	versteht	verstand	verstanden
wissen	weiß	wußte	gewußt

IV. THE PAST PERFECT (PLUPERFECT)
[Kapitel 15]

The past perfect is another expression of the past, however, it refers to a past time that precedes a more recent past.

Als ich nach Hause kam, **hatte** das Fernsehprogramm schon **angefangen**.

*When I came home, the T.V. program **had** already begun.*

What happened first? *The T.V. program had begun.* **(past perfect)**
What happened second? *I came home.* **(past)**

Nachdem der Dieb das Geld **gestohlen hatte**, kaufte er einen Mantel bei Macys.

After **having stolen** the money, the thief bought a coat at Macy's.

1. How to form the past perfect

The past perfect is formed with the past tense of the helping verbs **haben** or **sein** and the past participle of the main verb.

hatte gestohlen
war angekommen

Der Zug **war** schon **angekommen**, als ich den Bahnhof erreichte.
The train **had** already **arrived**, when I got to the train station.

KAPITEL 6

I. MODAL VERBS

Modal verbs exist in both English and German:

I can read German.	Ich **kann** Deutsch lesen.
Mark has to work on Saturdays.	Mark **muß** samstags arbeiten.

A. What are the Modals

In German, the modals are used to express an attitude toward an action, rather than an action itself.

können	*to be able to, can (ability)*
müssen	*to have to, must (necessity)*
dürfen	*to be allowed to, may (permission)*
sollen	*to be supposed to, shall (obligation)*
wollen	*to want to (intention)*
mögen	*to like, may (possibility) (would like to)*

B. Using Modals

Using modals to form sentences in German is not very hard. In the following example, the conjugated verb moves to the end of the sentence and changes to the infinitive form. The modal is inserted in its place and conjugated.

Ich bestelle ein Zimmer.	*I am reserving a room.*
Ich **möchte** ein Zimmer **bestellen**.	*I would like to reserve a room.*

Sometimes Germans omit the infinitive at the end of a modal sentence, especially when the verb is implied.

Du **kannst** Deutsch. (Du kannst Deutsch sprechen.)	*You can speak German.*
Ihr **müßt** nach Hause. (Ihr müßt nach Hause gehen.)	*You have to go home.*

C. The present tense of Modals ━━━━━━━━━━━━━━━━━━━━━━━━━━━

INFINITIVE	SINGULAR	PLURAL
können	**kann**	**können**
	kannst	**könnt**
	kann	**können**
müssen	**muß**	**müssen**
	mußt	**müßt**
	muß	**müssen**
dürfen	**darf**	**dürfen**
	darfst	**dürft**
	darf	**dürfen**
sollen	soll	sollen
	sollst	sollt
	soll	sollen
wollen	will	wollen
	willst	wollt
	will	wollen
mögen	mag	mögen
	magst	mögt
	mag	mögen
möchte	*möchte*	*möchten*
	möchtest	*möchtet*
	möchte	*möchten*

Note that **möchte** is only used in the present. It is derived from the subjunctive.

II. IMPERFECT OF MODALS

A. Using Imperfect of Modals ━━━━━━━━━━━━━━━━━━━━━━━━━━━

When speaking in the past, Germans do not use the perfect tense with modals, as you might expect. Instead they use the imperfect.

PRESENT: Jack **kann** den Reifen nicht **wechseln.** *Jack **can't change** the tire.*

IMPERFECT: Jack **konnte** den Reifen nicht **wechseln.** *Jack **couldn't change** the tire.*

B. The conjugation of Modals: Imperfect

INFINITIVE	SINGULAR	PLURAL
dürfen	durfte durftest durfte	durften durftet durften
können	konnte konntest konnte	konnten konntet konnten
mögen	mochte mochtest mochte	mochten mochtet mochten
müssen	mußte mußtest mußte	mußten mußtet mußtet
sollen	sollte solltest sollte	sollten solltet sollten
wollen	wollte wolltest wollte	wollten wolltet wollten

NOTE **No umlaut** in the imperfect!

C. Perfect of Modals (Kapitel 18)

The perfect tense is not often used with modals, but the examples below illustrate its formation.

Wir **haben** das Haus 1976 **kaufen sollen**.   *We **were supposed to buy** the house in 1976.*
Anna **hat** ihr Studium selber **finanzieren können**.   *Anna **was able to finance** her own studies.*

III. FUTURE TENSE

The future tense in German is very similar to the future tense in English.

Ich **werde** gehen. *I **will** go.*

A. Forming the Future Tense ──────────────

The future tense is formed by conjugating the present tense of **werden** plus the infinitive of a verb. **Werden** then becomes the auxiliary verb, while the main verb is placed at the end of the sentence in the infinitive form.

Present	Die Präsidentin fährt mit dem Mercedes.	*The president is riding in the Mercedes.*
Future	Die Präsidentin **wird** mit dem Mercedes **fahren**.	*The president **will ride** in the Mercedes.*

B. Future Tense with Modals ──────────────

To form the future tense of modals simply add the infinitive of the modal to the end of the future sentence. The future modal construction expresses *aim*.

Future	Ich werde ein Zimmer bestellen.	I am going to order a room.
Future with modal	Ich **werde** ein Zimmer **bestellen müssen**.	I will have to order a room.

Review the conjugation of **werden**!

ich **werde**	wir **werden**
du **wirst**	ihr **werdet**
er ⎫	sie **werden**
sie ⎬ **wird**	Sie **werden**
es ⎭	

NOTE Don't be afraid if more than one infinitive ends up at the end of a German sentence. It's normal.

C. When not to use the Future Tense ──────────────

If a sentence contains an element indicating the future (ie. a time expression), the present tense is used.

Sie liest **morgen** ein Buch von Christa Wolf. *She is **going to read** a book by Christa Wolf tomorrow.*

KAPITEL 7

I. ADJECTIVES AND ADJECTIVE ENDINGS

We are all familiar with adjectives. Adjectives describe or limit a noun. They may be placed after the linking verb or before the noun. In German, adjectives take extra endings if they precede nouns. At first it may seem hard to learn all the endings. Don't worry though, it's just a question of time and practice.

Das ist ein **leichtes** Kapitel. *This is an **easy** chapter.*

A. Predicate Adjectives

We have been using the **predicative adjective** since the first chapter. At last a quick explanation:

The **predicate adjective** in English and German is an adjective that completes the verb and describes the subject. The predicative adjective is *never* in front of the noun and *never* takes an adjective ending!

Herr Breitmoser **ist langweilig**. *Mr. Breitmoser **is boring**.*
Der Wein **schmeckt süß**. *The wine **tastes sweet**.*

B. When Do Adjectives Take Endings?

To refresh your memory, let's briefly define an **adjective**:

An *adjective* is a word that modifies a noun. It usually answers the question of *how much?*, *how many?*, *what kind of?*, and *which?*

In the sentence *My good friend lives in Münster*, **good** modifies the noun *friend* and answers the question *what kind of friend?*

In German an adjective takes an ending depending on the gender, case, and number of the noun it describes as in the following example.

Meine **gute** Freundin wohnt in Münster. Der **rote** Apfel hat einen Wurm.

C. The Endings

Adjective endings are grouped into three categories: adjectives preceded by a **der-word**, adjectives preceded by an **ein-word**, adjectives not preceded by **der** or **ein** words.

1. **der** word adjective endings

	MASCULINE	FEMININE	NEUTER	PLURAL
NOMINATIVE		e		
ACCUSATIVE				
DATIVE		en		
GENITIVE				

Der **deutsche** Wein ist bekannt.

Wir fahren durch die **bayerischen** Alpen

Die Frau kauft dem **dicken** Mann ein Kochbuch.

German wine is well known.

*We are driving through the **Bavarian** Alps.*

*The woman is buying a cookbook for the **fat** man.*

2. **ein** word adjective endings

	MASCULINE	FEMININE	NEUTER	PLURAL
NOMINATIVE	**-er**	**-e**	**-es**	
ACCUSATIVE				
DATIVE		**-en**		
GENITIVE				

Eine kleine Maus läuft über den Tisch.

Sie fährt mit **ihrem alten** Freund nach Spanien.

Es gibt **keine guten** Filme in diesem neuen Kino.

*A **little** mouse is running across the table.*

*She is driving to Spain with **her old** friend.*

*There are **no good** films at this new theater.*

3. adjective endings before nouns without **der** or **ein** words:

	MASCULINE	FEMININE	NEUTER	PLURAL
NOMINATIVE	**-er**	**-e**	**-es**	**-e**
ACCUSATIVE	**en**			
DATIVE	**-em**	**-er**	**-em**	**-en**
GENITIVE*	**-en**	**-er**	**-en**	**-er**

*Genitive is rarely used.

4. The adjective endings for nouns not preceded by a **der** or an **ein** word are the same as the endings of the **der** words themselves:

CASE		MASCULINE	FEMININE	NEUTER	PLURAL
NOMINATIVE	**der** word *adjective*	dies**er** *schön**er***	dies**e** *schön**e***	dies**es** *schön**es***	dies**e** *schön**e***
ACCUSATIVE	**der** word *adjective*	dies**en** *schön**en***	dies**e** *schön**e***	dies**es** *schön**es***	dies**e** *schön**e***
DATIVE	**der** word *adjective*	dies**em** *schön**em***	dies**er** *schön**en***	dies**em** *schön**em***	dies**en** *schön**en***

What happens if a noun is modified by many adjectives?

Meine schlampige, schmutzige, rücksichtslose, laute, unhöfliche Zimmerkollegin ist **meine beste** Freundin.

My sloppy, dirty, inconsiderate, loud, rude roommate is *my best* friend.

D. Participles as Adjectives (Kapitel 17)

1. Past Participles

There are two easy ways to use the past participle: **as an adjective in front of a noun** and **as a predicate adjective.**

Das **gewaschene** Auto...   *The **washed** car...*

Note that **gewaschen** is an adjective made from a past participle that is placed in front of a noun. **-e** is the appropriate adjective ending.

This construction describes the state of the car. It indicates that the car has been washed.

Das gewaschene Auto is obviously not a sentence. How would you make a sentence out of this phrase? Of course, by saying:

Das Auto **ist gewaschen.**   *The car is **washed**.*

Here, **gewaschen** is used as a predicate adjective. As before and in the following examples, the predicate adjective describes the state or condition of the car. This construction has traditionally been called false or statal passive.

PRESENT	Das Haus **ist verkauft**.	*The house **is sold**.*
IMPERFECT	Das Auto **war** repariert.	*The car **was repaired**.*
PERFECT	Die Wäsche **ist** gestern schon gewaschen **gewesen**.	*The laundry **was already washed** yesterday.*
FUTURE	Der Flug nach Berlin **wird** gebucht **sein**.	*The flight to Berlin **will be booked**.*

2. Present Participles

The present participle functions as an adjective. In English it is formed by adding *-ing* to the infinitive form of a verb as in the word ***running***.

In German the present participle is formed by adding **-d** to the infinitive of the verb as in the example below. It usually precedes a noun and takes an adjective ending.

fließend   Wir haben **fließendes** Wasser.   *We have **running** water.*

II. LIMITING WORDS OR PRONOMINAL ADJECTIVES [Kapitel 16]

Pronominal adjectives are a group of adjectives that function to quantify a noun.

andere	*other*
einige	*some, a few*
manche	*some*
mehrere	*several*
viele	*many*
wenige	*few*
alle	*all*

Pronominal adjectives are treated as limiting adjectives. They take the same endings as adjectives that are neither preceded by a **der** nor an **ein** word.

Wenige Menschen gehen ins Kino.	*Few people go to the movies.*
Wenige alte deutsche Leute gehen ins Kino.	*Few old German people go to the movies.*

The exception is "**alle**" which is treated like a **der** word. Adjectives that follow **alle** have the same **der** word adjective ending. Since **alle** is plural one usually adds an **-en** to the adjective.

Alle Kellner sollen Trinkgeld bekommen.	*All waiters should get tips.*
Alle **netten** Kellner sollen Trinkgeld bekommen.	*All nice waiters should get tips.*
Einige **nette** Kellner sollen Trinkgeld bekommen.	*A few nice waiters should get tips.*

KAPITEL 8

I. CARDINAL AND ORDINAL NUMBERS

Cardinal numbers are used to count while ordinal numbers are used to order. They often precede a noun and therefore take adjective endings. Since you've already mastered these endings this section shouldn't be too difficult.

A. Cardinal Numbers

The cardinal numbers are listed below:

1 eins	11 elf	21 einundzwanzig	30 dreißig
2 zwei	12 zwölf	22 zweiundzwanzig	40 vierzig
3 drei	13 dreizehn	23 dreiundzwanzig	50 fünfzig
4 vier	14 vierzehn	24 vierundzwanzig	60 sechzig
5 fünf	15 fünfzehn	25 fünfundzwanzig	70 siebzig
6 sechs	16 sechzehn		80 achtzig
7 sieben	17 siebzehn		90 neunzig
8 acht	18 achtzehn		100 hundert
9 neun	19 neunzehn		1000 tausend
10 zehn	20 zwanzig		

one million **eine Million**
one billion **eine Milliarde**

Note the following variations:

a. sechs vs. se**chz**ehn, sieben vs. sie**bz**ehn
b. drei**ß**ig, se**chz**ig, sie**bz**ig
c. all compound numbers are written as a single word.
   121 **einhunderteinundzwanzig**

B. Ordinal Numbers

1. Most ordinal numbers have a cardinal number as the stem, and assume an adjective ending. The exceptions are **erst**, **zweit** and **dritt**. All ordinal numbers take adjective endings!

   vier + **t** + **e**   **vierte**   *fourth*

Heute ist der erste Mai.   *Today is the first of May.*

2. The numbers 4–19 are formed by adding **-t** to the cardinal number and the appropriate adjective ending. The only exception is **siebte**.

Der **vierte** Mai.   *May 4th.*
Die **neunzehnte** Symphonie.   *The **nineteenth** symphony*

3. The numbers from 20 on have the ending **-st** before the adjective ending.

Das **zwanzigste** Mal.   *The **twentieth** time*

4. More examples of cardinal numbers.

Die **erste** Woche einer Diät ist die schlimmste.	*The **first** week of a diet is the worst.*
Familie Müller bekam ihr **fünftes** Kind.	*The Millers had their **fifth** child.*
Den **dritten** Mann hat man nicht gefunden.	*They didn't find the **third** man.*
Die Erinnerungen unserer **ersten** Erfahrungen sind immer die besten.	*Memories of our **first** experiences are always the best.*

KAPITEL 9

(Auffrischung und Erweiterung: Kapitel 18)

I. TELLING TIME

A. What time is it?

There are two ways of asking for the time in German.

> **Wie spät ist es?**
> **Wieviel Uhr ist es?**

B. Expressing the time in German

1. Official Time

The 24 hour system is often used in Germany for television programming, theater, train schedules and other official announcements.

Es ist **23 Uhr zwanzig** (23.20).	*It is **11:20** P.M.*
Es ist **null Uhr fünfundfünfzig** 0.55).	*It is **12:55** A.M.*

2. Informal Time

German and English express time very similarly in informal conversation.

Es ist **viertel vor zehn**.	*It is **quarter to ten**.*
Es ist **fünf Uhr**.	*It is **five o'clock**.*
Es ist **elf Uhr**.	*It is **eleven o'clock**.*

a. Use the prepositions **vor** and **nach** to express **to, before** and **after**.

Es ist 5 Minuten **vor** drei.	*It is 5 minutes **to** 3.*
Es ist 25 Minuten **nach** 5.	*It is 25 minutes **after** 5.*

b. Other expressions are

Es ist **viertel** nach 3.	*It is **quarter** after 3.*
Es ist **viertel** vor 3.	*It is **quarter** to 3.*

Viertel is capitalized when preceded by **ein**.

c. When referring to the half *hour*, German is different from English. The half hour is expressed in terms of the **following hour**:

6:30	**halb** sieben
12:30	**halb** eins

Quarter hours can also be expressed in terms of the following hour.

2:15	Es ist **viertel** 3.
2:45	Es ist **dreiviertel** 3.

NOTE When expressing the time do not use the word **Zeit** or **Stunde** to mean **o'clock:**

Es ist **ein Uhr**.   *It is 1:00.*

---

d. Do you see a difference between these two ways of writing the time?

GERMAN   **7.15**   ENGLISH   **7:15**

You're right! In German a **period** is used instead of a colon.

e. **Um** in Telling Time

The preposition **um** is used when referring to something happening *at* a specific time.

Ich fliege **um** zwölf Uhr zum Mond.	*I am flying to the moon **at** twelve o'clock.*
Um wieviel Uhr beginnt der Film?	***At what time** does the film begin?*
Um wieviel Uhr fährt das Weltraumschiff zum Mond?	***At what time** is the spaceship leaving for the moon?*

II. TIME EXPRESSIONS WITH THE ACCUSATIVE AND DATIVE

A. Accusative

1. If there is **no preposition** when referring to time, use the accusative case.

Ich esse **jeden** Tag Wassermelone.	*I eat watermelon **every** day.*
Letztes Jahr fuhren wir zum Strand.	***Last** year we went to the beach.*

2. The accusative is used in dating letters:

München, **den ersten** April 1986	*Munich, April **1**, 1986*

B. Dative

1. Time expressions with prepositions in the dative.

The prepositions **an, in, seit** and **vor** are used with expressions of time. They answer the question **wann?** and are always followed by the dative.

In einer Stunde kommt der Besuch.	*Company is coming **in one hour**.*
Am fünfundzwanzigsten Dezember ist Weihnachten.	*Christmas is **on the 25th** of December.*
Vor einer Woche hatte ich Geburtstag.	*My birthday was **a week ago**.*
Seit einem Jahr freue ich mich auf meine Reise.	*I have been looking forward to my trip **for a year now**.*

a. **an**

The preposition **am** (an + dem) is used with all days and parts of days. It means **on** or **in**. The exception to this rule of thumb is **in der Nacht**.

Am zweiten Juli habe ich Geburtstag.	*My birthday is **on the second of July**.*
Am Dienstag muß ich meine Miete bezahlen.	*I have to pay my rent **on Tuesday**.*
Am Morgen kaufe ich Brötchen.	*I buy rolls **in the morning**.*

b. **in**

The prepositional compound **im** and **in der** is used with weeks, months, seasons, and years.

Ich war **im März** in Handschuhsheim.	*I was in Handschuhsheim **in March**.*
Im Sommer war die Höchsttemperatur 35 Grad Celcius.	*The highest temperature **in summer** was 96 degree Fahrenheit.*

When referring to a year use **im Jahr (e)**.

Im Jahre 1976 zog ich nach Burgsteinfurt.	*I moved to Burgsteinfurt **in 1976**.*

> It is **incorrect** to say *in 1976*.

c. **seit** and **schon**

Use **seit** when referring to a definite point in time that began in the past and is still going on in the present. Remember that **seit** always takes the dative case.

Ich wohne **seit** 1978 in Boston. *I have been living in Boston **since** 1978.*
    (I moved to Boston in 1978 and am still living there.)

Schon is generally used to indicate a duration of time that begins at an unspecific point of time in the past and continues on into the present.

Er ist **schon** sechs Jahre in Innsbruck.	*He has been in Innsbruck **for six years**.*

d. **vor**

The preposition **vor** is used with the dative. It means **ago**. Make a special point of remembering this preposition that expresses a point in time in the past. It is hard for native English speakers to remember. Be an exception!

Vor einer Woche lernte er deutsche Grammatik.   *He learned German grammar one week **ago**.*

III. DAYS, MONTHS

A. Nouns

1. The parts of a day, days and months are all masculine.

der Morgen	*the morning*	**der** Mittag	*noon*
der Vormittag	*afternoon*	**der** Nachmittag	*afternoon*
der Montag	*Monday*	**der** Januar	*January*

2. The only two exceptions are die Nacht *night*   die Mitternacht *midnight*

In der Nacht scheint der Mond.   *The moon shines **at night**.*

Dracula besucht uns **um Mitternacht**.   *Dracula visits us **at midnight**.*

B. Adverbs

If you wish to speak about something done routinely in the mornings, the evenings, on Mondays etc., add an **s**. Do not capitalize the time expression—remember it is not a noun!

Ich esse **morgens** ein Ei zum Frühstück.   *I usually eat an egg for breakfast **in the morning**.*

NOUN	ADVERB
der Morgen	**morgens**
der Vormittag	**vormittags**
der Mittag	**mittags**
der Nachmittag	**nachmittags**
der Abend	**abends**
die Nacht	**nachts**
die Mitternacht	**mitternachts**
der Montag	**montags**

Yesterday (**gestern**), today (**heute**), tomorrow (**morgen**) can be combined with the parts of the days to be very specific.

gestern nachmittag	*yesterday afternoon*
morgen abend	*tomorrow evening*
heute vormittag	*today before noon*
Montag mittag	*Monday noon*

There are a few exceptions.

heute morgen	*this morning*
heute nachmittag	*this afternoon*
morgen früh	*tomorrow morning*

IV. ASKING FOR THE DATE

Choose one of the following ways to ask for the date, the day of the week, or the month.

Welches Datum ist heute?	*What's the date?*
Der wievielte ist heute?	*What's the date?*
Heute ist der 19. Oktober 1988.	*Today is October 19, 1988.*

NOTE In German the day comes before the month: **13. Oktober 1990**.

KAPITEL 10

(Auffrischung und Erweiterung: Kapitel 17)

I. COMPARATIVE

Comparative forms of adjectives are used to describe varying degrees of similarity among objects or people. In English, one adds **-er** or **-est** to an adjective to make a comparison. All German adjectives and adverbs follow similar patterns.

klein	*small*
kleiner	*smaller*
kleinst-	*smallest*

1. Comparisons of similarity

In comparisons of items which are similar, **so. . . .wie** is used.

Erika ist **so groß wie** Melinda.	*Erica is **as tall as** Melinda.*
Melinda ist **nicht so groß wie** ich.	*Melinda is **not as tall as** I.*

2. Comparatives expressing dissimilarity

If a comparison describes a dissimilarity in items, the comparative form of the adjective is followed by **als**.

München ist **interessanter als** Traunstein.	*Munich is **more interesting** than Traunstein.*
Mindy ist **klüger als** Stan.	*Mindy is **more clever than** Stan.*

> **NOTE** Never use **mehr** to form the comparative *more*.

3. The superlative

The most commonly used form of the superlative is formed using **am** + adjective + **sten**.

am schnellsten	*the fastest*
am intelligentesten	*the most intelligent*
In Deutschland ist das Sauerkraut **am leckersten**.	*The sauerkraut tastes **best** in Germany.*

4. The Predicate Adjective in the Comparative

Remember that predicate adjectives do not take adjective endings because they do not precede a noun.

Das Hotelzimmer ist **billig**.	*The hotel room is **cheap**.*

The endings of comparison are added.

| COMPARATIVE | Das Hotelzimmer ist **billiger**. | The hotel room is **cheaper**. |
| SUPERLATIVE | Das Hotelzimmer ist **am billigsten**. | The hotel room is **cheapest**. |

5. Addition of the umlaut

An umlaut is added to the comparative and the superlative forms in most cases where the adjective has **one syllable** and an **a, o,** or **u** in the stem.

	alt	*old*
COMPARATIVE	**älter**	*older*
SUPERLATIVE	**am ältest-**	*oldest*

Here is a list of some commonly used adjectives that take an unlaut:

ADJECTIVE	COMPARATIVE	SUPERLATIVE	MEANING
klug	**klüger**	**am klügsten**	*clever*
groß	**größer**	**am größten**	*tall*
nahe	**näher**	**am nächsten**	*near*
warm	**wärmer**	**am wärmsten**	*warm*
kurz	**kürzer**	**am kürzesten**	*short*
scharf	**schärfer**	**am schärfsten**	*sharp, hot, spicy*
stark	**stärker**	**am stärksten**	*strong*
lang	**länger**	**am längsten**	*long*
dumm	**dümmer**	**am dümmsten**	*dumb, stupid*

6. Irregular Forms

The following adjectives have irregular forms of the comparative.

gut	**besser**	**am besten**	*good*
hoch	**höher**	**am höchsten**	*high*
viel	**mehr**	**am meisten**	*many, much*
gern	**lieber**	**am liebsten**	*like*

7. Adverbs

Forming the comparison of adverbs is easy because there are no worries about adjective endings. There are only three forms which are identical to those for adjectives.

	laut
COMPARATIVE	**lauter**
SUPERLATIVE	**am lautesten**

	Fischer-Dieskau singt **laut**.	*Fischer-Dieskau sings **loud**.*
COMPARATIVE	Domingo singt **lauter**.	*Domingo sings **louder**.*
SUPERLATIVE	Pavarotti singt **am lautesten**.	*Pavarotti sings **loudest**.*

8. Comparatives and Superlatives of Adjectives modifying a noun

When preceding a noun, the comparative or superlative form of an adjective adds the usual adjective endings.

Der **schöne** Vogel sitzt auf einem Fensterbrett.	*The **beautiful** bird is sitting on a window sill.*
Der **schönere** Vogel sitzt auf einem Baum.	*The **more beautiful** bird is sitting on a tree.*
Der **schönste** Vogel sitzt auf meiner Hand.	*The **most beautiful bird** is sitting on my hand.*

9. Special Uses of the Comparative

Now you can compare almost anything! Additional comparative forms are used below.

1. **immer + adjective + er**

Dallas gefällt den Deutschen **immer besser**.	*The Germans like Dallas **better and better**.*

2. **je + adjective + er + desto + adjective + er**

Je länger ich fernsehe, **desto dümmer** werde ich.	*The longer I watch T.V. the dumber I get.*

II. THE REFLEXIVE VERBS AND PRONOUNS (Kapitel 16)

A. Reflexive Pronouns in the Accusative

1. Verbs are reflexive when the subject (nominative) and direct object (accusative) refer to the same person or thing. In other words, the action of the verb is directed toward the subject which is identical with the object. In English the reflexive is expressed by the suffix **-self** or **-selves** as in the sentence **He washes himself**.

Whom is he washing?	*He is washing **himself**.*

If the action of the verb is directed toward the subject and the direct object, the object is a reflexive pronoun.

REFLEXIVE	Er **wäscht sich**.	*He is washing **himself**.*
NOT REFLEXIVE	Er wäscht **den Hund**.	*He is washing **the dog**.*

The **Accusative Reflexive Pronouns** are listed below.

SINGULAR			PLURAL		
ich	**mich**	*myself*	wir	**uns**	*ourselves*
du	**dich**	*yourself*	ihr	**euch**	*yourselves*
er		*himself*			
sie	**sich**	*herself*	sie	**sich**	*themselves*
es		*itself*	Sie	**sich**	*yourselves*
Sie		*yourself*			

B. Reflexive Pronouns in the Dative

1. When both a direct and an indirect object in the sentence refer to the subject, the dative form of the reflexive pronoun is used. When referring to parts of the body German uses reflexive pronouns where English uses the possessive pronoun.

Ich **wasche mir** die Hände.	*I wash my hands.*
Sie **putzen sich** die Zähne.	*They brush their teeth.*

2. The dative form of the reflexive pronoun is also used (when the subject receives the direct object).

Ich **ziehe mir** die Schuhe **an**.	*I am putting on my shoes.*
Er **kauft sich** Schokolade.	*He buys himself chocolate.*

3. The **Dative Reflexive Pronouns** are listed in the chart below.

SINGULAR			PLURAL		
ich	**mir**	*myself*	wir	**uns**	*ourselves*
du	**dir**	*yourself*	ihr	**euch**	*yourselves*
er		*himself*			
sie	**sich**	*herself*	sie		*themselves*
es		*itself*	Sie	**sich**	*yourselves*
Sie		*yourself*			

4. Many verbs in German can either be reflexive or non-reflexive.

NON-REFLEXIVE	Ich **wasche** das Auto.	*I **wash** the car.*
REFLEXIVE	Ich **wasche mir** die Hände.	*I **wash my** hands.*

C. The most common Reflexive Verbs

1. Here is a list of verbs which are reflexive and always take an **accusative object**.

sich kümmern um	*to take care of*
sich freuen auf	*to look forward to*
sich freuen über	*to be glad about*
sich amüsieren	*to have a good time*
sich amüsieren über	*to be amused by*
sich unterhalten	*to converse*
sich erkälten	*to catch a cold*
sich fürchten vor	*to be afraid of*
sich erinnern an	*to remember*
sich interessieren für	*to be interested in*

2. The following verbs are reflexive and always take a **dative object**.

sich merken	*to remember, to keep in mind*
sich ansehen	*to take a look at, to watch*
sich anhören	*to listen to something*

KAPITEL 11

I. THE CONJUNCTIONS

In German as in English, **conjunctions** join words, phrases and clauses.

Sollen wir Tomaten **oder** Bohnen **und** Kartoffeln kaufen?

*Should we buy tomatoes **or** carrots **and** potatoes?*

Möchtest du mit John nach Micanopy **oder** mit mir nach Archer fahren?

*Would you like to go to Micanopy with John **or** to Archer with me.*

Wir essen keinen Kuchen, **weil** wir eine Diät machen.

*We aren't eating any cake, **because** we are dieting.*

In this section we'll only be working with conjunctions in phrases and clauses.

A. Two types of Conjunctions

1. The Coordinating Conjunctions

Word order in phrases and clauses remain the same with these conjunctions.

aber	**sondern**
denn	**und**
oder	

a. aber (*but*)

Sie wollten nach Griechenland fahren, **aber** sie haben kein Geld.

*They wanted to go to Greece, **but** they don't have any money.*

b. denn (*because, since*)

Er kann keinen Apfelstrudel backen, **denn** er hat keinen Ofen.

*He can't bake apple strudel, **because** he doesn't have an oven.*

c. sondern (*rather*), *but* (*on the contrary*)

Sondern is used instead of **aber** in order to contradict a negative clause. If you can use ***on the contrary*** in the sentence in English and it makes sense, use **sondern**.

Du fährst morgen **nicht** zur Universität, **sondern** du bleibst zu Hause.

*You aren't going to the university tomorrow, **but** you're staying at home.*

d. und (*and*)

Ich fahre nach Weimar, **und** Felix fährt nach Dresden.   *I am going to Weimar **and** Felix is going to Dresden.*

e. oder (*or*)

Soll ich meine Wäsche jetzt waschen, **oder** sollen   *Shall I do my laundry now, **or** shall we go swimming.*
wir schwimmen gehen.

2. **The Subordinating Conjunctions are**

> **als, bis, bevor (ehe), da, damit, daß, indem, nachdem, ob, obgleich, obwohl, seitdem, sobald, solange, sooft, während, wann, weil, wenn**

a. als (***when***) (*referring to a single action in the past or something going on in the past in a single time span*)

Als ich anrief, hörte er ein Klavierkonzert von Schubert.
When I called, he was listening to a piano concerto by Schubert.

Goethe spielte gern Puppentheater, **als** er jung war.
*Goethe liked to play with puppets, **when** he was young.*

b. bevor (*before*)

Bevor sie nach Hause kommt, kauft sie ein.
*She goes shopping **before** she goes home.*

c. bis (*until*)

Ich muß mit dem Schwimmen warten, **bis** die Sommerferien anfangen.
*I have to wait to swim, **until** summer vacation begins.*

d. da (*because, since — much more casual than **weil***)

Da du zu Hause bist, können wir Karten spielen.
Since you're home, we can play cards.

e. damit (*so that*)

Damit Wilfried morgen mitgehen darf, macht er heute seine Hausaufgaben.
*Wilfried is doing his homework today, **so that** he can go with us tomorrow.*

f. daß (*that*)

Er sagt, **daß** er nach Frankreich fahren muß.
*He says **that** he has to go to France.*

g. indem (*by doing something*)

Ich bekam eine gute Note, **indem** ich jeden Tag Deutsch übte.
*I received a good grade **by** practicing German every day.*

h. nachdem (*after*)

Er kann ins Kino gehen, **nachdem** er sein Zimmer aufgeräumt hat.
*He can go to the movies, **after** he has cleaned his room.*

Do not confuse **nachdem** with *nach dem,* the preposition and the article. **Nachdem** is usually followed by a past tense.

i. ob (*whether, if*)

Ich weiß nicht, **ob** es heute regnet.
*I don't know **if** it's going to rain today.*

j. obgleich (*although, even though*)

Obgleich ich kein Geld habe, fliege ich nach Berlin.
***Even though** I don't have any money, I am flying to Berlin.*

k. obwohl (*although, even though*)

Obwohl sie kein Französisch spricht, kann sie Champagner bestellen.
***Even though** she can't speak French, she can order champagne.*

l. seitdem (*since, ever since, since then*)

Do not confuse the conjunction **seitdem** with the preposition and article *seit dem.*

Seitdem ich in Florida wohne, habe ich Angst vor Alligatoren.
***Since** I've been living in Florida, I have a fear of alligators.*

m. sobald (*as soon as*)

Wir gehen Tennis spielen, **sobald** die Plätze trocken sind.
*We are going to play tennis, **as soon as** the courts are dry.*

n.   solange (*as long [as referring to a span of time]*)

Solange die Sonne scheint, bleiben wir draußen.
*We'll stay outside **as long** as the sun is shining.*

o.   sooft (*as often as, every time that*)

Sooft seine Eltern ihn besuchen, trinkt er zu viel.
***Every time** his parents visit him, he drinks too much.*

p.   während (*while*)

Während wir in Berlin sind, besuchen wir den Zoo.
***While** we are in Berlin, we'll visit the zoo.*

q.   weil (*because, since*)

Ich tue es für dich, **weil** ich dich gern habe.
*I'm doing it for you **because** I like you.*

r.   wann (*when is a question word. It is used to ask about time and/or to speak about a certain time.*)

Wann fährt der Zug nach Mecklenburg? Ich weiß nicht, **wann** er fährt.
***When** does the train go to Mecklenburg? I don't know when it leaves.*

s.   wenn (*when, if [referring to a repeated action in the past, or it refers to the present and the future]*)

Present	**Wenn** ich Zeitung lese, möchte ich nicht gestört sein. ***When** I read the newspaper, I don't like to be disturbed.*

Past	It implies "whenever."
	     Immer **wenn** er nach Hause kam, las er die Zeitung.
	     ***Whenever** he came home, he (always) read the paper.*

Future	**Wenn** sie anruft, sag ihr, ich komme um 3.00. ***When** she calls, tell her I'll be there at 3:00 p.m.* **Wenn** morgen die Sonne scheint, fahre ich zum Strand. ***If** the sun shines tomorrow, I'm going to the beach.*

Word order changes when using subordinating conjunctions. If the clause begins with the subordinating conjunction the verb automatically goes to the end of the sentence. If the first clause begins with a subordinating conjunction, the subject and verb in the second clause are inverted.

KAPITEL 12

(Auffrischung und Erweiterung: Kapitel 19)

I. PASSIVE VOICE

A. Active vs. Passive Voice

What is the difference between the following two sentences?

Franz Marc malt ein Selbstbildnis.   *Franz Marc is painting a self-portrait.*

Ein Selbstbildnis wird von Franz Marc gemalt.   *A self-portrait is being painted by Franz Marc.*

They both express the same idea. The first sentence, however, is in the **active voice**, which means that the subject, Franz Marc, is performing the action of the verb: **Franz Marc is painting.**

The second sentence is in the **passive voice**, which means that the subject is being acted upon: The self-portrait **is being painted.**

In the first sentence the emphasis is placed on the painter; in the second sentence it is placed on the portrait.

B. Formation of the Passive

1.   The passive is formed by conjugating **werden** to agree with the passive subject and adding the past participle of the main verb.

> **passive subject + werden + past participle**

Der Ball **wird geworfen**.   *The ball **is being thrown**.*

2.   The sentence above does not indicate **who** is performing the action. When there is an agent performing the action, it is usually expressed in the dative preceded by **von**.

Der Ball wird **von dem Mann** geworfen.   *The ball is being thrown **by the man**.*

3.   If the agent is an impersonal force **durch** or **mit** is used.

Der Nagel wird **mit** dem Hammer in die Wand eingeschlagen.   *The nail is driven into the wall **with** a hammer.*

Das Auto wurde **durch** Hagel beschädigt.   *The car was damaged **by hail**.*

C. Formation of a Passive Sentence

To easily form a passive sentence, form an active sentence first! The **object** of the **active sentence** becomes the **subject** of the **passive sentence**.

ACTIVE	Sie wirft **den Ball**.	*She is throwing **the ball**.*
PASSIVE	Der Ball **wird geworfen**.	*The ball **is being thrown**.*
ACTIVE	Sie **wirft** den Ball.	*She **throws** the ball.*
PASSIVE	Der Ball wird **von ihr** geworfen.	*The ball **is being thrown by her**.*
ACTIVE	**Ich schreibe** einen Liebesbrief.	***I am writing** a love letter.*
PASSIVE	Ein Liebesbrief **wird von mir geschrieben**.	*A love letter **is being written by me**.*

D. The Tenses in the Passive Voice

To form the different tenses in the passive voice conjugate **werden** in its varied tenses and add the past participle of the verb.

PRESENT	Ein Buch **wird geschrieben**.	*A book **is being written**.*
	Die Schallplatte **wird gespielt**.	*The record **is (being) played**.*
	Ein Haus **wird von dir gebaut**.	*A house **is (being) built by you**.*
PAST	Ein Buch **wurde geschrieben**.	*A book **was written**.*
	Die Schallplatte **wurde gespielt**.	*The record **was played**.*
	Ein Haus **wurde von dir gebaut**.	*A house **was built by you**.*
PERFECT	Ein Buch **ist** geschrieben **worden**.	*A book **has been written**.*
	Die Schallplatte **ist gespielt worden**.	*The record **has been played**.*
	Ein Haus **ist von dir gebaut worden**.	*A house **has been built by you**.*
FUTURE	Ein Buch **wird** geschrieben **werden**.	*A book **will be written**.*
	Die Schallplatte **wird gespielt werden**.	*The record **will be played**.*
	Ein Haus **wird von dir gebaut werden**.	*A house **will be built by you**.*

E. Modals in the Passive

To form the passive with modals, watch this!

PRESENT	Dieser Präsident **kann** nicht **gewählt werden**.	This president cannot be elected.
IMPERFECT	Dieser Präsident **konnte** nicht **gewählt werden**.	This president could not be elected.
FUTURE	Dieser Präsident **wird** nicht **gewählt werden können**.	This president will not be able to be elected.

F. Special Use of Passive

The passive may be used in statements that express an activity in which the subject is unknown or not important.

In the sentence, *People are dancing in the hotel today* the subject, *people*, is superfluous. In German one uses the passive to express an impersonal or implied subject.

1. (*The impersonal es is always at the beginning of the sentence.*)
   Es wird heute im Hotel getanzt.

2. Begin the sentence with a time expression to emphasize **when** an action occurs. **Es** is left out since it is understood.
   Heute wird im Hotel getanzt.

3. Begin the sentence with an expression of location to emphasize **where**. An **es** is left out but understood.
   Im Hotel wird heute getanzt.

4. A passive sentence may also begin with a **dative** object. **Es** is omitted.
   Dem Mann kann geholfen werden.

G. The impersonal pronoun *man*

The impersonal pronoun **man** can be used as an alternative to the passive and it corresponds to the English impersonal pronoun *one*, but is most often expressed as *you*, *people* (in general), or *they*.

Man spricht Deutsch.	*German is spoken here.*
Man kaut Kaugummi mit geschlossenem Mund.	*You should chew gum with your mouth closed.*

KAPITEL 13

(Auffrischung und Erweiterung: Kapitel 20)

I. RELATIVE PRONOUNS AND RELATIVE CLAUSES

The relative pronouns in English are **who, that, which, whose, whom**. They are found at the beginning of dependent clauses (a clause which depends on a main clause for its meaning).

*This is the man **who** bought my car.*

In this sentence the **dependent clause** is called a **relative clause** because it begins with the relative pronoun, **who**.

A.   The German Relative Pronouns

Pronouns are called **relative pronouns** when they **relate** back to a noun present in the main clause of the sentence.

Das ist der Student, **der** immer zu spät kommt.   *This is the student, **who** always comes late.*

(**der** refers back to **der Student** in the main clause.)

Ich kenne den Hund, **der** die ganze Nacht bellt.   *I know the dog **that** barks all night.*

der refers to **Hund**.

Mein Freund kennt einen Studenten, **der** immer nur   *My friend knows a student **who** always gets good*
gute Noten bekommt.   *grades.*

	MASCULINE	FEMININE	NEUTER	PLURAL
NOMINATIVE	der	die	das	die
ACCUSATIVE	den	die	das	die
DATIVE	dem	der	dem	denen
GENITIVE	dessen	deren	dessen	denen

B.   Choosing the Correct Relative Pronoun

Choose the relative pronoun according to the **number** and **gender** of the **noun** it refers to in the **main clause** and the **case** it takes in the main clause.

Das ist **der Mann**, **der** dein Auto gekauft hat.

Follow the steps below in choosing a relative pronoun:

> Hier ist der Stuhl, **den** du zerbrochen hast.   *Here is the chair **that** you broke.*

1. Find the noun which the relative pronoun refers to.   **(Stuhl)**

2. Determine its gender.   **der Stuhl** (*masculine*)

3. Is the pronoun a subject or an object in the relative clause?   **(direct object)**

4. Which case?   **(accusative)**

5. Find the **masculine accusative** pronoun in your chart: **(den)**

Notice in the sentences below that the genders of the nouns **Tochter**, **Sohn**, and **Eltern** do not affect the relative pronoun **dessen**.

Das ist der Mann, **dessen** Tochter ich kenne.
Das ist der Mann, **dessen** Sohn ich kenne.
Das ist der Mann, **dessen** Eltern ich kenne.

C.   Prepositions in Relative Clause

Prepositions are often used before relative pronouns.

Das ist das Schloß, **in dem** die Schriftstellerin wohnte.   *This is the castle, **in which** the author lived.*

II. INDEFINITE RELATIVE PRONOUNS

As you have seen, relative pronouns relate or refer to a noun in the main clause. In cases where the noun in the main clause is missing or unknown one uses an indefinite relative pronoun.

A.   The Indefinite Relative Pronouns

1. The Indefinite Relative Pronouns are identical to the interrogative pronouns and are used when the person in the main clause is not mentioned or is unknown.

Ich weiß nicht, **wer** das Licht immer anläßt.   *I don't know, **who** always leaves the lights on.*
Ich weiß, **was** du heute gegessen hast.   *I know **what** you ate today.*

	PERSON	OBJECT
NOMINATIVE	**wer**	**was**
ACCUSATIVE	**wen**	**was**
DATIVE	**wem**	
GENITIVE	**wessen**	

2. The indefinite relative pronouns are also used when referring to plural pronominal adjectives, **nichts**, and with adjectival nouns.

Ich gebe dir **alles, was** ich habe.	*I give you **everything** I own.*
Du tust **nichts, was** verboten ist.	*You don't do **anything that** is forbidden.*
Wir kaufen **das Teuerste, was** es bei Woolworth gibt.	*We buy **the most expensive things** available at Woolworths.*

III. DEMONSTRATIVE PRONOUNS

Demonstrative pronouns are generally used to represent nouns. They point to someone or something already known to the listener. They may be considered linguistic shortcuts or time-savers.

Kennst du die Stadt Bamberg.	*Are you familiar with Bamberg?*
Nein, **die** kenne ich nicht.	*No, I'm not familiar with **it**.*

A. The Demonstrative Pronouns ━━━━━━━━━━━━━

The Demonstrative Pronouns are exactly the same as the relative pronouns.

	MASCULINE	FEMININE	NEUTER	PLURAL
NOMINATIVE	**der**	**die**	**das**	**die**
ACCUSATIVE	**den**	**die**	**das**	**die**
DATIVE	**dem**	**der**	**dem**	**denen**

Hast du **den Film** "Lola" gesehen?	*Did you see the film "Lola"?*
Nein, **den** noch nicht.	*No, I haven't seen **it** yet.*
Möchtet ihr **die Wohnung** haben?	*Would you like to have **the apartment**?*
Ja, **die** möchten wir.	*Yes, we would like to have **it**.*

IV. INFINITIVE SENTENCES

You should be familiar with three types of sentence construction in German:

1. **um . . . zu + infinitive**   (*in order to*)

2. **anstatt . . . zu + infinitive**   (*instead of*)

3. **ohne . . . zu + infinitive**   (*without . . . -ing*)

These constructions introduce a clause and must be separated by a comma. **Zu** is always followed by an infinitive.

1. **um . . . zu + infinitive**   (*in order to*)

Ich fahre gewöhnlich mit meinem Fahrrad, **um Benzin zu sparen**.   *I usually ride my bicycle **in order to save on gas**.*

2. **anstatt . . . zu + infinitive**   (*instead of*)

Anstatt meine Hausaufgabe zu machen, gehe ich segeln.   ***Instead of doing my homework** I'm going to go sailing.*

3. **ohne . . . zu + infinitive**   (*without*)

Ich bin gestern aus dem Restaurant gegangen, **ohne zu bezahlen**.   *I left the restaurant yesterday **without paying**.*

KAPITEL 14

(Auffrischung und Erweiterung: Kapitel 21)

I. THE SUBJUNCTIVE

There are two subjunctive forms in German. In this text they are called the **Subjunctive** and the **Special Subjunctive**. Up until now we have dealt with the **indicative mood** for all verb forms you have learned. The indicative mood is used to express a fact or to pose a question. The **subjunctive mood** expresses doubt, a wish, a condition contrary to fact, a hypothesis, a supposition. **It is also used in polite exchange.**

INDICATIVE (FACT)	**Ich bin sehr reich.**	*I am very rich.*
SUBJUNCTIVE *(WISH)*	**Wenn ich nur sehr reich wäre.**	*If only I were very rich.*

In English, the subjunctive is usually expressed by *would*, *were*, *had*, *could*. In German the subjunctive is used to express similar conditions.

WISHFUL THINKING	**Wenn ich nur ein Schwimmbad hätte!**	*If I only had a swimming pool!*
POLITE REQUEST	**Könnten Sie mir die Butter reichen?**	*Could you pass me the butter?*
CONTRARY TO FACT STATEMENTS; *(CONDITIONAL)*	**Wenn mein Vater ein Auto kaufte, würde ich nach Colorado fahren.**	*If my father would buy a car, I would drive to Colorado.*

A. Verb Forms in the Subjunctive

The subjunctive requires a new set of verb **endings**.

1. **Weak Verbs**

The forms for imperfect indicative and those for the present subjunctive are identical. The difference in meaning is determined by the context of the statement.

lachen *(to laugh)*

ich	**lachte**	wir	**lachten**
du	**lachtest**	ihr	**lachtet**
er		sie	**lachten**
sie }	**lachte**	Sie	**lachten**
es			

Wenn er über mich **lachte, würde** ich **gehen**.   If he **were** to laugh at me, I **would leave**. (*hypothesis*)

2.   **Strong Verbs**

Find *the stem* of strong verbs in the *imperfect indicative* and add the subjunctive endings to form the subjunctive for strong verbs.

gehen (*to go*)

SINGULAR		PLURAL	
ich	**ginge**	wir	**gingen**
du	**gingest**	ihr	**ginget**
er		sie	**gingen**
sie	**ginge**	Sie	**gingen**
es			

INDICATIVE REALITY	Gestern **ging** ich mit Max ins Konzert.	*Yesterday I went to the concert with Max.*
SUBJUNCTIVE (WISH)	Er **wünschte**, ich **ginge** mit ihm ins Konzert.	*He wished I would go to the concert with him.*

If an *a, o, u, au* appears in the stem of a strong verb, be sure to add an **umlaut** to form the subjunctive.

INDICATIVE IMPERFECT	Sie sangen lauter.	*They sang louder.*
SUBJUNCTIVE	Wenn sie nur lauter sängen!	*If they would only sing louder!*

3.   Note the subjunctive forms of **haben** and **sein**.

haben		**sein**	
SINGULAR	PLURAL	SINGULAR	PLURAL
hätte	**hätten**	**wäre**	**wären**
hättest	**hättet**	**wärest**	**wäret**
hätte	**hätten**	**wäre**	**wären**

4.   One way to simplify the subjunctive is to use **würde** + the **infinitive** of the verb.

werden

SINGULAR		PLURAL	
ich	**würde**	wir	**würden**
du	**würdest**	ihr	**würdet**
er		sie	**würden**
sie	**würde**	Sie	**würden**
es			

Wenn ich ein Vöglein **wäre, würde** ich zu dir
fliegen.

If I were a bird, I would fly to you.

Wenn er nur gehen würde!

If he would only leave!

5. There are occasions in which it is incorrect to use **würde**.

    a. Do not use würde with **sein** or **haben**. Use **wäre** or **hätte**.

Wenn ich nur reich **wäre!**

*If only I **were** rich!*

Wenn ich nur Geld **hätte!**

*If I only **had** money!*

    b. Never use the würde construction with wissen nor the **modals**.

Wenn ich es nur **wüßte!**

*If I only **knew** it.*

Dürfte ich um Zucker bitten?

May I ask for sugar?

    c. Do not use würde in the **wenn** clause of a conditional sentence.

Wenn ich dir einen Brief **schriebe**, würdest du mir
Geld schicken?

*If I **would write** you a letter, you would send me money?*

B. Past Tense of the Subjunctive

The **past subjunctive** is easy to form. To do so simply combine the subjunctive forms of **sein** or **haben** with the past participle of the verb. Use **wäre** instead of **hätte** with verbs of **motion**, and **change of state**.

INDICATIVE PERFECT	Ich habe getanzt.	*I danced.*
	Er ist nach Hause gegangen.	*He went home.*
PAST SUBJUNCTIVE	Ich **hätte getanzt.**	I **would have** danced.
	Er **wäre** nach Hause **gegangen**.	*He **would have gone** home.*

Wenn wir nur die Tür **abgeschlossen hätten!**

If we only had locked the door!

Wärest du nur nicht **gekommen**!

If you only hadn't come!

C. Sentence Formation of the Conditional

The usage of the subjunctive in German has become more simplified. As already mentioned the **würde** construction is most often used.

1. Word Order in Conditional Sentences

Word order in conditional sentences follows the same rules as word order in sentences that have dependent clauses. Let's apply them.

    a. Present Subjunctive

Wenn die Sonne **schiene,**   **würde** ich Golf spielen.
*If the sun **were shining**,*   *I **would play** golf.*

Wenn is a subordinating conjunction. That's why the first clause is a dependent clause. **The verb always appears at the end of the clause in these cases.**

If a sentence begins with a dependent clause, the clause is considered the first element in the sentence. Since the verb is usually the second element, it comes right after the comma. In other words, **the second clause (main clause) has an inverted word order**.

Ich würde Golf spielen, **wenn** die Sonne **schiene**.   *I would play golf, if the sun **were shining**.*

Here, the main clause is first and therefore has **normal word order**. In the dependent "wenn" clause, **the verb is at the end**.

      b.   Past Subjunctive

Ich **wäre** Zahnarzt **geworden**, wenn ich in Michigan **geblieben wäre**.   *I would have become a dentist, if I had stayed in Michigan.*

In the past subjunctive sentence the conjugated verb goes to the end of the **wenn** clause. It comes right after the past participle **geblieben**. One can also omit **wenn** to invert the clauses.

Wäre ich in Michigan **geblieben**, **wäre** ich Zahnarzt **geworden**.   *Had I stayed in Michigan, I would have become a dentist.*

II. THE SPECIAL SUBJUNCTIVE

The Special Subjunctive is used in indirect speech when quoting someone. It rarely appears in conversation, however, it is often used in newspapers, journals and books. The Special Subjunctive replaces quotation marks.

A. Forming the Special Subjunctive

To form the special subjunctive add subjunctive ending to the stem of the infinitive

(sie)   **komm + e**

Die Wirtin sagte, sie **komme** gleich.   *The innkeeper said **that she would** be there right away.*

B. Sein

Pay special attention to the formation of **sein**.

SINGULAR		PLURAL	
ich	**sei**	wir	**seien**
du	**seiest**	ihr	**seiet**
er		sie	**seien**
sie	**sei**	Sie	**seien**
es			

C. Quoting Questions or Commands ━━━━━━━━━━━━━━━━━━━

When referring to a question or a command in the Special Subjunctive use the following forms.

1. **Question**   Use the conjunction **ob** or an **interrogative pronoun**.

Franz fragte, **ob** der Dieb eine Krawatte **umhabe**.   *Franz asked, **whether** the thief **wore** a tie.*
Sie wollte wissen, **wie** der Film **heiße**.   *She wanted to know **the name** of the film.*

2. **Command**   Use the verb **sollen**

Afra sagte, ich **solle** gehen.   *Afra said I **should** leave.*

LIST OF STRONG AND IRREGULAR VERBS

Infinitive (Present)	Past, (Subjunctive II)	Past Participle

This table does not include compound verbs, since their conjugational forms are identical with those of the stem verb (e.g. *nehmen, benehmen, wegnehmen,* etc.). The auxiliary in the perfect tenses, however, may differ (***hat** geschlafen, **ist** eingeschlafen; **ist** gekommen, **hat** bekommen;* etc.).

Infinitive (Present)	Past, (Subjunctive II)	Past Participle
befehlen (befiehlt)	befahl (beföhle)	befohlen
beginnen	begann (begänne)	begonnen
beißen	biß	gebissen
biegen	bog (böge)	gebogen
bieten	bot (böte)	geboten
binden	band (bände)	gebunden
bitten	bat (bäte)	gebeten
blasen (bläst)	blies	geblasen
bleiben	blieb	ist geblieben
braten (brät, bratet)	briet	gebraten
brechen (bricht)	brach (bräche)	gebrochen
brennen	brannte (brennte)	gebrannt
bringen	brachte (brächte)	gebracht
denken	dachte (dächte)	gedacht
dürfen (darf)	durfte (dürfte)	gedurft
empfehlen (empfiehlt)	empfahl (empfähle)	empfohlen
essen (ißt)	aß (äße)	gegessen
fahren (fährt)	fuhr (führe)	ist, hat gefahren
fallen (fällt)	fiel	ist gefallen
fangen (fängt)	fing	gefangen
finden	fand (fände)	gefunden
fliegen	flog (flöge)	ist, hat geflogen
fliehen	floh (flöhe)	ist geflohen
fließen	floß (flösse)	ist geflossen
fressen (frißt)	fraß (fräße)	gefressen
frieren	fror (fröre)	gefroren
geben (gibt)	gab (gäbe)	gegeben
gehen	ging	ist gegangen
gelingen	gelang (gelänge)	ist gelungen
gelten (gilt)	galt (gälte)	gegolten
genießen	genoß (genösse)	genossen
geschehen (geschieht)	geschah (geschähe)	ist geschehen
gewinnen	gewann (gewönne)	gewonnen
gießen	goß (gösse)	gegossen
haben (du hast, er hat)	hatte (hätte)	gehabt
halten (hält)	hielt	gehalten
hängen[1]	hing	gehangen
heben	hob (höbe)	gehoben
heißen	hieß	geheißen
helfen (hilft)	half (hülfe)	geholfen
kennen	kannte (kennte)	gekannt

[1] Weak conjugational forms also occur.

Infinitive (Present)	Past, (Subjunctive II)	Past Participle
kommen	kam (käme)	ist gekommen
können (kann)	konnte (könnte)	gekonnt
kriechen	kroch (kröche)	ist gekrochen
lassen (läßt)	ließ	gelassen
laufen (läuft)	lief	ist gelaufen
leiden	litt	gelitten
leihen	lieh	geliehen
lesen (liest)	las (läse)	gelesen
liegen	lag (läge)	gelegen
lügen	log (löge)	gelogen
mögen (mag)	mochte (möchte)	gemocht
müssen (muß)	mußte (müßte)	gemußt
nehmen (nimmt)	nahm (nähme)	genommen
nennen	nannte (nennte)	genannt
pfeifen	pfiff	gepfiffen
raten (rät)	riet	geraten
reißen	riß	ist, hat gerissen
reiten	ritt	ist, hat geritten
rennen	rannte (rennte)	ist gerannt
riechen	roch (röche)	gerochen
rufen	rief	gerufen
saufen (säuft)	soff (söffe)	gesoffen
scheiden	schied	ist, hat geschieden
scheinen	schien	geschienen
schieben	schob (schöbe)	geschoben
schießen	schoß (schösse)	geschossen
schlafen (schläft)	schlief	geschlafen
schlagen (schlägt)	schlug (schlüge)	geschlagen
schleichen	schlich	ist geschlichen
schließen	schloß (schlösse)	geschlossen
schmeißen	schmiß	geschmissen
schneiden	schnitt	geschnitten
(er)schrecken (erschrickt)	erschrak (erschräke)	ist erschrocken
schreiben	schrieb	geschrieben
schreien	schrie	geschrien
schweigen	schwieg	geschwiegen
schwimmen	schwamm (schwämme)	ist, hat geschwommen
sehen (sieht)	sah (sähe)	gesehen
sein (ist)	war (wäre)	ist gewesen
singen	sang (sänge)	gesungen
sitzen	saß (säße)	gesessen
sollen (soll)	sollte	gesollt
sprechen (spricht)	sprach (spräche)	gesprochen
springen	sprang (spränge)	ist gesprungen
stechen (sticht)	stach (stäche)	gestochen
stehen	stand (stünde)	gestanden
stehlen (stiehlt)	stahl (stähle)	gestohlen
steigen	stieg	ist gestiegen
sterben (stirbt)	starb (stürbe)	ist gestorben
stinken	stank (stänke)	gestunken

Infinitive (Present)	Past, (Subjunctive II)	Past Participle
stoßen (stößt)	stieß	gestoßen
streiten	stritt	gestritten
tragen (trägt)	trug (trüge)	getragen
treffen (trifft)	traf (träfe)	getroffen
treten (tritt)	trat (träte)	ist, hat getreten
trinken	trank (tränke)	getrunken
tun (tut)	tat (täte)	getan
verderben[1] (verdirbt)	verdarb (verdürbe)	ist, hat verdorben
vergessen (vergißt)	vergaß (vergäße)	vergessen
verlieren	verlor (verlöre)	verloren
wachsen (wächst)	wuchs (wüchse)	ist gewachsen
waschen (wäscht)	wusch (wüsche)	gewaschen
werben (wirbt)	warb (würbe)	geworben
werden (wird)	wurde, ward (würde)	ist geworden
werfen (wirft)	warf (würfe)	geworfen
wiegen[1]	wog (wöge)	gewogen
wissen (weiß)	wußte (wüßte)	gewußt
wollen (will)	wollte	gewollt
verzeihen	verzieh	verziehen
ziehen	zog (zöge)	hat, ist gezogen
zwingen	zwang (zwänge)	gezwungen

[1] Weak conjugational forms also occur.

A

ab·biegen, *bog ab, ist abgebogen*	to turn
Abendessen, -, s	dinner
Abendkleid, -er, s	evening gown
Aberglaube, s; **abergläubisch**	superstition; superstitious
Abfall, ¨e, m	garbage
ab·finden, *fand ab, abgefunden**	to make do
ab·fliegen, *flog, ist abgeflogen*	to depart, take off (plane)
ab·holen	to pick up
ab·lehnen	to reject
Abitur, s	High School diploma
Abkürzung, -en, w	abbreviation
ab·nehmen, *nimmt ab, nahm ab, abgenommen*	to loose weight
ab·reißen, *riß ab, abgerissen*	to tear off
ab·schicken	to mail
Abschied, -e, m; - nehmen	farewell; to take leave
ab·schleppen; **Abschleppdienst**, -e, m	to tow; towing service
Abschlußzeugnis, -e, s	final diploma
ab·schmecken	to taste (for seasoning)
abschütteln	to shake off
Abteilung, -en, w	department
Abtreibung, -en, w	abortion
Abwechslung, -en, w	change, variety
Achtung!	watch out, attention
ächzen	to moan, groan
adlig; **Adlige**, w/m	aristocratic, aristocrat
Affe, -n, m	monkey, ape
ähneln, **Ähnlichkeit**, -en, w	to resemble; resemblance
Ahne, -n, w, m	ancestor
albern, **Albernheit**, en, w	silly; silliness
allgemein	general
Alltag, -, m	workday, everyday
Alltagssituation, -en, w	everyday situation
Ameise, -en, w	ant
Amt, ¨er, s	public office
amüsieren (sich)	to have fun
Ananas, -, w	pineapple
Anbau, m; **Anbaugebiet**, -e, s	cultivation; cult. area
an·bieten, *bot an, angeboten*	to offer
an·brennen, *brannte an, angebrannt*	to burn (food)
an·passen	to adjust, adapt
ändern	to change
an·erkennen, *erkannte an, anerkannt*	to recognize
Anfang, ¨e, m	beginning
Anfänger, -, m; **Anfängerin**, -nen, w.	beginner
an·fangen, *fängt an, fing an, angefangen*	to begin

*Irregular verbs are shown in *italic* type.

an·fassen	to touch
an·feuern	to cheer on
angeheitert	tipsy
angeln, Angel, -n; w	to fish; fishing rod
angenehm	nice, pleasant
Angestellte, -en, w/m	employee
Angst, ⸚e, w	fear, fright
an·halten, *hält an, hielt an, angehalten*	to stop
Anhalter, -, m; Anhalterin, -nen	hitchhiker
an·klopfen	to knock
Ankunft, w	arrival
an·lehnen	to lean against
Anleitung, -en, w	instruction
an·melden (sich); Anmeldung, -en, w	to register, registration
an·nehmen, *nimmt an, nahm an, angenommen*	to accept, assume, guess
annoncieren; Annonce, -n, w	to place an ad, advertising
an·probieren	to try on
an·rufen, *rief an, angerufen*	to call, phone
an·sagen	to announce
an·schaffen	to obtain, get
an·schauen	to look at
Anschluß, Anschlüsse, m	connection
an·schnallen (sich)	to fasten seatbelts
an·sehen, *sieht an, sah an, angesehen*	to look at, see, watch
an·stellen (sich)	to get in line
Anteil, -e, m	share, part
an·strengen (sich)	to exert oneself
Anteil, -e, m	share, part
an·treten, *tritt an, trat an, angetreten*	to begin (a job)
antworten; Antwort, -en, w	to answer; answer, reply
Anwendung, -en, w	usage
an·ziehen, *zog an, angezogen*	to dress
Anzug, ⸚e, m	suit
an·zünden	to ignite
Apfel, ⸚, m	apple
arbeiten	to work
Arbeitsamt, ⸚er, s	unemployment office
arbeitslos	unemployed
ärgern, Ärger, -, m	to be angry, frustrated; anger
arm, Armut, w	poor; poverty
Armbanduhr, -en, w	wristwatch
Art, -en, w	kind, type, species
artig	well-behaved, well-mannered
Arzt, ⸚e, m; Ärztin, -nen, w	physician
Aschenbecher, -, m	ashtry
Ast, ⸚e, m	branch (tree)
Atem, m	breath
auf·bauen	to (re)construct, build
auf·fallen, *fällt auf, fiel auf, ist aufgefallen*	to attract attention

*Irregular verbs are shown in *italic* type.

Aufklärung, w	Enlightenment
aufmerksam	attentive
Aufnahme, -n, w	admittance; photo
auf·nehmen, *nimmt auf, nahm auf, aufgenommen*	to take a picture
auf·passen	to pay attention
auf·räumen	to clean up
auf·regen, (sich)	to get excited, upset
auf·schneiden, *schnitt auf, aufgeschnitten*	to cut (open)
auf·stellen	to set up
auf·tragen, *trägt auf, trug auf, aufgetragen*	to serve, to give an order
auf·zählen	to enumerate
Auge, -n, s, **Augenbraue**, -n, w	eye, eyebrow
Augenblick, -e, m	moment
Augenzeugenbericht, -e, m	eye-witness report
aus·brechen, *bricht aus, brach aus, ist ausgebrochen*	to escape
aus·drücken	to express
auseinander	apart
aus·fallen, *fällt aus, fiel aus, ist ausgefallen*	to be cancelled
Ausflug, ̈e, m; **einen - machen**	excursion; to go on an excursion
Ausgabe, -n, w	expenditure
ausgerechnet	of all things
ausgezeichnet	excellent
aus·halten, *hält aus, hielt aus, ausgehalten*	to endure, bear
aus·kommen, *kam aus, ist ausgekommen*	to get along, manage (budget)
Auskunft, ̈e, w	information
Ausländer, -, m; **Ausländerin**, -nen, w	foreigner
Auslandsgespräch, -e, s	phone call to a foreign country
Auslese, -n, w	selection (of grapes for wine)
Ausnahme, -n, w	exception
aus·nützen	to exploit, take advantage of
aus·rechnen	to calculate, figure out
ausreichend	adequate, sufficient
aus·rotten	to exterminate
aus·rutschen	to slip, skid
aus·schenken	to serve (a liquid)
aus·schimpfen	to scold
ausschließlich	exclusively
außer	besides
äußern (sich), **Äußerung**, -en, w	to express; comment, opinion
aussichtslos	hopeless
Aussprache, -n, w	pronunciation
aus·sprechen, *spricht aus, sprach aus, hat ausgesprochen*	to pronounce
aus·steigen, *stieg aus, ist ausgestiegen*	to get out, (exit a vehicle)
aus·sterben, *stirbt aus, starb aus, ist ausgestorben*	to become extinct, die out
ausstrecken (sich)	to stretch (oneself)
Austausch, m	exchange
Autobahn, -en w	highway, freeway

Backmischung, -en, w	cake mix
Bad, ⁻er, s	bath, bathroom
Badehose, -n, w	swimming trunks
baden (gehen)	to go for a swim, take a bath
Bahnhof, ⁻e, m	railroad station
bald	soon
Ball, ⁻e, m	ballroom dance
Band, ⁻er, s	ribbon, string
Banknote, -n, w	bill (i.e.: 10 $ bill)
Bär, -en	bear
Bargeld, s	cash
Bastler, -, m, **Bastlerin**, -nen w	amateur craftsperson
bauen	to build
Bauch, ⁻e, m; **Bauchnabel**, ⁻, m	belly, stomach; belly button
Bauer, -n, m, **Bäuerin**, -nen, w	farmer
Beamte, -n, w/m	civil servant
beantworten	to answer, reply
bedanken (sich)	to thank
bedrohen	to threaten
beeilen (sich)	to hurry (up)
beeinflussen	to influence
beenden	to finish
Beerenauslese, -n, w	wine made of selected grapes
Befreiung, -en, w	liberation
befriedigend	satisfactory
begegnen	to meet, encounter
begeistert sein (über)	to be enthusiastic, excited, elated
beginnen, *begann, begonnen*	to begin
begrüßen; **Begrüßung**, -en, w	greeting; to greet, welcome
behalten, *behält, behielt, behalten*	to keep
behaupten; **Behauptung**, -en, w	to maintain, assert; assertion
bei	next to, near, by, at, among, with
Bein, -e, s	leg
beinahe	almost
Beispiel, -e, s	example
beißen, *biß, gebissen*	to bite
bekannt	known, acquainted
Bekannte, -n, w/s; **Bekanntschaft**	acquaintance, friend; acquaintance
belasten	to burden
beleidigen; **beleidigt sein**	to offend; to be offended
beliebt	popular, well-liked
Bemerkung, -en, w	remark
bemühen (sich)	to try, make an effort
benutzen	to use
berauben	to rob
Bergbau, m	mining
bereit sein	to be ready
Berg, -e, m; **Bergstiefel**, -, m	mountain, hiking boot
Bericht, -e, m	report
Berliner Weiße, w	beer with raspberry juice

*Irregular verbs are shown in *italic* type.

Beruf, -e	occupation, profession
Berufs(fach)schule, -n, w	vocational school
berühmt	famous
berühren	to touch
Beschädigung, -en, w	damage, injury
beschimpfen	to scold
bechließen, *beschloß, beschlossen*	to decide
besetzen	to occupy
besetzt	occupied, busy (phone)
besitzen, *besaß, besessen*	to own
Besitzer, -; **Besitzerin**, -nen, w	owner
Besonderheit, -en, w; **besonders**	speciality; especially
besorgen	to obtain, get, purchase
Besorgung, -en, w	errand
Besserung, -en, w	improvement (health)
bestellen; **Bestellung**, en, w	order, book; order
bestimmt	certainly
Bestimmung, -en, w	destiny
besuchen	to visit
beten	to pray
betreten, *betritt, betrat, betreten*	to enter
Betrieb, -e, m	factory, business
Bett, -en, s	bed
Bettler, -, m; **Bettlerin**, -nen w	beggar
beugen	to bend, conjugate
Beurteilung, -en, w	judgment, evaluation
bewahren	to keep, save, preserve
bewegen; **Bewegung**, -en, w	to move; movement
beweisen; **Beweis**, -e, m	to prove; proof
bewerben (sich), *bewirbt, bewarb, beworben*	to apply
bewußt	conscious, aware
bezahlen; **Bezahlung**, -en, w	to pay; payment
Bezeichnung, -en, w	designation, characterization
Beziehung, -en, w	relation, relationship
beziehungsweise	respectively
Bibliothek, -en, w	library
Biene, -n, w	bee
Biest, -er, s	beast
bieten, *bot, geboten*	to offer
Bild, -er, s	picture
bildende Kunst, ¨e, w	fine arts
Bildung, w	education
billig	cheap, inexpensive
Birne, -n, w	pear
bis	until
bitte	please
bißchen	a little, a bit
Blasmusik, w	music played by a brass-band
blaß	pale
bleiben, *blieb, ist geblieben*	to stay, remain
Bleistift, -e, m	pencil
blendend	splendid
blicken; **Blick**, -e, m	to look, see; glance, view
blöde	dumb, stupid

bloß	only, just
Blume, -n, w	flower
Bluse, -n, w	blouse
Blut, s	blood
Bohne, -n, w	bean
böse	bad, mean, angry, evil
Bowle, -n, w	punch
braten, *brät, briet, gebraten*	to fry, roast
brauchen	to need, require
Brause, -n, w	shower, carbonated drink
brav	well-behaved, good
bremsen; **Bremse**, -n, w	to brake; brake
brennen, *brannte, gebrannt*	to burn
Brett, -er, s	board
Brief, -e, m; **Briefkasten**	letter; mailbox
Briefmarke, -n, w	stamp
Brieftasche, -n, w	wallet
Brille, -n, w	glasses
bringen, *brachte, gebracht*	to bring
Brot, -e, s	bread
Brötchen, -, s	bun, bread roll
Brücke, -n, w	bridge
Bruder, ⁻, m	brother
Brust, ⁻e, w	breast, chest
Bruttosozialprodukt, -e, s (BSP)	gross national product (GNP)
brüllen	roar, yell
Buch, ⁻er, s; **Bücherregal**, -e, s	book; bookshelf
Buchhandlung, -en, w	bookstore
buchstabieren; **Buchstabe**, -n, m	to spell; letter (alphabet)
Bude, -n, w	student room
büffeln	to study hard
Bügeleisen, -, s	iron (clothes)
Bundeshaushalt, -e, m	federal budget
Bundeskanzler, -, m	federal chancellor
Bundesrat, m	federal parliament (senate)
Bundestag, m	federal parliament (congress)
Bundesverfassungsgericht, n	federal supreme court
Burg, -en, w	castle, fortress
Bürgerkrieg, -e, m	civil war
Bürgermeister, -, m, **Bürgermeisterin**, -nen w	mayor
Bürgersteig, -e, m	sidewalk
Büstenhalter, -, m	bra

D ▬▬

da	here, there; because
Dackel, -, m	dachshound
dagegen; **etwas dagegen haben**	against; to be against something
daheim	at home
damit	so that, therefore, that
Dämmerung, -en, w	twilight, dawn, dusk
danken	to thank

*Irregular verbs are shown in *italic* type.

Dattel, -n, w	date (fruit)
Dauer, w	duration
dauern; **dauernd**	to last; constantly
Daumen, --, m	thumb
daß	that
decken; **den Tisch decken**	to cover; set the table
denn	because; in that case
deprimiert	depressed
derselbe	the same
Devisen, pl	foreign currency
dichten	to write literature
dick	fat
Dickschädel, -, m	blockhead, stubborn
Dieb, -e, m; **Diebstahl**, -e, m	thief; theft
Dienstag, -e, m	Tuesday
Ding, -e, s	thing
dirigieren; **Dirigent**, -en, m; **Dirigentin**, -nen, w	to conduct, direct; conductor
diskutieren; **Diskussion**, -en, w	to discuss; discussion
doch	certainly, surely, however, yet
Donner, m	thunder
Donnerstag, -e, m	Thursday
Donnerwetter!	good heavens! darn it!
Dorn, -e, m	thorn
Dornröschen, s	Sleeping Beauty
dort	there
Dose, -n, w; **Dosenöffner**, -, m	can; can opener
Drachen, -, m; **Drachenfliegen**, s	dragon, kite; hang gliding
drängen	to push, shove
dringen	to urge
Drogerie, -n, w	drugstore
Druck, m	pressure
Dschungel, -, m	jungle
Duft, ¨e, m	scent (pleasing)
dünn	thin, skinny
durch	through, in
durcheinander	mixed up, scrambled
Durchschnitt, m	average, mean
durchsuchen	to search (thoroughly)
dürfen; *darf, durfte, gedurft*	to be allowed to
dürr	thin, dried out
Durst, m; **durstig**	thirst; thirsty
duschen; **Dusche**, -n, w	to take a shower; shower

E

eben	just, even, right, flat
echt	genuine, real, sincere
Ecke, -n, w	corner
edel	nobel
edelsüß	extra sweet
egal	doesn't matter, the same
Ehe, -n, w; **Ehescheidung**, -en, w	marriage; divorce
Ehefrau, -en, w	wife

Ehrenwort, -e, s	word of honor
ehrlich	honest
Ei, -er, s	egg
Eiche, -n, w	oak
eigen	own
eilen; Eilzug, ⸚e, m	to hurry; express train
Eimer, -, m	bucket
Einbahnstraße, -n, w	one-way street
ein·brechen, *bricht ein, brach ein, ist eingebrochen*	to burglarize, break-in
Einbrecher, -, m	burglar
eindringlich	intense, penetrating
einerlei	the same, no difference
einfach	simple, easy, plain; frugal
Einfall, ⸚e, m	idea
Einführung, -en, w	introduction
Eingang, ⸚e, m	entrance
ein·gehen, *ging ein, ist eingegangen*	to expire, perish, wither, die
Einheit, -en, w; **einheitlich**	unit, unity; uniformly
Einkauf, ⸚e, m	purchase
ein·kaufen	to shop, buy
Einkommen, -, s; **Einkommenssteuer**, -n, w	income; income tax
ein·laden, *lädt ein, lud ein, eingeladen*	to invite
Einladung, -en, w	invitation
ein·laufen, *läuft ein, lief ein, ist eingelaufen*	to shrink
einmal	once
Einnahme, -n, w	earning, income
einsam; **Einsame**, -en, w/m	lonely; lonely person
ein·sammeln	to collect, gather
ein·schlafen, *schläft ein, schlief ein, ist eingeschlafen*	to fall asleep
einschränken	to limit
einseitig	one-sided
ein·steigen, *stieg ein, ist eingestiegen*	to get in (a vehicle)
ein·werfen, *wirft ein, warf ein, eingeworfen*	to insert, drop in
Einwohner, -, m; **Einwohnerin**, -nen, w	inhabitant
Einzahlung, -en, w	deposit
Einzelzimmer, -, s	single room (hotel)
ein·ziehen, *zog ein, ist eingezogen*	to move in
einzig; **einzigartig**	only, singular; one of its kind
Eis, s	ice; ice cream
Eiserne Vorhang, m	iron curtain
ekelhaft	disgusting, gross
Eltern, pl	parents
empören (sich); **empört**	to protest; outraged
Ende, -n, s	end
Endspiel, -e, s	final game
Endung, -en, w	ending, suffix
Energie, -n, w	energy
engagieren (sich)	to involve oneself
Entdeckung, -en, w	discovery
Entfremdung, -en, w	alienation
entscheiden, *entschied, entschieden*	to decide
Entscheidung, -en, w	decision

*Irregular verbs are shown in *italic* type.

entschuldigen (sich)	to apologize
Entschuldigung, -en, w	apology
enttäuschen	to disappoint
entwickeln	to develop
Erbe, -n, m; **Erbin**, -nen, w	heir, successor
Erbse, -n, w	pea
Erdbeben, -, s	earthquake
Erdbeere, -n, w, **Erdbeerbowle**, -n, w	strawberry; strawberry punch
ereignen (sich); **Ereignis**, -se, s	to happen; event
erfahren, *erfährt, erfuhr, erfahren*	to discover, to find out
Erfahrung, -en, w	experience
erfolgreich; **Erfolg**, -e, m	successful; success
(er)forschen; **(Er)forschung**, -en, w	to explore, research; exploration, research
erinnern (sich an); **Erinnerung**, -en, w	to remember; memory
erklären; **Erklärung**, -en, w	explain
erkälten (sich)	to catch cold
erledigen	to accomplish
erlösen; **Erlösung**, -en, w	to redeem, save; salvation
Ernährung, -en, w	nutrition
ernst	serious
ernten; **Ernte**, -n, w	to harvest; harvest
erscheinen, *erschien, ist erschienen*	to appear
erschrecken	to startle, scare, frighten
erschöpft	exhausted
erste	first
ertragen, *erträgt, ertrug, ertragen*	to endure, bear
ertrinken, *ertrank, ertrunken*	to drown
erzeugen; **Erzeugnis**, -se, s	to produce; product
Erwachsene, -n, w/m	adult
erwarten; **Erwartung**, -en, w	to expect; expectation
erzählen; **Erzählung**, -en, w	to tell, narrate; Erzählung
essen, *ißt, aß, gegessen*; **Essen**, -, s	to eat; food
Eßlöffel, -, m	tablespoon
etwas	a little, something
ewig; **Ewigkeit**, -en, w	eternal; eternity

F

Fach, ¨-er, s; **Nebenfach**, ¨-er, s	major; minor
Fachschule, -n, w	technical or trade school
Fachhochschule, -n, w	university with specialized fields
Fähigkeit, -en, w	capability
Fahne, -n, w	flag
Fahrrad, ¨-er, s	bicycle
Fahrt, -en, w	trip, ride, drive
fallen, *fällt, fiel, ist gefallen*	to fall
Fallschirm, -e, m	parachute
Farbe, -n, w	color, paint
Farbfernseher, -, m	color television
Faß, **Fässer**, s	barrel, keg
fassen, *faßt, faßte, gefaßt*	to grab, hold, touch
fast	almost, nearly
faul; **Faulpelz**, -e, m	lazy, rotten; lazybones

Feder, -n, w	feather
Fee, -n, w	fairy
fehlen	to miss, lack
Fehler, -, m	mistake, error
feiern; Feier, -n, w	to celebrate; party, celebration
Feiertag, -e, m	holiday
Feind, -e, m	enemy
Feld, -er, s	field, meadow
Fenster, -, s	window
Ferien, pl	vacation
fern	far, distant
Ferngespräch, -e, s	long distance call
Fernseher, -, m	television (set)
fertig·stellen	to finish, complete
fest·stellen	to determine, ascertain
Fete, -n, w	party, festivity
Feuer, -, s	fire
Fieber, s	fever
Firma, **Firmen**, w	firm, company
Fleck, -en, m	spot, stain
Fledermaus, ¨e, w	bat
Fleisch, s	meat, flesh
Fleischer, -, m	butcher
Fleiß, m; **fleißig**	diligence; hardworking
Fliege, -n, w	fly
fliegen, *flog, ist geflogen*	to fly
Fließband, ¨er, s	conveyor belt
fließen, *floß, ist geflossen*	to flow
flott	lively, fast paced
Fluch, ¨e, m	curse
flüchten	to escape
flüchtig	fleeting, passing swiftly
Flug, ¨e, m; **Flugkarte**, -n, w	flight; plane ticket
Flughafen, ¨, m; **Flugplatz**, ¨e, m	airport
Flugzeug, -e, s	airplane
Flur, -e, n	hallway, corridor
Fluß, **Flüsse**, m	river
folgen	to follow
Forelle, -n, w	trout
Fortschritt, -e, m; **fortschrittlich**	progress; progressive
fortsetzen	to continue
Frau, -en, w	woman, wife
Fräulein, -, s	young girl (title)
frech; **Frechheit**, -en, w	audacious, impudent; insolence
frei	free
Freiheit, -en w; **Freiheitsstatue**, -n, w	freedom; statue of liberty
frei·lassen, *ließ frei, freigelassen*	to release, set free
fressen	eat (animals), devour
Freude, -n, w	joy
Freund, -e, m; **Freundin**, -nen, w	friend
Freundschaft, -en, w	friendship
Friede, m	peace

*Irregular verbs are shown in *italic* type.

frieren	to freeze
froh	glad, joyous
fromm; **Frömmigkeit**, w	pious, devout; piety
Frucht, ⸚e, w	fruit
fruchtbar; **Fruchtbarkeit**	fertile; fertility
früh; **früher**	early; earlier
Frühstück, s	breakfast
Frühschoppen, -, m	libation before noon (Sundays)
Fuchs, ⸚e, m	fox
führen	to lead, guide
für	for
Furcht, m	fear
furchtbar	awful, terrible
Fuß, ⸚e, m	foot
Fußboden, ⸚, m	floor

G ▬▬▬▬▬▬▬▬▬▬▬▬▬▬▬▬▬▬▬▬▬▬▬▬▬▬▬▬▬▬▬▬

Gabel, -n, w	fork
Gans, ⸚e, w	goose
gar	done (cooking) tender, cooked
Gasse, -n, w	alley, narrow street
Gastarbeiter, -, m; **-arbeiterin**, -nen, w	''guest'' worker
Gasthaus, ⸚er, s	inn
Gatte, -n, m; **Gattin**, -nen, w	spouse
geben, *gibt, gab, gegeben*	to give
geboren	born
Geburt, -en, w; **Geburtstag**, -e, m	birth; birthday
Gebäude, - s	building
gefallen, *gefällt, gefiel, gefallen*	to like, be pleased, enjoy
Gefangene, -n, w/m, **Kriegsgefangene**	prisoner; prisoner of war
gefährlich	dangerous
gegen	against
geheim; **geheimnisvoll**	secret; mysterious, secretive
gehen, *ging, ist gegangen*	to go, walk, to leave
gehören	to belong
Geige, -n, w	violin
Geist, -er, m	spirit, mind, intellect, ghost
geisteskrank	mentally ill
geistreich	witty, clever
geläufig	accustomed, common
gelb	yellow
Geld, -er, s	money
Geliebte, -, m/w	lover
gelingen	to succeed
Gemälde, -, s	painting
Gemeinde, -n, w	community
gemeinsam; **Gemeinsamkeit**, -en, w	together, communal; togetherness
Gemüse, s	vegetable
gemütlich	cosy, easy-going
genau	exact, clearly
genauso	the same as
genehmigen; **Genehmigung**, -en, w	to permit, approve; permit

Genie, -s, s	genius
genießen, *genoß, genossen*	to enjoy
Gepäckausgabe, -n, w	baggage claim
gerade; **geradeaus**	straight, straight ahead
Gericht, -e, s	court (law)
gern(e)	gladly
Geruch, ¨e, m	smell
Geschäft, -e, s	shop, business
Geschenk, -e, s	present, gift
Geschichte, -en, w	story; history
Geschirr, s	dishes
Geschmack, m	taste
geschwind	very fast, quick
Geschwindigkeitsbegrenzung, -en, w	speed limit
Gesellschaft, -en, w	society
Gesetz, -e, s	law
Gesicht, -er, s	face
Gespräch, -e, s	conversation, talk
Gestalt, -en, w	figure, form
gestalten	to create, form
gesund; **Gesundheit**, w	healthy, health
Getränk, -e, s	beverage, drink
Gewalt, -en, w	violence, force
Gewissen, -, s	conscience
Gewitter, -, s	thunderstorm
gewöhnen (sich)	to become accustomed
Gier, w	greed
Gift, -e, s	poison
Glatze, -n, w	bald head
glauben; **Glaube**, m	to believe; faith, belief
gleich	right away, soon; same
Glocke, -n, w	bell
Glück, s; **glücklich**	happiness, fortune; happy
Glühwein, -e, m	warm red wine with spices
Gottseidank!	thank goodness!
gratulieren; **Gratulation**, -en, w	to congratulate, congratulations
grau	grey
grausam	cruel
grausen	to shudder, be terrified
greifen, *griff, gegriffen*	to grab, seize, grasp
Grenze, -n, w	border
grob	rough
groß	big, great, tall
großartig	great, fantastic
Großmutter, ¨ s; **-vater**, ¨, m	grandmother, grandfather
grün	green
Grünkohl, m	kale
gründlich	thorough, in-depth
Grundgesetz, -e, s	basic law, constitution
Grundschule	grammar school, elementary school
Grundstudium, s	general studies
grüßen	to greet

*Irregular verbs are shown in *italic* type.

günstig	reasonable
Gürtel, -, m	belt
gucken	to look, watch

H

haben, *hat, hatte, gehabt*	to have
hacken	to chop, mince
Hackfleisch, s	ground beef
Haferflocken, pl.	oatmeal
Hagel, m	hail
Haifisch, -e, m	shark
halb	half
Hals, ⁻e, m	neck, throat
halten, *hält, hielt, gehalten*	to hold, carry; stop
Handel, m	trade
handeln	to act, trade, bargain
Handschuh, -e, m	glove
Handtuch, ⁻er, s	towel
hängen, *hing, gehangen*	to hang
harken	to rake
Hase, -n, m	rabbit, hare
häßlich	ugly
hastig	hasty
häufig	often, commonly
Haupt, ⁻er, s	head, top, chief
Häuptling, -e, m	chief (Americ. Indian)
Hauptsatz, ⁻e, m	main/independent clause
Haut, ⁻e, w	skin
Hecke, -n, w	hedge
heftig	forceful, strong, powerful
heil	intact
Heilsarmee, -n, w	salvation army
Heimat, w	homeland
heiraten	to marry
heißen, *hieß, geheißen*	to be named, called
heizen; **Heizung**, -en, w	to heat; heater, furnace
Held, -en, m; **Heldin**, -nen, w	hero
helfen, *hilft, half, geholfen*	to help, aid
herab	down
Herbst, -e, m	fall
herein·kommen, *kam herein, ist hereingekommen*	to enter, come in
herrlich	great, wonderful
herrschen	to prevail, to govern
her·zaubern	to conjure up
herzlich	cordial, sincere
Herzog, -e, m	duke
heute	today
Hexe, -n, w	witch
Hilfe, -n, w	help
Himbeere, -n, w	raspberry
Himmel, --, m; **heavenly**	sky, heaven; heavenly

hinauf	up
hinunter	down
Hindernis, -se, s	obstacle
Hinsicht, -en, w	view, consideration, respect
hinten	behind, in the back, at the end
hinter	behind, after, following
Hirn, -e, s	brain
hitzig	fiery, temperamental
hoch	high
hochklappen	to lift up
Hochschule, -n, w	university, college
Hochzeit, -en, w	wedding
hocken; **Hocker**, -, m	to crouch; stool
hoffen	to hope
Hoffnung, -en, w	hope
höflich; **Höflichkeit**, w	polite; politeness
hohl	hollow
holen	to get, fetch
Honig, m	honey
hören	to hear, listen
Hose, -n, w	pants, slacks
Hubschrauber, -, m	helicopter
Huhn, ¨er, s; **Hühnchen**, -, s	chicken; young chicken
Hund, -e, m	dog
hupen	to honk
Hut, ¨e, m	hat
Hüter, -, m	guard, warden

I

immatrikulieren	to enroll in college/university
immer	always
in; **ins**	in, at, into, to
indem	while, just then, because
Inder, --, m; **Inderin**, -nen, w	Indian (Asian)
Indianer, -, m; **Indianerin**, -nen, w	Indian (American)
Inlandsgespräch, -e, s	phone call within a country
innerhalb	within
Investition, -en, w	investment
irren; **Irrtum**, ¨er, m	to err; mistake, error

J

Jacke, -n, w	jacket, coat
Jäger, -, m	hunter
Jahr, -e, s	year
Jahreszeit, -en, w	season
Jahrhundertwende, -n, w	turn of the century
je; **-weilig**	each; accordingly
jede, jeder, jedes	each, every, either, any

*Irregular verbs are shown in *italic* type.

jene, **jener**, **jenes**	this one there, that
jetzt	now
Jugend, pl; **Jugendliche**, -en, w/m	youth; adolescents
jung	young
Junge, -n, m	boy
Junker, -, m	aristocratic title

K

Kakao, m	cocoa, hot chocolate
kalt	cold
Kamin, -e, m	fireplace, chimney
kämmen; **Kamm**, ¨e, m	to comb; comb
lämpfen; **Kampf**, ¨e, m	to fight; fight, battle
Kanal, ¨le, m	channel, sewer
Kanarienvogel, ¨, m	canary
Kanzler, -, m	chancellor
Kapitel, -, s	chapter
kaputt	broken, destroyed
Karpfen, -, m	carp
Karte, -n, w; **Kartenspiel**, -e, s	card, map; card game
Kartoffel, -n; -pufer, m; -brei, m	potato; potato pancake, mashed potatoes
Käse, -, m	cheese
Kater, -, m; **einen Kater haben**	tomcat; to have a hangover
Katze, -n, w	cat
kaufen	to purchase
Käufer, -, m; **Käuferin**, -nen, w	buyer, shopper, customer
Kaufhaus, ¨er, s	department store
Kaugummi, -s, m	chewing gum
Kehle, -n, w	throat
Keks, -e, m	cookie
Keller, -, m	basement, cellar
Kellner, -, m; **Kellnerin**, -nen, w	waiter; waitress
kennen, **kannte**, **gekannt**	to be acquainted, to know
kennen·lernen	to become acquainted, meet
Kerze, -n, w; **Kerzenleuchter**, -, m	candle; candlestick
Kette, -n, w	chain, necklace
Kettenraucher, -, m	chain smoker
Kiefer, -n, w	pine tree
Kilometerbegrenzung, -en, w	limited mileage
Kind, -er, s	child
kindlich	childlike
Kinn, s	chin
Kino, -s, s	movie theater
Kirche, -n; w	church
Kirsche, -n; w	cherry
Kiste, -n, w	box, container
Kitsch, m; **kitschig**	art/literature of low quality
kitzeln; **kitzlig**	to tickle; ticklish
Klage, -n, w	complaint, suit, accusation
klappern	to rattle, shake, clatter
Klatsch, m	gossip
Klavier, -e, s	piano

Kleid, -er, s	dress
Kleidung, -en, w	clothes
klein	small, little
Kleingeld, n	change
klettern	to climb
Klimaanlage, -n, w	air-conditioner
klingeln; **Klingel**, -n, w	to ring (a bell); small bell
klug	smart, clever, intelligent
km (**Kilometer**, -, m)	kilometer
Kneipe, -n, w	bar
Knie, -e, s	knee
knipsen	to make a snapshot
Knoblauch, m	garlic
knödel, -, m	dumpling
Knopf, ¨e, m	button
Koch, ¨e, m; **Köchin**, -nen, w	cook
kochen	to cook, boil
Koffer, -, m	suitcase
Kofferraum, ¨e, m	trunk (car)
Kollege, -n, m; **Kollegin**, -nen, w	colleague
kommen, *kam, ist gekommen*	to come
kompliziert	complicated
Komödie, -n, w	comedy
Konjunktur, -en, w	economic trend
König, -e, m; **Königin**, -nen, w	king; queen
Königreich, -e, s	kingdom
Konkurrenz, -en, w	competition
können, *kann, konnte, gekonnt*	can
Konsum, m; **Konsument**	consumption; consumer
Konto, Konten, s	bank account
Kontrolle, -n, w	control, checkpoint, supervision
Kopf, ¨e, m	head
Kopfhörer, -, m	earphone
Körper, -, m	body
Körperpflege, w	hygiene
kosten; **Kosten**, pl	cost; expenses
kostenlos	free of charge
köstlich	delicious
Kotelett, -s, s	cutlet
Kotflügel, -, m	fender
Kraft, ¨, w	strength
Kraftfahrzeug, -e, s	motor vehicle
Kralle, -n, w	claw
krank; **Krankheit**, -en, w	sick, ill; sickness, illness
Krankenpfleger, -, m; -pflegerin, -nen w	nurse
Krawatte, -n, w	tie
Kreis, -e, m	circle
Kreuzung, -en, w	intersection
Krieg, -e, m	war
Krimi, -s, m (**Kriminalroman**, -e, m)	detective story
Küche, -n, w	kitchen
Kuchen, -, m	cake

*Irregular verbs are shown in *italic* type.

Kugel, -n, w	globe, ball, bullet
Kugelschreiber, -, m	ballpoint pen
kümmern . . . um (sich)	take care of, look after
Kunde, -n, m; **Kundin**, -nen, w	customer
Kunst, ¨e, w	art
Künstler, -, m; **Künstlerin**, -nen, w	artist
künstlerisch	artistic
Kunstwerk, -e, s	art, work of art
Kurve, -n, w	curve
kurzsichtig	near-sighted

L

lachen	to laugh
Lage, -n, w	situation, state of affairs
Lampion, -s, m	(paper) lantern
Landkarte, -n, w	map
Landschaft, -en, w	landscape
Landwirtschaft, w	agriculture
lang	long, a long time
langsam	slow
langweilig; **Langeweile**, w	boring; boredom
Lärm, m	noise
Lastkraftwagen, -, m, (LKW)	truck
lau	mild, lukewarm
Laub, s	foliage, leaves
laufen, *läuft, lief, ist gelaufen*	to go, walk, run; play (movie)
lauschen	to listen, eavesdrop
laut	loud, noisy, audible
läuten	to ring
leben; **Leben**, s	to live; life, existence
lebendig	alive, lively
Lebenslauf, ¨e, m	curriculum vitae
Lebensmittel, -, pl	groceries
Lebenszweck, m	purpose of life
Leber, w	liver
Lebkuchen, -, m	ginger bread
Leder, s	leather
leer	empty
legen	to lay, put down, put
Lehrbuch, ¨er, s	textbook
Lehrinstitut, -e, s	teaching institute
Leib, -er, m	body, abdomen
leicht	easy, light
leiden; **Leid**, s	to suffer; pain, suffering
Leidenschaft, -en, w; **leidenschaftlich**	passion; passionate
leider	unfortunately
leihen	to lend, borrow
Leine, -n, w	rope, line
Leinwand, ¨e, w	screen (movie)
leise	soft, quiet
leisten (sich etwas)	to afford (s.th.)
leiten	to conduct, guide, lead, direct

Leiter, -, m; **Leiterin**, -nen, w	manager, director
Leitung, -en, w	guidance, direction
Lektion, -en, w	lesson
Lenkrad, ⁼er, s	steering wheel
lesen, **liest**, **las**, **gelesen**	to read
lernen	to learn, study
leuchten	to glow, shine, radiate
Leute, pl	people
Licht, -er, s	light
lieb	dear, beloved, darling
lieben; **Liebe**, w	to love; love
lieber	rather
Liebespaar, -e, s	lovers
Liebling, -e, m/w	dear
liegen, **lag**, **gelegen**	to lie, rest, be situated
lila	violet, purple
Literaturwissenschaft, -en, w	study of literature
loben	to praise
Loch, ⁼er, s	hole
locken	to attract, allure, coax
locker	loose, slack
los; **was ist los**	go on, hurry up; what's going on
Lücke, -n, w	gap, opening, hole
Luftpost, w	air mail
Luftschlange, - n, w	streamer
Lust, w; **lustig**	pleasure, fun; fun

M

machen	to do, make, create, prepare
Macht, -äë, w	power
Magen, ⁼, m	stomach
mähen	to mow
Mahlzeit, -en, w	meal
Maikäfer, -, m	bug (similar to June bug)
malen; **Maler**, -, m, **Malerin**, -nen, w	to paint; painter
Malerei, w	painting
man	one, people, they
manche, **mancher**, **manches**	someone, some, many a
Mangel, ⁼, m; **mangels**	lack; lacking
Mann, ⁼er, m	man
Mannschaft, -en, w	team
Mantel, ⁼, m	coat, overcoat
Märchen, -, s	fairy tale
Marsmensch, -en, m	a creature from Mars
Maske, -n, w	mask, disguise
Mauer, -n, w	wall
Maul, ⁼er s	mouth (animal)
Maus, ⁼e, w	mouse
Meile, -n, w	mile
meinen	to think, assume, believe

*Irregular verbs are shown in *italic* type.

Meinung, -en, w	opinion
meisterhaft	masterly, accomplished
melden (sich)	to signal, answer (the phone)
Menge, -n, w	quantity, grat many; crowd
mengen	mix, blend
Mensa, -s, w (or: pl. Mensen)	student cafeteria
Mensch, -en, m	human being
Menschenmenge, -n, w	crowd
Messer, -, s	knife
mies	bad, rotten
Miete, -n, w	rent
Milch, w	milk
Milliarde, -n, w; Mrd.	billion
minderjährig	not of age (minor)
Mißhandlung, -en, w	abuse, mistreatment
Mist, m	manure, shit
mit·bringen, *brachte mit, mitgebracht*	to bring along, carry along
Mitglied, -er, s	member
mit·kommen, *kam mit, mitgekommen*	to go along, come along
Mitmensch, -en, m	follow human being
mit·nehmen, *nimmt mit, nahm mit, mitgenommen*	to take along, carry
Mittagessen, -, s	lunch
Mitte, w	middle, center
Mittelalter, s; **mittelalterlich**	Middle Ages; medieval
Mittelmeer, n	Mediterranean
mittelmäßig	average, mediocre
mittlerer Abschluß	diploma (Realschule)
Mittwoch, -e, m	Wednesday
Mixer, -, m	blender
Möbel, pl	furniture
möchte, *mochte, gemocht*	would like to
Mode, -n w	fashion
mögen, *mag, mochte, gemocht*	like, want, wish
möglich	possible
Möhre, -n, w	carrot
Montag, -e, m	Monday
morgen; **der Morgen**, - m	tomorrow; morning
Moritat, -en, w	melodramatic song of love & death
Mostrich, m	mustard
Motorhaube, -en, w	hood (car)
Motorrad, ¨er, s	motorcycle
Mühe, -n, w	trouble, toil, effort
Müll, m; **Mülleimer**, -, m	garbage; garbage can
Mund, ¨er, m	mouth
Mundharmonika, -s, w	harmonica
munter	lively, vigorous, cheerful, awake
musikalisch	musically inclined
müssen, *muß, mußte, gemußt*	must, have to
Mut, m; **mutig**; **zu Mute sein**	courage, boldness; bold courageous state of mind, mood
Mütze, -n, w	cap

nach	after, to, behind, following, towards
Nachbar, -n, m; **Nachbarin**, -nen, w	neighbor
nachdenken, *dachte nach, nachgedacht*	to ponder, reflect, consider
nachher	afterwards
Nachhilfe, w; -unterricht, m	tutoring; tutoring lessons
nach·machen	to imitate
Nachname, -n, m	last name
Nachrichten, pl	news
nach·schlagen, *schlägt nach, schlug nach, nachge-schlagen*	to look up
nächste	next
Nacht, ¨e, w	night
Nachthemd, -en, s	nightgown
nachweisen; **Nachweis**, -e, m;	to prove; proof, evidence
Nadelarbeit, -en, w	needlework
nahe; **Nähe**, w	near, close; proximity
nähen	to sew
Naher Osten, m	Near East
nahrhaft	nutritious
Nahrungsmittel, -, s	food
nationalbewußt	patriotic
naturrein	pure, natural
naturverbunden	nature loving
Nebel, -, m	fog
neben	next to, near, beside
nebeneinander	next to each other
Nebensatz, ¨e, m	dependent clause
Neid, m; **neidisch**	envy; envious
Nelke, -n, w	carnation; clove
nett	nice, friendly
neu	new, latest
neuzeitlich	modern, progressive, recent
nichtsnutzig	good for nothing
nicken	to nod
niedrig	low
Niere, -n, w	kidney
Nilpferd, -e, s	hippopotamus
noch nie	never before
nochmal(s)	once again
nördlich	northern
Nummernschild, -er, s	licence plate
nur; **nur nicht**	only, ever; under no circumstances
Nuß, Nüsse, w	nut

ob; **obwohl**	whether; even though
oben	on top, at the top, above, up, top

*Irregular verbs are shown in *italic* type.

oben-ohne	topless
Ober, -, m	waiter
oberflächlich	on the surface, shallow
Oberseminar, -e, s	graduate seminar
Ochse, -n, m	ox, bull
offen	open
öffnen; **öffnung**	to open; opening
ohne	without
Ohr, -en, s; **Ohrring**, -e, m	ear; earring
Ohrfeige, -n, w	slap in the face
öl, -e, s	oil
Onkel, -s, m	uncle
Optiker, -, m	optometrist
Ordnung, -en, w	order, tidiness
Ort, -e, m; **Ortschaft**, -en, w	place; small village
Ortsgespräch, -e, s	local phone call
Osten, m; **östlich**	East; eastern
Ostern, m	Easter
österreich, s; **österreichisch**	Austria, Austrian

P ▬▬▬▬▬▬▬▬▬▬▬▬▬▬▬▬▬▬▬▬▬▬▬▬▬▬▬

paar; **ein Paar**, -e, s	few; a couple, pair
Paket, -e, s; **Päckchen**, -, s	parcel; small package
Papier, -e, n	paper
Paprika, m	paprika, bell pepper
Papst, ¨-e, m	Pope
Parkverbot, -e, s	no parking area
Parterre, n	ground floor
paß auf	watch out
passen, *paßt, paßte, gepaßt*	to fit, suit, be convenient
passieren	to happen, occur
pauken	cram, study hard
Pech	bad luck
peinlich	embarassing
Pelz, -e, m; **Pelzmantel**, ¨-, m	fur; fur coat
persönlich; **Persönlichkeit**, -en, w	personal; personality
Perücke, -n, w	wig
Petersilie, w	parsley
Pfeife, -n, w	pipe
pfeifen, *pfiff, gepfiffen*	to whistle
Pfeil, -e, m	arrow
Pfennig, -e, m	cent (smallest German currency)
Pferd, -e, s	horse
Pferdestärke, -n, w (PS)	horse power
Pfirsich, -e, m	peach
Pflanze, -n, w	plant
pflanzen	to plant
pflegen	to cultivate, nurse, tend, care for
picknichen; **Picknick**, -s, s;	to picnic; picnic
Pilz, -e, m	mushroom
platt; **einen Platten haben**	flat; to have a flat tire

Platz, ⁼e, m	place, seat, site
Poesie, w	poetry
Polizei, w	police (force)
Polizist, -en, m; **Polizistin**, -nen, w	police officer
Portemonnaie, -s, s	wallet
Portier, -s, m	porter, doorman
Posaune, -n, w	trombone
Post, w; **Postamt**, ⁼er, s	mail; post office
Pracht, w; **prachtvoll**	splendor; splendid
Präsident, -en, m; **Präsidentin**, -nen, w	president
Prediger, -, m	preacher
Preis, -e, m; **preiswert**	price; reasonably priced
preisen	to praise
prima	great
probieren	to try, taste
Prosit, Prost!	cheers, to your health
Prozeß, Prozesse, m	trial, process
Prüfung, -en, w	examination, test
Prüfungsausschuß, -ausschüsse, m	examination committee
prüde	prudish
Publikum, s	audience
Pudel, -, m	poodle
Puppe, -n, w	doll
pünktlich	on time, punctual
putzen	to clean
Pädagogische Hochschule, -n, w	college of education

Q

quälen	to torment, torture
quasi	so to speak, in a way
Quatsch, m	nonsense, rubbish
Quelle, -s, w	source, spring

R

Rabatt, -e, m	discount
Rad, ⁼er, s; **rädern**	wheel; torture on wheel
radieren	erase
Radieschen, -, s	red radish
Radio(apparat), -e, m	radio (set)
Rahm, m; **Sauerrahm**	cream; sour cream
Rasen, -, m	lawn
rasen	to go fast, speed
Rasenmäher, -, m	lawnmower
rasieren; **Rasur**, -en, w	to shave; shave
Rathaus, ⁼er, s	city hall
ratlos	helpless, at a loss
Rätsel, --, s; **rätseln**	riddle; to guess
Ratte, -n, w	rat

*Irregular verbs are shown in *italic* type.

Räuber, -, m	robber
Raubritter, -, m	robber knight
rauchen; **Rauch**, m	to smoke; smoke
rauschen	to rustle, murmur, roar, rush
Rauschgift, -e, s	drug, narcotic
raus·schmeißen, *schmiß raus, rausgeschmissen*	to evict, throw out
reagieren	to react
rechnen; **Rechenmaschine**, -n, w	to calculate, compute; calculator
Rechnung, -en, w	bill, invoice
Recht, -e, s	justice
rechts	right
Rede, -n, w	speech, address
Referat, -e, s	report
Regel, -n, w	rule, guideline
Regen, m, **Regenschirm**, -e, m	rain; umbrella
regieren; **Regierung**, -en, w	to govern; government
Regisseur, -e, m; **Regisseurin**, -nen, w	film director
reich	rich, wealthy
Reich, -e, s	realm, empire, kingdom
Reifen, -, m	tire
Reihe, -n, w	row, line
rein	clean, pure
Reinigung, -en, w	dry cleaner
Reis, m	rice
reisen; **Reise**, -n, w	to travel; trip
Reiseführer, -, m	travel guide
reiten, **ritt**, **geritten**	to ride (a horse)
reizen	to attract, agitate
reizend; **reizvoll**	lovely, charming; exciting
Reißverschluß, -verschlüsse, m	zipper
Reklame, -n, w	advertisement
Rektor, -en, m; **Rektorin**, -nen, w	school principal
Rennbahn, -en, w	race track
rennen, **rannte**, **gerannt**	to run
Reportage, -n, w	news report
Reporter, -, m; **Reporterin**, -nen, w	reporter
Reservereifen, -, m	spare tire
retten	to save, rescue
Rettich, -e, m	radish
Rezept, -e, s	recipe
Rhabarber, m	rhubarb
Richter, -, m; **Richterin**, -nen, w	judge
richtig	correct, right
Richtung, -en, w	direction
riechen, **roch**, **gerochen**	to smell
Riegel, -, m	bolt, bar (chocolate)
riesig	gigantic
Rind, -er, s	cattle
Ritter, -, m	knight
Rock, ¨e, m	skirt
roh	raw, uncooked
Rolle, -n, w	role, part
Rollschuh, -e, m; **Rollschuh laufen**	roller skate; to roller skate
Rolltreppe, -n, w	escalator

Roman, -e, m	novel
Rosenkohl, m	brussels sprout
rosig	pink, promising (future)
Rosine, -n, w	raisin
Rotkäppchen, s	little Red Riding Hood
Rotstift, -e, m	red pen
Rücken, -, m; **Rückenschmerzen**, pl	back; backache
Rückgrat, -e, s	spine
Rücklicht, -er, s	rear light
Rucksack, ⁻e, m	backpack
Rückspiegel, -, m	rear-view mirror
rückwärts	backwards
rudern; **Ruder**, -, s;	to paddle, row; oar
ruhen; **Ruhe**, w	to rest; silence, calmness
ruhig	calm, quiet
Rührei, -er, s	scrambled egg
rühren	to stir, beat
Runde, -n, w	circle, group, round
Rundfunk, m	radio station
Rußland; **russisch**	Russia; Russian
Rüstung, -en, w	armament
rütteln	to shake, rattle

S

Sache, -n, w	matter, thing
Sachertorte, -n	Austrian chocolate torte
Sachsen, s	Saxonia
Saft, ⁻e, m	juice
sägen; **Säge**, -n, w	to saw; saw
sagen	to say, tell
Saiteninstrument, -e, s	string instrument
salopp	casual
sammeln; **Sammlung**, -en, w	to collect; collection
Samstag, -e, m	saturday
sanft	gentle, soft
Sänger, -, m; **Sängerin**, -nen, w	singer
Satz, ⁻e, m	sentence
Sauerbraten, n, m	marinated roast
sauber	clean
Sauberkeit, w	cleanliness
sauer; **sauer sein**	sour; to be angry, pissed
säuseln	to rustle (wind)
sausen	zoom, whizz, race
Schach, s; **schachmatt**	chess; checkmate, worn out
schade	too bad, what a pity
schaden; **Schaden**, ⁻, m	to damage, harm; damage, harm
schädigen; **schälich**	to harm, injure; harmful
Schädling, -e, m	parasite, pest
Schädlingsbekämpfungsmittel, -, s	pesticide
schälen; **Schale**, -n, w	to peel; skin, rind

*Irregular verbs are shown in *italic* type.

Schallplatte, -n, w	record
Schalter, -, m; **Schalterhalle**, -n, w	ticket counter; ticket lobby
Schaltung, -en, w; **automatische -**	gear; automatic transmission
schämen	to be ashamed, embarrassed
scharf	sharp
Schatten, -, m	shadow, shade
schauen	to look, watch
schaukeln; Schaukel, -n, w	to swing, rock; swing
Schauspiel, -e, s	play, drama
Schauspieler, -n, m; **Schauspielerin**, -nen, w	actor, actress
Scheibenwischer, -, m	windshield wiper
Scheinwerfer, -, m	headlight, floodlight
schenken	to give a present
Schiedsrichter, -, m	umpire, referee
schießen, schoß, geschossen	to shoot, throw (a ball)
Schiff, -e, s	ship
Schilling, -e, m	schilling (Austrian currency)
schimpfen	to scold
Schirm, -e, m	umbrella
Schlag, ̈e, m	stroke, blow
Schlagbaum, ̈e, w	toll gate
schlagen, *schlägt, schlug, geschlagen*	to hit, beat
Schlaginstrument, -e, s	percussion instrument
Schlange, -n, w; **Schlange stehen**	snake; to stand in line
schlank	slender, slim
schlecht	bad, rotten, wicked, poor
schlicht	plain, modest, homely
schließen, *schloß, geschlossen*	to close, shut
schlimm	bad, naughty, nasty, evil
Schlitten, -, m	sleigh, sled
Schlittschuh, -e, m	ice skate
Schloß, Schlösser, s	castle
Schlüssel, - m	key
schmecken	to taste
Schmuck, m	jewelry
Schmutz, m; **schmutzig**	dirt; dirty
schmücken	to adorn, decorate
Schnee, m	snow
Schneewittchen, s	Snowwhite
schneiden, schnitt, geschnitten	to cut, slice
Schneider, -, m; **Schneiderin**, -nen, w	tailor
schneien	to snow
schnell	fast, quick
Schnitzel, -, s	cutlet
Schnurrbart, ̈e, m	moustache
schon	already
schön	beautiful, pretty
Schönheit, w	beauty
Schornstein, -e, m	chimney
Schotte, -n, m; **Schottin**, -nen, w	person from Scotland
Schottland, s	Scotland
Schrank, ̈e, m	closet, cabinet
Schranke, -n, w	barrier
Schraubenzieher, -, m	screwdriver

schreien; Schrei, -e, m	to scream, shout, cry; scream
Schreibheft, -e, s	notebook
Schreibmaschine, -n, w	typewriter
Schuh, -e, m	shoe
Schularbeit, -en, w	homework
Schulden, pl	debts
schuldig	guilty, indebted
Schulter, -n, w	shoulder
Schuß, Schüsse, m	shot
Schüssel, -n, w	bowl
Schuster, -n, m	shoemaker
schütten	to pour
schwach; Schwäche, -n, w	weak; weakness
Schwamm, ⁻e, m	sponge
Schwanz, ë, m	tail
Schweif, -e, m	train (gown), tail
schweigen, *schwieg, geschwiegen*	to be silent, quiet
Schwein, -e, s	pig, pork
Schweiß, m	sweat
Schweiz, w	Switzerland
schwer	heavy, difficult
Schwester, -n, w	sister
schwimmen, *schwamm, ist/hat geschwommen*	to swim
Schwindel, m	swindle, fraud
schwitzen	to sweat
Sechstagerennen, n, s	bike race lasting 6 days
See, -n, m; See, w	lake, pond; ocean
Seele, -n, w	soul
segeln; Segel, -, m	to sail; sail
Segelfliegen, -, s	gliding
sehen, *sieht, sah, gesehen*	to see
sehenswürdig; Sehenswürdigkeit, en, w	worth seeing; points of interest
sehnen (sich)	to yearn, long
sehr; sehr wohl	very, much, quite; as you wish
Seide, -n, w	silk
seit; seit kurzem	since, for; lately
seitdem	ever since
Sekt, m	sparkling wine
Selbstmord, -e, m	suicide
selbständig; Selbständigkeit, w	independent; independence
selbstverständlich	matter of course, obvious
selig	blessed
selten	rare
seltsam	strange, peculiar, odd, curious
Sendung, -en, w	program (TV, radio), broadcast
Servus	hello, good-bye
Sessel, -, m	easy chair
setzen; sich setzen	to set; to sit down
sicher; Sicherheit, -en, w	safe, certain, sure; safety
sichtbar	visible
sieden; Siedepunkt, m	simmer, boil; boiling point

*Irregular verbs are shown in *italic* type.

Sinn, -e, m; **von Sinnen sein**	sense, idea; be out of one's mind
sinnvoll	sensible, meaningful
sitzen, *saß, gesessen*	to sit
Sitzung, -en, w	meeting, session
sobald	as soon as
Socke, -n, w	sock
sofort	at once, immediately
Sohn, ⁻e, m	son
solange	as long as
solche, solcher, solches	such
Sonderangebot, -e, s	sale
sonst	else, otherwise
sooft, wie	as often as
Soße, -n, w (auch: **Sauce**, -n, w)	sauce, gravy
Spanien, s; **spanisch**	Spain; Spanish
sparen	to save
Sparkasse, -n, w	savings and loan association
sparsam	thrifty, frugal
Sparschwein, -e, s	piggy bank
späßen; **Spaß**, ⁻e; **Spaß machen**	to joke; have fun; enjoy
spät; **spät kommen**	late; to be late
speichern	to store (computer information)
Spiegel, -, m	mirror
spielen, **Spiel**, -e, s;	to play, gamble; game, play
Spielbank, -en, w	casino
Spielzeug, -e, s	toy
Spinat, m	spinach
Spion, -e, m; **Spionin**, -nen, w	spy
spitz	pointed, sharp
Sprachkenntnis, -se, w	knowledge of language
Sprachzeugnis, -se, s	language certificate
sprechen, *spricht, sprach, gesprochen*	to speak
sprengen	to explode
springen, *sprang, ist gesprungen*	to jump, hop
sprühen	to spray
spuken; **Spuk**, m;	to haunt; spook, apparition
Staat, -en, m	state
Staatsangehörigkeit, -en, w	nationality
Stadt, ⁻e; **Innenstadt**, w	town, city; downtown
stammen	to stem from, originate
stark; **Stärke**, -n, w	strong; strength
statt·finden, *fand statt, stattgefunden*	to take place, to occur, happen
staunen	to be astonished, surprised, amazed
stechen, *sticht, stach, gestochen*	to prick, sting
stehen, *stand, gestanden*	to stand
stehlen, *stiehlt, stahl, gestohlen*	to steal
steigen, *stieg, gestiegen*	to climb
Stein, -e, m	stone, rock
Stelle, -n, w	job, position, place, spot
stellen	to put, place, set
Stellvertreter, -, m -vertreterin, -nen, w	representative, substitute
sterben, *stirbt, starb, ist gestorben*	to die
Stern, -e, m; **Sternwarte**, -n, w	star; observatory

stets	always, forever
Steuer, -n, w	tax
sticken	to embroider
Stiefel, -, m	boot
Stiefmutter, ¨, w; -tochter, ¨, w	stepmother; stepdaughter
Stil, -e, m	style
Stirn, -e, w	forehead
Stock, ¨e, m; **Stockwerk**, -e, s	stick; floor, story (house)
stolpern	to stumble, trip
stolz	proud
stören; **Störung**, -en, w	to disturb, interrupt; interruption
Stoßstange, -n, w	bumper
stoßen, *stößt, stieß, gestoßen*	to push, shove
Strafe, -n, w; **strafen**	punishment, fine; to punish
Strafzettel, -, m	traffic ticket
Strand, ¨e, m	beach
streben; **Streben**, n	to strive, aspire to; aim
streiten, *stritt, gestritten*	to fight, quarrel
streng	strict
stricken	to knit
Strom, m; -rechnung, -en, w	electricity; electric bill
Strom, ¨e, m	stream, current
struwwelig	unkept, tousled, shaggy
Studentenheim, -e, s	student dormatory
studieren	to study, learn
Studium, Studien, s	studies
Stuhl, ¨e, m	chair
stumm	silent
stur	stubborn
Sturm, ¨e, m	storm
stürzen; **Sturz**, ¨e, m	to fall, plunge; fall
suchen; **Suche**, w	to look for, search; search
Süden, m	South
summen	to hum
Sumpf, ¨e, m	swamp
Suppe, -n, w	soup
Sylvester, n	New Year's Eve

T

Tafel, -n, w	blackboard
Tag, -e, m; **täglich**	day; daily
Tal, ¨er, s	valley
tanken; **Tank**, -s, m	to get gas; gas tank
Tankstelle, -n, w; **Tankwart**, -e, m	gas station; gas station attendant
Tanne, -n, w; **Tannenbaum**, ¨e, m	fir tree; Christmas tree
Tante, -n, w	aunt
Taschenrechner, -, m	pocket calculator
Tasse, -n, w	cup
Tat, -en, w; **tätig**	deed, action; active
taub	deaf, numb

*Irregular verbs are shown in *italic* type.

Teil, -e, m; **zum Teil**	part; partially
Teilung, -en, w	division, split
Teller, -, m	plate
Tennisschläger, -, m	tennis racket
Teppich, -e, m	carpet
teuer	expensive
Teufel, -, m	devil
Teufelskreis, -e, m	vicious circle
Theaterkasse, -n, w	box office
Theke, -n, w	bar
Thema, **Themen**, s; **thematisieren**	theme; thematize
tief	deep
Tiefseetauchen, s	scuba diving
Tier, -e, s; **Tierhandlung**, -en, w	animal; pet shop
tippen	to type
Tisch, -e, m	table
Tochter, ⁻, w	daughter
Tod, m	death
toll	terrific, great, crazy, insane, wild
tönen; **Ton**, ⁻e, m	to sound, sound
Tonband, ⁻er, s; **-gerät**, -e, s	tape; tape deck
Topf, ⁻e, m	pot
Tor, -e, s; **Torwart**, -e, m	gate, goal (sport); goalie
tot; **totmüde**	dead; dead-tired
töten	to kill
tragen, *trägt, trug, getragen*	to carry
träge; **Trägheit**, w	lazy; laziness
träumen; **Traum**, ⁻e, m	to dream; dream
trauern; **Trauer**, w	to mourn; mourning, grief
traurig; **Traurigkeit**, w	sad, depressed; sadness, sorrow
treffen, *trifft, traf, getroffen*	to hit, strike, meet, encounter
Treppe, -n, w; **Treppenhaus**, ⁻er, s	stair; stair case
treten, *tritt, trat, getreten*	to kick, step, tread
treu; **Treue**, w	faithful, loyal; faithfulness
Tribüne, -n, w	bleachers
Trikot, -s, s	jersey
trinken, *trank, getrunken*	to drink
trocknen; **trocken**	to dry; dry
Trommel, -n, w	drum
tropfen; **Tropfen**, - m	to drip; drop
tropfnaß	dripping wet
trösten; **Trost**, m	to console; consolation, solace
trotz	in spite of, despite
trüb(e)	dreary, overcast
Truhe, -n, w	console, chest
Tür, -en, w	door
Turm, ⁻e, m	tower
Tüte, -n, w	bag

U-Bahn, w	subway
Übel, s	malice, evil, wrong
üben	to practice
über	above, over, on top of, higher than
überwachen	to guard
überfall, ⁻e, m	robbery, attack, raid, invasion
überhaupt; überhaupt nichts	generally, at all; nothing at all
überholen	to pass (traffic)
übernehmen, *übernimmt, übernahm, übernommen*	to take over
überraschen; Überraschung, -en, w	to surprise; surprise
übertreiben, *übertrieb, übertrieben*	to exaggerate
überwachen; Überwachung, -en, w;	to supervise; inspection, supervision;
überzeugen; Überzeugung, -en, w	to convince; conviction
übrig	left over, remain
Uhr, -en, w; **Uhrwerk**, -e, s	clock, watch; clockwork
ulkig	funny
um	around, about; approximately
umarmen; Umarmung, -en w	to embrace, hug; embrace
um·drehen	to turn around
umgeben, *umgibt, umgab, umgeben*	to surround
umgehen, *umging, umgangen*	to circumvent
Umkleidekabine, -n, w	dressing room
Umrechnungskurs, -e, m	exchange rate
umwachsen sein	to be overgrown with plants
Umweg, -e, m	detour
Umwelt, w; **Umweltsünde**, -n, w	environment; offense against the environment
Umweltschmutz, m; -verschmutzung, -en, w	pollution
um·ziehen (sich), *zog um, umgezogen*	to change clothes
um·ziehen, *zog um, umgezogen*	to move (residence)
unabhängig; Unabhängigkeit, -en, w	independent; independence
unbestimmt	indefinite
unentschieden	undecided, equal (score)
Unfall, ⁻e	accident
ungar	not done (cooking)
ungeduldig	impatient
ungefährlich	harmless, not dangerous
ungeübt	unexperienced
ungewöhnlich	unusual
ungezogen	unruly
unglaublich	unbelievable
Unglück, s	misfortune
unheimlich	scary, frightful, disturbing
Uni, -s, w; **Universität**, -en, w	university
Universitätsgelände, -, s	campus
Unkraut, ⁻er, s	weed
unmoralisch	immoral
unnatürlich	unnatural, artificial
unnütz	useless
unordentlich	messy

*Irregular verbs are shown in *italic* type.

unrasiert	unshaven
unsicher	insecure, uncertain
Unsinn, m	nonsense
unsterblich; **Unsterblichkeit**, w	immortal; immortality
Untat, -en, w	crime, bad deed
unten	at the bottom, beneath, below, down
unter	under, unterneath, below
unterbrechen, *unterbricht, unterbrach, unterbrochen*	to interrupt
Unterdrückte, -n, w/m	oppressed, underdog
Unterführung, -en, w	tunnel, underpass
unterhalten (sich), *unterhält, unterhielt, unterhalten*	to have a conversation
Unterhaltung, -en, w	conversation
Unterhemd, -en, s; **Unterhose**, -en, w	undershirt; underpants, panty
Unterwäsche, -, w	underwear
unterrichten; **Unterricht**, m	to instruct; lesson, class
unterschreiben, *unterschrieb, unterschrieben*	to sign
Unterschrift, -en w	signature
unterstreichen, *unterstrich, unterstrichen*	to underline
unterstützen	to support
unterwegs	on the road, traveling, on the way
unzufrieden	unhappy, discontent, dissatisfied
Urknall, m	big bang (creation of universe)
Urlaub, m	vacation
Ursache, -n, w	cause, origin
urteilen; **Urteil**, -e, s	to judge; judgment, verdict

V

verabschieden (sich)	to say good-bye
Veränderung, -en, w	change
Verantwortung, -en, w	responsibility
verbergen, *verbirgt, verbarg, verborgen*	to hide
verbieten, *verbat, verboten*	to forbid, to prohibit
verbinden, *verband, verbunden*	to connect (telephone)
Verbrechen, s; **Verbrecher**, -, m	crime, offence; criminal
verderben, *verdirbt, verdarb, verdorben*	to spoil, ruin
verdienen	to earn, deserve
Verein, -e, m	club, association
vereinbaren	to agree upon, arrange
Vereinigte Staaten	United States
Verfall, m	decay, ruin
Verfassung, -en, w	constitution
verfluchen	to curse
verführen	to seduce
Vergangenheit, -en, w	past, past tense
vergeben, *vergibt, vergab, vergeben*	to forgive
vergeblich	in vain, futile
vergehen, *verging, vergangen*	to pass (time)
vergessen, *vergißt, vergaß, vergessen*	to forget
vergewaltigen; **Vergewaltigung**, -en, w	to rape; rape
vergießen, *vergoß, vergossen*	to spill
vergnügen (sich); **Vergnügen**, s	to enjoy oneself; amusement
verhaften	to arrest

verhalten (sich) *verhält, verhielt, verhalten*; Verhalten, s	to act, behave; conduct
Verhältnis, -se, s	relationship
verhältnismäßig	relatively, comparatively
verheiraten; **verheiratet**	to marry; married
verkaufen	to sell
Verkehr, m; **Verkehrszeichen**, -, s	traffic; traffic sign
Verkehrsunfall, ¨e, m	traffic accident
Verkehrswesen, s	traffic system
verkleiden (sich)	to disguise oneself
Verkäufer, -, m; **Verkäuferin**, -nen, w	sales person
verlangen	to demand, ask for, yearn
verlassen, *verläßt, verließ, verlassen*	to leave
verlassen (sich) auf	to rely on someone
verlaufen (sich), *verläuft, verlief, verlaufen*	to loose one's way, go astray
verleihen, **verlieh**, **verliehen**	to loan, lend, give
verletzen (sich); **Verletzung**, -en, w	to hurt, injure; injury
verlieren, **verlor**, **verloren**	too loose
verloben (sich); **Verlobung**, -en, w	to become engaged; engagement
Verlobte, -n w/m	fiance
vermengen	to mix
vermischen	to blend
vermutlich	probably, (most) likely
Vernunft, w; **vernünftig**	reason; reasonable
veröffentlichen	to publish
verraten, *verrät, verriet, verraten*	to disclose, divulge, betray
verspäten (sich); **Verspätung**, -en, w	to be late; lateness, delay
versprechen, *verspricht, versprach, versprochen*	to promise
Verstand, m	intellect, mind, common sense
verständlich	understandable
verständigen; **Verständigung**, w	to communicate; communication
verstecken; **Versteck**, -e	to hide; hiding place
verstehen, *verstand, verstanden*	to understand
versuchen; **Versuchung**, w	to try, attempt, tempt; temptation
Verteidigung, -en, w	defense
vertieft	absorbed, engrossed
Vertreter, -, m; **Vertreterin**, -nen, w	representative, assistant
Verwaltung, -en, w	administration
Verwandte, -n, w/m	relatives
verwöhnen	to spoil
verzeihen, *verzieh, verziehen*	to forgive
verzollen	to pay duty, to declare
verzweifeln; **Verzweiflung**, -en, w	to despair; desperation
viel, viele	many, a lot, much
vielleicht	perhaps, maybe, probably
Visier, -e, s	visor
Vogel, ¨, m	bird
Vogt, Landvogt, -e, m	warden, governor
Volk, ¨er, s	people, tribe, nationals
Volkslauf, m	jogging of a community group
Volkswirtschaft, w	economics
vollkommen	perfect
vor	ahead, ahead, prior to, ago

*Irregular verbs are shown in *italic* type.

vorbei	past, over
vor·bereiten; Vorbereitung, -en, w	to prepare; preparation
Vorbild, -er, s; **vorbildlich**	model, example; exemplary
Vorderteil, -e, s	front part
Vorfahrt, w	right-of-way
Vorhang, ¨e, m	curtain
Vorhersage, -n, w	prediction
Vorkenntnis, -se, w	previous knowledge
vor·kommen, *kam vor, ist vorgekommen*	to occur, happen
Vorlesung, -en, w	lecture
Vorlesungsverzeichnis, -se, s	university catalog
vorn(e)	in front, before, at the beginning
Vorschlag, ¨e, m	suggestion, recommendation
Vorsicht, w; **vorsichtig**	caution, care; careful, cautious
Vorsitzende, -n, w/m	chairperson
vor·stellen	to introduce, imagine
Vorstellung, -en, w	performance, show
Vorteil, -e, m	advantage
Vorwahlnummer, -n, w	area code
vorwärts	forward
vor·ziehen, *zog vor, vorgezogen*	to prefer

W

wachsen, *wächst, wuchs, gewachsen*	to grow
Wachstum, m	growth
Waffe, -n, w	weapon
wagen; Wagnis, -se, s	to dare, risk; risk
Wagen, -, m	car, vehicle
wählen; Wahl, -en, w	to elect, dial, choose; election
wählerisch	selective, choosy
wahnsinnig; Wahnsinn, m	crazy, insane, wild; insanity
während	during, while, in the meantime
Wahrheit, -en, w	truth
Währung, -en, w	currency
Wald, ër, m	forest, woods
Wand, ¨e, w	wall
wandern; Wanderverein, -e, m	to hike, roam; hiking club
Warenhaus, ¨er, s	department store
warum	why
Wäsche, pl	laundry, linen
waschen	to wash
Wasser, Gewässer, s	water; waters
Wasserstoffbombe, -n, w	hydrogen bomb
wechseln; Geld wechseln	to change; exchange money
wecken	to wake, awaken, rouse
wehren (sich); **abwehren**	to defend oneself; ward off
weich	soft
Weide, -n, w	willow tree
Weihnachten, s; **Weihnachtsmann**, ¨er, m	Christmas; Santa Claus
weinen	to cry, weep
Weingut; ¨er	winery
weise; Weisheit, -en, w	wise; wisdom

weit	far, wide, broad, large
weiter·	continue to
weitsichtig	far-sighted, clear-sighted
welche, welcher, welches	which, which one
Welle, -n, w	wave
Welt, -en, w	world
weltberühmt; **weltoffen**	world famous; openminded
wenden, *wandte, gewandt*	to turn
Wende, -n, w	turning point, turn
wenigstens	at least
wenn	when, whenever, if
Werbeplakat, -e, s	billboard
Werbesendung, -en, w	commercial (TV, radio)
Werbung, -en, w	advertising
werfen, *wirft, warf, geworfen*	to throw
Werk, -e, s	work, achievement; factory
Werkstatt, ¨e, w	workshop
wert; **Wert**, -e, m; **wertvoll**	worth; value, worth; valuable
Wertsache, -n, w	valuables
Weste, -n, w	vest
Wettbewerb, -e, m	competition
wetten; **Wette**, -n, w	to bet; bet
Wettrennen, -, s	race
wider	against
Widerstand, ¨e, m	resistance
wieder	again, once more
wiederholen; **Wiederholung**	to repeat; repetition
wieder·kommen, *kam wieder, ist wiedergekommen*	to return, come again
Wiedervereinigung, w	reunification
wiegen, einwiegen	to weigh, cradle
Wiese, -n, w	meadow
Wildnis, -se, w	wilderness
Wildschwein, -e, s	boar
Wille, -n, m	will
willig	consenting
Windschutzscheibe, -n, w	windshield
winken	to wave, beckon
Winzer, -, m; **Winzerin**, -nen, w	wine-grower
winzig	tiny
Wipfel, -, m	tree-top
wirken	to work, operate, effect, act
wirklich	really, truly
wirr	confused, incoherent, tangled
Wirtschaft, w; **wirtschaftlich economical**	economy; economical
Wirtschaftssystem, -e, s	economic system
Wirtschaus, ¨er, s	inn, restaurant
wissen, *weiß, wußte, gewußt*; **Wissen**, s	to know; knowledge
Wissenschaft, -en, w; **wissenschaftlich**	science; scientific, scholarly
wittern	to scent, smell, perceive
witzig	witty, funny
Woche, -n, w; **Wochende**, -n, s	week; weekend
wohl, wohlig	well, comfortable, cozy

*Irregular verbs are shown in *italic* type.

wohlgenährt	well fed
wohnen	to reside, live
Wohnhaus, ¨er, s; **Wohnung**, -en, w	(apartment) house; apartment
Wohnzimmer, -, s	living room
Wolke, -n, w	cloud
Wolkenkratzer, -, m	sky scraper, high rise
wollen, *will, wollte, gewollt*	to want, desire, shall
Wort, ¨er; **Wortfolge**, w	word; word order
wund; **Wunde**	sore; wound, injury, sore
Wunsch, ¨e, m	wish, desire
Wünschelrute, -n, w	divining-rod
würfeln; **Würfel**, -, m	to throw dice; dice
Wurst, ¨e, w; **Würstchen**, -, s	sausage; small sausage
Wüste, -n, w	desert
Wut, w; **wütend**	anger, to be angry

Z

Zahl, -n, w	number
zahlen; **Zahltag**, -e, m	to pay; payday
Zahnarzt; ¨e; **Zahnärztin**, -nen, w	dentist
zaubern; **Zauber**, m;	to conjure; magic
Zauberer, -, m; **Zauberin**, -nen, w	magician
Zeh, -en, m	toe
Zeichen, -, s	sign
zeichnen; **Zeichnung**, -en, w	to draw, sketch; line drawing
zeigen	to show, point out
Zeit, -en, w	time
Zeitung, -en, w	newspaper
zensieren; **Zensur**, -en, w	to grade; grade
zerbrechen, *zerbricht, zerbrach, zerbrochen*	to break, shatter
zerreißen, *zerriß, zerrissen*	to tear, shred
zerschmettern	to smash
zerstören; **Zerstörung**, -en, w	to destroy, demolish; destruction
Zettel, - m	slip of paper, note
Ziege, -n, w; **Ziegenbock**, ¨e, m	goat; billy goat
ziehen, *zog, gezogen*	to pull, draw, tug, tow
Ziel, -e, s	goal
ziemlich	rather, fairly, quite
Zimmer, -, s	room
Zimt, m	cinnamon
Zins, -en, m	interest
zittern	to shake
Zoll, ¨e, m; **Zollkontrolle**, -n, w	customs; customs check
zollfrei	duty free
züchten; **Zucht**, -en, w	to breed, grow; breeding, cultivation
zucken	to twitch, jerk
Zucker, m	sugar
zuerst	first
Zufall, ¨e, m; **zufällig**	coincidences; by accident
Zug, ¨e, m	train
zugrunde gehen	to perish, be ruined
zu·hören	to listen

Zukunft, ⁻e, w	future
zunächst	at first, initially
zurück·stoßen, *stieß zurück, zurückgestoßen*	to push back, reject
zurück·zahlen	to pay back, reimburse
zusammen·brechen, *bricht zusammen, brach zusammen, ist zusammengebrochen*	to break down
Zuschauer, -, m; **Zuschauerin**, -nen, w	spectator, viewer
Zutat, -en, w	ingredient
zuverlässig; **Zuverlässigkeit**, -en, w	reliable; reliability
Zweck, -e, m	objective, purpose
zweifeln; **Zweifel**, m	to doubt; doubt
zweimal	twice
Zwerg, -e, m	dwarf
Zwiebel, -n, w	onion
zwischen	between, inbetween, among

*Irregular verbs are shown in *italic* type.